teadue
1725

Tullio Avoledo, Andrea Fazioli,
Emiliano Gucci, Marino Magliani,
Gianluca Morozzi, Divier Nelli,
Domenico Seminerio, Valerio Varesi,
Marco Vichi

Delitti in provincia

A cura di
Marco Vichi

www.InfiniteStorie.it
il grande portale del romanzo

TEA - Tascabili degli Editori Associati S.p.A., Milano
Gruppo editoriale Mauri Spagnol
www.tealibri.it

La traccia del serpente sulla roccia © 2007 Tullio Avoledo
Swisstango © 2007 Andrea Fazioli
Ballere e pasticche © 2007 Emiliano Gucci
L'ossario © 2007 Marino Magliani
Il ghiaccio sottile © 2007 Gianluca Morozzi
tramite Nabu International Literary Agency
Quando scende la notte © 2007 Divier Nelli – Pubblicato
in accordo con l'autore c/o Piergiorgio Nicolazzini Literary Agency
Il nero dell'Etna © 2007 Domenico Seminerio
Ho visto mio padre piangere © 2007 Valerio Varesi
Una vita normale © 2007 Marco Vichi

© 2007 Ugo Guanda Editore S.p.A, Parma
Edizione su licenza della Ugo Guanda Editore

Prima edizione TEADUE giugno 2009

DELITTI IN PROVINCIA

TULLIO AVOLEDO

La traccia del serpente sulla roccia

1

La ragazza coi capelli verdi alza la testa di scatto, spavalda. Caccia in fuori la lingua. Il *piercing* sulla punta brilla, un teschio ghignante, con minuscoli rubini al posto degli occhi. Il prete giovane si blocca. Poi, con un gesto lento come dovesse infilare la mano in un forno acceso, appoggia l'ostia sulla lingua di Lena.
Il corpo di Cristo.
Amen.
Lena chiude la bocca, sorride. Fa una mossa vezzosa col sedere e sculetta, sotto gli occhi scandalizzati della vecchia beghina che aiuta il sacerdote a distribuire la comunione. Federica allora si fa avanti in fretta, a occupare il suo posto. Non devi lasciare al prete il tempo di pensare. Lavorano sempre così, in coppia. Funziona. Federica è vestita bene. *Con modestia*, come si dice. Gonna sotto il ginocchio, una camicia bianca e un giacchino nero che mette solo per queste occasioni. Il prete nemmeno la guarda, ancora turbato da Lena, non la vede davvero, mentre depone l'ostia nelle sue mani a coppa.
... corpo di Cristo.
Amen, coglione.
È rapido come un serpente, il gesto con cui mentre finge di portarsi l'ostia alla bocca, la ragazza la fa invece scivolare di nascosto nella manica della giacca. A capo chino, *con modestia*, va a sedersi al suo posto, tre file dietro Lena che con il vuoto ai lati si muove leziosamente, danza sul posto come seguendo i passi di una musica che solo lei sente.

Federica pensa alla lingua di Lena. A come sa muoversi bene. Alla sensazione che le provoca il piccolo teschio d'argento sui capezzoli eretti, sulla pelle nuda della schiena.

Non ricorda più le parole, o le ricorda a tratti. Gli *amen*, i *rendiamo grazie a Dio*. Muove le labbra in sincrono con quelle delle sue vicine. Gli sgorbi vestiti di buio che ha intorno belano un'altra canzone da servi, lodando il Dio che li ha voluti brutti e ciechi. Canzoni senza forza, senza vita. Senza palle. Avrebbe voglia di chiudere gli occhi e intonare un inno vero. Un inno che li faccia saltare sulle sedie, che sollevi la polvere dai loro occhi. Un inno che faccia venir loro voglia di vivere, di urlare, di mettersi a danzare e dimenarsi e gettare le braccia in alto e scopare sotto queste vecchie pitture scrostate di angeli e santi dai nomi dimenticati. Deve fare uno sforzo per rimanere zitta e ferma sino alla fine della messa. Per uscire tranquilla, a passo lento, badando a non far cadere dalla manica l'ostia rubata, *il mio tessssoro*, sorride, imitando dentro di sé la voce del mostriciattolo Gollum. Lena l'aspetta fuori, girato l'angolo, all'ombra del muro con le lapidi antiche.

«Ce l'hai? L'hai presa?»

«Sì.»

L'amica muove una serie di piccoli passi di danza. «Fede, sei proprio figa. Sei mitica.»

«Siamo una squadra.»

Lena l'abbraccia, la stringe forte. La tiene come se stessero ballando. In quell'angolo, pensa, nessuno può vederle. Fede deve aver pensato lo stesso, perché sono le sue labbra a schiudersi, a sporgersi. Si baciano a lungo. Danzano poi, danzano davvero. Le lapidi medievali, le lapidi sul muro, ruotano intorno a loro. Gli sguardi dei morti, sguardi fissi, rubati dal tempo, sembrano maledirle da dietro le pietre fredde, con gli stemmi e i nomi latini, trafiggere le due streghe abbracciate che danzano, il bottino sacrilego stretto fra i corpi accaldati, contro il cuore che batte, i cuori che battono sempre più forte. Fa freddo, all'ombra della chiesa. È quasi notte. La notte del sabato.

«Il Maestro» cantano sottovoce le ragazze, sull'aria di una canzone dei Necromass. «Il Maestro sta arrivando.»

Su uno degli stemmi antichi, gli stemmi nella pietra, un serpente si arrampica su un albero, tenendo una mela in bocca. Su un altro ridono tre teschi: uno più grande al centro, i due piccoli ai lati. Occhi ciechi. La risata delle due ragazze scivola sulle pietre, fa un rumore come d'acqua cristallina.

«Mi scusi, professor Vallarta, ma in un'edizione di Pordenonelegge così ricca di eventi e personaggi, era proprio il caso di infilarci una cosa del genere? Non le sembra una scelta discutibile?»

«Può anche essere una scelta audace, come lei dice...»

«Ho detto *discutibile*.»

«*Discutibile*, d'accordo. Può darsi, ma eventi come questo vivono anche di dibattito, di discussione. Vorrei ricordarle le quasi mille persone che hanno seguito l'incontro fra Dan Brown e padre Aringarosa...»

Il giornalista più vicino a Vallarta gli caccia sotto il naso un registratore digitale col logo di una tivu brasiliana. Tre cameramen si spostano avanti e indietro cercando di cogliere l'inquadratura migliore.

«Sì, però deve ammettere che invitare Harkwell è stato un gesto, come dire, estremo...»

Giancarlo Vallarta, il direttore artistico di Pordenonelegge, scuote la testa. Gli occhi scuri sembrano ravvivarsi come due tizzoni. «Il mondo, la dialettica della vita, vivono di estremi. Le cose medie non esistono più, e se esistono non interessano più a nessuno. Simon Harkwell è uno scrittore affermato, che nel bene o nel male ha fatto molto parlare di sé, molto discutere intorno a temi importanti. Ci è sembrato assurdo chiuderci a riccio, escluderlo solo per alcune sue opinioni sicuramente, come si diceva, discutibili...»

«Harkwell si definisce un superuomo nietzschiano. Addirittura la reincarnazione di Aleister Crowley, la Bestia dell'Apocalisse. Le sue tesi negazioniste sulla Shoah...»

Vallarta sbuffa. «È importante distinguere lo scrittore dal *performer*. Sono due ambiti diversi. Harkwell è sia l'uno che l'altro. Ed è indubbiamente un grande, grandissimo scrittore. Per questo l'abbiamo invitato.»

«*Performer*...?» sghignazza una voce.

E un'altra: «Dove terrà il suo intervento? In un cimitero?»

Lo sguardo di Vallarta punta sulla bocca della giornalista romana che ha fatto la domanda. Sorride, ma senza che il sorriso raggiunga gli occhi. «No. In una chiesa. La chiesa di San Francesco.»

«Che per puro caso è una chiesa sconsacrata.»

«Le assicuro che è, appunto, un puro caso.»

«E la data scelta per l'incontro?»

«È la giornata finale della manifestazione. È normale che un avvenimento così di richiamo sia destinato alla domenica.»

«Ma è il 23 settembre.»

«Sì. Dato che è domani, può stare tranquilla che me lo ricordo.»

«Ma lei lo sa cos'è, il 23 settembre?»

Vallarta alza le spalle. «Una domenica.»

«Solo questo le viene in mente?»

«Sì.»

Un giornalista polacco tira su la mano.

«Prego.»

«Volevo chiedere... Ma non avete paura?»

«Paura in che senso?»

«Simon Harkwell ha molti nemici. E anche molti seguaci, purtroppo.»

«Anche molti lettori.»

«Sì, certo. Anche molti lettori. Ci sono stati segnali?»

Vallarta inarca le sopracciglia. «In che senso?»

«Segnali che l'arrivo di Harkwell stia provocando una reazione, in un senso o nell'altro...»

«Non capisco a cosa si riferisca.»

Il ragazzo polacco sorride. «Penso che lo scoprirete presto.»

2

«Il 23 settembre è la Quarta Notte di Tregenda. È la notte che gli appartenenti alle sette sataniche considerano il momento più propizio per cantare le lodi della conoscenza demoniaca.»

Il professor Rabo Mishkin s'infila in bocca un altro gambero. Con un rumore che attira sguardi indignati da ogni angolo del ristorante, succhia fuori la carne dal guscio del crostaceo. Vallarta lo fissa a bocca aperta.

Mishkin solleva lo sguardo dal piatto. I gamberi non sono nel menu. Sono un omaggio del locale allo straripante appetito dell'illustre ospite.

La bocca rossa di sugo si apre e si chiude sotto gli occhi affascinati del direttore artistico di Pordenonelegge. «È la notte che di solito coincide con l'equinozio d'autunno. Non dirmi che non lo sapevi.»

«No.»

«Certo che sei proprio furbo. Ti avevo sconsigliato di invitare Harkwell.»

«Be', era ovvio che avrebbe attirato un po' di squinternati...»

«Non mi riferivo a quello.»

«A cosa, allora?»

Mishkin si versa un bicchiere colmo di Traminer, in un calice macchiato e unto in modo inverosimile. «Sai che ha ricevuto un sacco di minacce.»

«Certo che lo so.»

«Harkwell è un grande, su questo non si discute. Mi farebbe davvero piacere poter parlare un po' con lui. *Pagine dal Libro dei Morti* e *La traccia del serpente* sono capolavori assoluti. Sono certo che fra cent'anni le sue opere si leggeranno ancora. Ma nonostante questo è un satanista...»

Rabo alza le dita unte della mano destra. «... un antisemita, un razzista, un antiamericano, un nemico dichiarato dell'Islam. E mi fermo qui perché ho finito le dita della mano, ma potrei continuare con l'altra, e anche con le dita dei piedi. A Harkwell sembra stia sulle palle il mondo intero. Non dico che abbia torto, solo che il modo in cui lo dice non lo aiuta certo a farsi degli amici. In questo momento è probabilmente l'uomo più odiato del pianeta dopo mia suocera.»

«Tua suocera è una donna.»

«Non ne sono sicuro.»

Vallarta sospira, appoggiandosi all'indietro sulla sedia. Sorride, suo malgrado. L'osteria Al Teston è affollata, alle otto di sera. Le voci animate degli avventori, il caldo, l'odore dei cibi avvolgono lo stanzone come in un bozzolo protettivo.

«Sei stanco?»

C'è una nota sinceramente preoccupata, nella voce di Mishkin.

Vallarta alza le spalle. Si stropiccia gli occhi. «Ogni anno mi dico che è l'ultima volta, e poi ricomincio da capo. Domani si chiude il sipario su questa edizione e già mi tocca pensare alla prossima.»

«Faccio fatica a pensare a un'edizione più grandiosa di questa. Forse dovreste smettere. Forse questa dovrebbe essere l'ultima edizione di Pordenonelegge. Chiudersi con il concerto di domani sera.»

«Magari.»

Mishkin spazzola l'ultimo gambero dal piatto. Schiocca le dita. L'oste si avvicina, premuroso.

«Posso portarvi ancora qualcosa? Un dolce, caffè?»

«Siamo già al caffè? Pensavo piuttosto a un *secondo* secondo.»

«Lei è proprio mitico, professore.»

«Vorresti che tutti i clienti fossero come me, eh?»

«Non mi dispiacerebbe. Cosa le porto?»

«Cosa ne dici di portarmi un *tòc in brajde*? Porzione abbondante, mi raccomando.»

Vallarta scuote la testa. «Sei un pozzo senza fondo.»

«La morte è insapore. Sono i sapori, a dare gusto alla vita. Il sapore del cibo, il sapore della gnocca...»

Una ragazza giovane, seduta due tavoli più in là, fa una smorfia, e poi una boccaccia con la lingua verso la schiena di Mishkin. Vallarta si scusa con gli occhi.

«Parla un po' più piano, Rabo.»

«Più piano come? Così?» lo canzona Mishkin, rallentando le parole come un vecchio LP suonato alla velocità sbagliata. «Lasciami indovinare. Sto dando fastidio ai nostri vicini di tavolo. Per come mangio o per come parlo?»

«Tutti e due.»

«Ma sì. Cazzo vuoi che mi freghi? Questi sono già morti. Questi nemmeno esistono, solo che non lo sanno. È gente senza storia, non ha un passato e non ha un futuro. Servi, figli di servi, genitori di servi, ammesso che ci arrivino, a generare. *Homunculi...*»

«Rabo...»

«Scherzavo. Stavo soltanto facendoti l'imitazione di Harkwell. Tanto per metterti in guardia.»

«L'ho sentito alla televisione, e non mi sembra un'imitazione riuscita. Harkwell si è comportato benissimo.»

«Oh, ma era in televisione. Un media che appiattisce tutto. E poi non era la Quarta Notte di Tregenda...»

Mishkin accoglie con un applauso l'arrivo in tavola di un piatto stracolmo del suo *tòc in brajde*, un piatto di cui Vallarta ignora la composizione. Sembra polenta calda con formaggio fuso, e una serie di altri ingredienti. L'odore è buono.

Mishkin intercetta il suo sguardo. «Vuoi favorire?»

«No, no. Goditelo tu. Io passo subito al caffè.»

«Guarda che voglio anche la crema catalana, prima del caffè e dei liquori. Non avere fretta, dato che offri tu. Ce l'avete, la crema catalana?»

«Devono essere rimaste giusto due porzioni. Vado a controllare.»

Mishkin scruta con trepidazione la schiena dell'oste, finché quello non si volta facendo segno di OK con l'indice e il pollice chiusi a cerchio.

«Bloccale!» urla il professore.

«Non dovrei offrirti un bel niente, per quello che mi sei servito.»

«Tu chiedi e io ti rispondo. Il problema è che non sai che domande fare.»

«Fattele tu.»

Rabo smette per un attimo di ingozzarsi di polenta. «Okay, me ne faccio una. Una sola.»

Indica il muro alle sue spalle, coperto di scritte: dediche, firme. Tony Harrison. Mauro Corona. Philip K. Dick.

«Cosa pensi che scriverebbe, Simon Harkwell, su questa parete?»

«Niente. Non c'è più posto.»

«Non fare lo spiritoso. È una domanda importante.»

«Ah sì? E perché?»

«Perché se riesci a immaginare quello che Harkwell potrebbe scrivere su quel muro puoi avere un'idea di quello che dirà domani sera. Solo che togliere una scritta dal muro è facile. Molto più difficile cancellare le parole che dirà davanti a centinaia di persone e a un sacco di giornalisti e televisioni. È come per il popcorn.»

«In che senso?»

«Quando l'hai cotto, prova a rimetterlo nella scatola. E adesso ce l'ho io una domanda per te.»

«Spara.»

«Come cazzo hai fatto a far venire a Pordenone Bruce Springsteen?»

«Questo dovresti domandarlo ad Avoledo. Quando me l'ha buttata lì, tre mesi fa, pensavo mi prendesse in giro.»

Sospira. «Comunque è questione di poche ore. Meno di ventiquattro. Harkwell arriva, fa il suo intervento e riparte. Cosa può succedere di male, in meno di ventiquattr'ore?»

Mishkin sembra riflettere.

«Se non vuoi la crema catalana, posso prenderla io la tua porzione?»

Ridendo, Lena e Federica scendono dall'auto dei due ragazzotti, sulla piazza di Poffabro.

«Ehi, ci piantate così?»

«Se volete potete venire con noi» fa Lena, con uno sguardo lascivo.

«Sì? E per fare cosa?»

«Tutto quello che volete.»

Federica la guarda come se l'amica fosse impazzita. «Dobbiamo andare» la richiama, severa.

Lena sbuffa. «Mi dispiace, ragazzi. Mammina dice che non si può.»

Si appoggia al finestrino abbassato dell'auto, avvicinando le labbra fino quasi a sfiorare il viso del ragazzo alla guida. «Però potete passare a prenderci. Diciamo fra un paio d'ore?»

«Ma è quasi mezzanotte.»

«Se non potete, ci faremo dare un passaggio da qualcun altro.»

I due ragazzi – due operai di un mobilificio di Prata, anche se a sentirli sembrava fossero due industriali – confabulano brevemente fra loro.

«Va bene. Allora passiamo di qui alle due.»

«Non ve ne pentirete.»

«Possiamo andare a mangiare qualcosa da me» propone il ragazzo più vecchio. «I miei sono via.»

«Splendido» sorride Lena. Accarezza con l'indice il profilo del finestrino, umettandosi intanto le labbra con la lunga lingua rossa. Gli occhi del minuscolo teschio sulla punta brillano alla luce dell'abitacolo. «A dopo, allora. Non vedo l'ora di mangiarti. Scusa, volevo dire di *mangiare*.»

*

Quando le luci della Seat Altea sono sparite dietro la curva, Lena e Federica si incamminano verso l'uscita del paese. Poffabro, un paesino ai piedi dei monti, a una trentina di chilometri da Pordenone, è stato inserito nella lista dei borghi più belli d'Italia, ma a vederlo a quest'ora, e da qui, non si direbbe. D'altra parte il posto non l'hanno scelto per la sua bellezza.

«Sei proprio scema, certe volte.»

Lena ricambia il suo sguardo di sfida. «Ci serviva, un passaggio.»

«Si ricorderanno di noi.»

«Dopo stanotte, è sicuro. Dopo quello che gli farò.»

«Quanto manca?»

«Dieci minuti.»

Al cimitero di Poffabro si arriva dopo una serie di brevi tornanti. L'ombra del monte Raut incombe sul paesaggio, oscurando le stelle. Le due ragazze si muovono alla luce della luna.

«Saranno già arrivati?» domanda Fede, stringendosi nel bavero del giubbino.

«Hai freddo?»

«Sì.»

«Ti sta bene. Hai sempre il *bugnigolo* scoperto. Siamo alla fine di settembre, cazzo. Ma guardati. Figa sei figa, ma sei poco vestita.»

Poi le si avvicina. L'abbraccia. «Vuoi che ti dia la mia giacca?»

Fede scuote la testa. «No. Però abbracciami.»

«Non dirmi che hai paura.»

«No.»

Ma un po' di paura Fede invece ce l'ha. In fondo ha solo sedici anni.

Camminano nel buio, quando una nuvola nasconde per tre quarti la luna, e poi la copre del tutto. La notte è piena di rumori.

«Accendi la pila» balbetta Fede.

«Io ci vedo benissimo, al buio. Tu no?»

«No. E neanche tu. Non fare la stronza. Accendi.»

Ma Lena invece le afferra la mano, la trascina di corsa lungo la strada. La mano di Lena è fredda, magra come quella di un morto. Federica cerca di resistere, ma poi si lascia tirare via, corre anche lei dietro l'amica più grande, sulla strada buia, nel buio, e dopo qualche metro di corsa davvero le sembra di poterci vedere anche al buio, di vedere la strada, e le cose, gli alberi scuri come quelli delle favole, i rami adunchi, i fitti di rovi che sembrano bestie in agguato. Il cancello metallico del cimitero. Ci si fermano addosso, sbattendoci contro, e il sapore che Fede sente in bocca non sa se è quello della ruggine o del sangue, perché correndo si è morsa le labbra.

Il cancello si spalanca senza fare cigolii o altre storie da film, e una risata le accoglie, e poi quattro braccia magre, che le tirano dentro, oltre il muro del cimitero. Aldo e Kevin, vestiti di nero da capo a piedi, le abbracciano, ridono. Il cuore di Fede sembra un pony che salta nel petto magro, sotto le tette piccole.

«È qui la festa?» scherza Lena, passando a Kevin la borsa degli attrezzi. Si sente un rumore di zip che scorrono. La zip della borsa, e quella del giubbotto di Aldo. Il ragazzo si mette in posa flettendo i bicipiti da palestra. Kevin gli passa la pala.

«Cazzo è?»

«Una pala, no?»

Aldo se la passa fra le mani, studiandola. Lena l'ha comprata due settimane prima in un negozio di articoli sportivi di Portogruaro. È una pala da neve. Piegata, occupa lo spazio di un cartone da pizza. Bisogna aprirla, mossa dopo mossa, con uno scatto di molle e perni, pezzo s'incastra su pezzo e alla fine quello che Aldone si trova in mano è una pala dalla lama tagliente, con un manico di metallo lungo 130 centimetri.

«Sicuri che va bene?»

«Prova, no? Poi ha anche piovuto. La terra è morbida.»

«Dove scavo?»

Kevin allunga il braccio, in fondo al quale l'indice lungo si piega verso il basso. Una posa molle, da esteta, che ha visto fare a un mago in un film. «Lì. Come abbiamo detto, no?»

Il dito punta sul lato del cimitero a destra dell'ingresso. Quello che se non guardi bene sembra un prato. Invece è il quarto di cimitero destinato ai bambini. Ne morivano un sacco, una volta, quando a governare era il Vecchio Dio. Il Dio stanco e sterile dei loro padri.

«E perché devo scavare solo io?»

«Perché te lo ordino. E perché abbiamo una pala sola. Dai, che quando sei stanco ti do il cambio.»

Tanto sanno che Aldone non si stanca mai. Fatto com'è di estrogeni e altre schifezze potrebbe scavare fino alla Cina, se gliene dai il tempo.

«Muoviti, cazzo.»

Aldo lavora al buio. Gli altri tre, seduti sulle tombe vicine, fumano, schermando le braci con le mani chiuse a pugno, come se si facessero una canna. Ogni tanto Lena ridacchia, perché Kevin la stuzzica col piede, là in basso. Fede fa finta di non vedere. Il Maestro insegna che non bisogna essere gelosi. Che il possesso è un'illusione. Che l'unico possesso vero è quello di Satana su questo mondo.

I rumori ritmici del badile che affonda, e poi della terra che si solleva e vola lontano nell'aria. La notte è immobile intorno a loro, li avvolge come in una coperta nera, come le ali da predatore notturno del Maestro.

Ci vogliono tre quarti d'ora prima che dal fondo della buca arrivi, inaspettato, un rumore marcio, come di legno che si sfalda. E poi l'urlo di Aldone.

«*Cazzo di merda, cazzo cazzo merda!*»

«Cosa hai combinato?»

«Sono finito dentro, cazzo! Vieni a aiutarmi!»

I tre si alzano di corsa, vanno sul bordo della fossa. Kevin punta la sua minuscola Maglite in basso. Scoppia a ridere, e non riesce più a smettere.

«Cazzo hai da ridere?» protesta Aldone, col piede intrappolato nella bara. Il legno marcio ha ceduto sotto il suo peso, stringendolo come in una tagliola.

L'odore di terra umida è fortissimo, impregna l'aria, assieme a un altro odore, a un puzzo di cose morte, che i ragazzi hanno imparato da tempo a conoscere.

«Meno male che hai messo gli stivali. Mi sa che hai messo il piede nella merda.»

«Non fare il cazzone. Tirami su.»

«E no, bello. Non è ancora il momento del dolce. Hai quasi finito. Continua così che vai bene.»

Bestemmiando, Aldone raccoglie la pala e aggredisce la terra. Sembra una scavatrice meccanica, da come spala e sbuffa.

«Ehi, sta' attento! Mi tiri la terra addosso!»

«Spostatevi, cazzo! Spostatevi! Devo finire! Qualcosa si muove, lì dentro!»

«Ma non dire merdate. Cosa vuoi che si muova?»

«Cazzo ne so? Qualcosa!»

«Allora sbrigati. *Zitto e scava. Scava e scava*» lo canzona Kevin, sull'aria del motivetto «*zitto e nuota*» che ha sentito nel cartone animato *Alla ricerca di Nemo*.

Alla fine quello sfigato di Aldo riesce a tirare fuori il piede dal marciume della bara. Dallo stivale gronda un liquame nero, puzzolente.

«Aiutatemi» mugugna a bocca chiusa, schiodando dal fondo della fossa una bara lunga poco più di un metro, vecchia che sembra un'antichità egizia. Le due ragazze e Kevin allungano le mani, raccolgono la piccola bara come se fosse una reliquia.

«Ehi! Non mi aiutate a venire fuori?»

«No. Ti lasciamo lì.»

«Brutta testa di cazzo!»

Kevin ride. «Scherzavo, dai. Non urlare. Aggrappati alla mia mano.»

*

Il lucchetto che chiudeva la camera mortuaria l'hanno spezzato con il tronchese quando i due ragazzi sono arrivati qui in avanscoperta, un'ora e mezzo fa. Portano dentro la bara. Aldone fa saltare il coperchio usando la lama della pala. I chiodi sembrano denti.

Hanno schermato le finestrelle con dei pezzi di cartone pitturato di nero. La luce delle candele illumina l'altare improvvisato coi paramenti neri, cuciti dalle ragazze.

«Che freddo.»

«Tieni» fa Lena, togliendosi la giacca dalle spalle e mettendola addosso a Federica.

«Dai, non fate le fighette moscie. Dai che cominciamo» brontola Aldo.

«Prima lavati gli stivali. Puzzi come una merda.»

«È *lui* che puzza» ridacchia Aldo, indicando quello che c'è dentro la bara scoperchiata, il corpicino morto che sul momento sembra un mucchietto di stracci coperto di muffa, come un'arancia marcia dimenticata in fondo a una pattumiera. La bocca è aperta. I denti bianchi, piccoli, brillano nel marrone.

«Poveretto» sussurra Fede. «È morto senza conoscere il Maestro.»

«Ma anche così può rendersi utile» sorride Kevin, allungando la mano in fuori come il medico di un telefilm che chiede il bisturi all'assistente.

«Ce l'hai?» fa a Lena.

«Eccola.»

La ragazza allunga l'ostia, la tiene in alto fra le dita come un trofeo. Nella luce incerta delle candele, è come se una luna piena fosse sorta nella cappella. Come se la cappella fosse diventata vasta come il mondo.

«Spogliati» ordina Kevin a Fede. La ragazza non batte ciglio. Si toglie dalle spalle la giacca di Lena che ha appena indossato, e poi il giubbino Kejo. Si sfila i jeans. La maglietta cade sul mucchio, e per ultimi scendono gli slip, un modello costoso di La Perla che Lena le ha regalato per San Valentino.

«Toglilo» ordina Kevin, infilandosi sul viso una maschera di cartapesta, un gufo dal sorriso sinistro. Rabbrividendo dal freddo, Fede si volta verso l'amica, in cerca di aiuto. Ma Lena si è messa una maschera da lupo. Gli occhi della ragazza, visti attraverso quelli vuoti dell'animale, sembrano indifferenti, bestiali. La maschera di Aldo, fra tutte quelle che poteva scegliere in quel negozio di Venezia in cui le hanno provate ridendo come scemi, ha le fattezze di un rospo.

Obbedendo, senza poter far altro che obbedire, Federica si toglie l'assorbente interno. È l'ultimo giorno del ciclo, ma un po' di sangue le scorre fra le cosce, in un rivolo lento. Il gufo annuisce, compiaciuto. La voce risuona cavernosa, dietro la maschera.

«Preghiamo» intona.

Da fuori, niente di quello che accade nella camera mortuaria traspare. Il cartone filtra la luce, lo spessore dei muri attutisce la cantilena blasfema. Ma se qualcuno accostasse l'orecchio al muro potrebbe udire bizzarre invocazioni, strani nomi. *Astaroth, Baphomet, Bengorrot, Baalzephon...*

3

Dal finestrino dell'aereo, Simon Harkwell contempla la terra e il mare, e il punto in cui i due elementi si fondono, la laguna lucente, e in fondo alla laguna, perla nel fango, la città dorata di Baron Corvo. La luce del giorno è gloriosa. Chiude il libro che ha in grembo, un volumetto settecentesco rilegato in pelle. *La vita e le opinioni di Tristam Shandy, gentiluomo*, una prima edizione con una dedica dell'autore a Stendhal. Un delizioso anacronismo, dato che l'autore, Laurence Sterne, è morto nel 1768, quindici anni prima della nascita di Stendhal. La dedica è quindi impossibile, almeno nel nostro *continuum* spazio-temporale. Ma è stata scritta davvero da Sterne, stando all'esperto che l'ha autenticata.

Ci sono più cose tra cielo e terra...

Pordenone è laggiù, pensa l'inglese, immaginandosi

proiezioni geografiche, prolungamenti delle linee rigide e metalliche del jet nell'aria fredda a dodicimila piedi d'altezza. Punta il dito verso la città invisibile, a meno di sessanta miglia dalla sua mano. Un gesto di comando. Chiude il pugno come se stringesse nella mano un cuore. Il cuore della città invisibile.

Un intero settore dell'aeroporto è blindato dalla polizia, inaccessibile ai passeggeri. Un gruppo di persone vestite in modo trasandato è scesa da un Learjet, in fondo alla pista, e invece di arrivare al terminal sui pullman dell'aeroporto, i passeggeri di quel volo privato si sono imbarcati su una carovana di limousine. Simon Harkwell li ha guardati da dietro gli occhiali scuri, mettendo su uno dei suoi famosi sorrisi mefistofelici per vincere il disagio dello starsene lì, in un pullman surriscaldato dal sole, in attesa di potersi muovere. Bloccato con una massa informe di gente comune, costretto a subire la stupidità del gregge a causa di un gruppo di imbecilli vestiti come cowboy.
 Aspettano venti minuti buoni accanto all'aereo prima che al loro pullman venga dato il via libera per il terminal. Sente che gli altri intorno discutono sulle possibili cause del ritardo. Sente le parole «the Boss», e il nome Springsteen.

L'autista mandato dall'organizzazione, come in un film degli anni Settanta, l'aspetta appena oltre la vetrata degli arrivi internazionali, reggendo fra le mani un cartello con la scritta PORDENONELEGGE.
 «Di solito si scrive il nome dell'ospite» osserva Simon in inglese, porgendo con garbo il bagaglio a mano all'autista, «ma immagino che nel mio caso non sia una cosa opportuna.»
 «*Come ch'el dise?*»
 Harkwell passa all'italiano. «Niente. Vogliamo andare al-

l'auto, per favore? Quello è il carrello dei miei bagagli. Faccia attenzione con il baule. È del 1930.»

La Mercedes grigia è un accettabile compromesso fra quello che si aspettava dall'organizzazione e quello che ritiene gli sia dovuto. Chiede all'autista di alzare l'aria condizionata e si accomoda sul sedile posteriore. Dalla tasca esterna della borsa tira fuori gli appunti per il suo intervento di stasera.

L'autista lo guarda di sottecchi, nello specchietto retrovisore. «*Not possible* andare autostrada. Autostrada *closed for* incidente. Come si dice...»

«*Car crash*. Può parlare italiano.»

«L'autostrada è chiusa. Dovremo prendere la statale.»

«Per me va bene. Non ho niente da fare prima delle otto di stasera.»

Storce il naso, sentendo quello che esce dagli altoparlanti dell'auto: musica stupida, da una stazione radio locale.

«Può usarmi la cortesia di inserire questo compact disc nel lettore?» domanda, con una pronuncia così impeccabile da suonare aliena.

Allunga all'autista un CD masterizzato, in una custodia anonima, trasparente.

L'autista alza le spalle. «*Va ben.*»

La musica che dopo un attimo esce dagli altoparlanti è *Message* di Peteris Vasks. Una litania cupa, avvolgente. Come le ali di un pipistrello – ridacchia Simon. A pochi mesi dal compiere cinquant'anni può ormai permettersi di guardare con divertimento all'immagine che si è costruita, l'immagine sinistra che ora gli viene rimandata indietro dall'esterno come da uno specchio. Simon Harkwell è diventato, suo malgrado, un marchio. Come la Coca-Cola. Come il numero 666.

Ai lati della strada a due corsie congestionata di traffico pesante scorre un paesaggio di desolante bruttezza, una sfilata senza soluzione di continuità di concessionarie d'auto, mobilifici, centri commerciali con grandi insegne sgargianti. Le montagne, azzurre in lontananza, potrebbero trasmettere, almeno loro, un senso di pace, se non fosse che mostrano anch'esse le cicatrici dell'uomo: il bianco delle cave, la lebbra delle villette abbarbicate ai pendii. Solo a tratti il verde di un campo, la bella geometria di un filare di pioppi rasserenano lo sguardo.

«Pensi a come sarebbe questa terra se i nazisti avessero vinto» sospira.

«Come, scusi?»

L'autista non ha quasi pronunciato parola dall'aeroporto a lì, alla periferia di Treviso, stando alla voce del navigatore satellitare.

«Dico che non si vedrebbe questo schifo. Il paesaggio sarebbe pacifico, una distesa di campi arati, e in mezzo ai campi una villa ogni tanto, ogni cinque chilometri o giù di lì. In quelle ville vivrebbe il signore, circondato dai suoi servi. Una vita serena, ritmata dai cicli delle stagioni...»

«Mio nonno era contadino, e non la metteva giù proprio così.»

Simon Harkwell registra quell'espressione per lui nuova, «metterla giù». Anche se non la capisce del tutto crede di intuirne il senso.

«Nonno gli sparava, ai tedeschi. Era partigiano. *Partisan.*»

Harkwell chiude gli occhi. Il sole gli scalda una guancia, mentre l'altra è in ombra. *Come la luna*, pensa, addormentandosi, arrendendosi alla stanchezza del viaggio. *Sono diventato una luna. Solo che sono gli altri a girare intorno a me.*

Si addormenta. Di solito è un lusso che non può concedersi. Di solito con lui viaggia la sua agente, un'americana che sembra avere un registratore di cassa al posto del cuore. Addormentarsi così, con lei sarebbe impossibile. Ma Claire è a New York, per preparare il lancio del film ispirato a *La traccia del serpente*. Le è dispiaciuto non accompagnarlo, gli ha detto al telefono, prima della partenza da Londra, senza preoccuparsi di sembrare sincera. Con una guancia scaldata dal sole e l'altra gelata, Simon sogna.

Quando riapre gli occhi gli sembra di sognare ancora. Attraverso il finestrino vede scorrere facciate di palazzi gotici, come se l'auto fosse diventata una gondola che naviga lungo un canale veneziano. Bifore e trifore, teste di statue grottesche. Harkwell spalanca la bocca come un bambino. Poi solleva la testa e l'illusione svanisce: le ruote dell'auto corrono sul pavé, e il canale diventa quello che è: il corso medievale di una città. Una specie di *rio terrà*, affascinante. Così italiano.

Le facciate dei palazzi, gli angoli delle strade e le vetrine sono coperte di manifesti e insegne gialle. Il giallo è il colore di Pordenonelegge. Un giallo chimico, il giallo della carta, un giallo che non trovi in natura. Divertito, vede in una vetrina un grande manifesto con la sua foto. Ma poi, quando l'auto si avvicina, si accorge che qualcuno ha imbrattato la foto, disegnando agli angoli della bocca due lunghi denti da vampiro.

«Benvenuto a Pordenone» sogghigna l'autista. E poi aggiunge a bassa voce qualcosa che Harkwell non capisce.

4

Il ragazzo senza nome, il ragazzo che ancora non ha un nome, il ragazzo con la pistola rubata a suo padre scende alla stazione di Pordenone alle 14.16. Il treno ha i soliti venti minuti di ritardo, fisiologici per chi arriva dal Friuli. La rete ferroviaria regionale è vecchia, obsoleta. Un progetto di raddoppio è fermo dai tempi dell'Impero Austroungarico, quando qui sventolava la bandiera con l'aquila bicipite. Quante reminiscenze letterarie, anche in un posto così banale, sospira l'ometto seduto sulla panchina della stazione, in attesa del treno per Venezia. Lernet-Holenia, Canetti. E ovviamente *La linea dell'Arciduca* di quello straordinario scrittore friulano, Elio Bartolini... E altrettanto ovviamente Hemingway, che in *Addio alle armi* ha descritto il ponte di Casarsa, a pochi chilometri da qui. La scena della fucilazione degli sbandati. E Casarsa richiama alla memoria Pier Paolo Pasolini. E non vogliamo aggiungere allo squallido incanto di questa stazione gli echi sotto traccia di Comisso, e Zanzotto, e Parise?

L'ometto, che indossa una giacca grigia spinata troppo pesante per la stagione, si è innamorato di questa città come si innamora di ogni città in cui lo portino i suoi raffinati gusti letterari. È come se le città che visita non fossero luoghi veri, popolati da gente reale, ma citazioni in un testo letterario: alcune imponenti come trattati, altre umili come un gruppo di note a piè di pagina. Così, salendo sulla carrozza di seconda classe, non nota il ragazzo magro che ne scende. Se qualcuno lo interrogasse non saprebbe dire nulla sullo sconosciuto. I suoi occhi hanno registrato solo una vaga percezione di scuro, i vestiti del ragazzo, ma non l'aria tesa, non il gesto nervoso con cui l'altro si è stretto addosso il giubbino. L'uomo innamorato della letteratura non ha visto il ragazzo. E il ragazzo, a sua volta, era troppo nervoso per badare all'altro. *Due navi si sono incrociate nella nebbia*, potrebbe dire uno scrittore di seconda categoria – non certo uno di quelli amati dall'uomo – *e poi le loro rotte si sono separate per sempre*. Ma quando si siede, l'uomo lo fa nel posto lasciato libero dal ragazzo. Il caldo del sedile gli fa provare un fugace senso di fastidio. Ma poi apre la borsa e si dispone in grembo i tesori raccolti sulla spiaggia di quella giornata: due libri autografati, una rara edizione francese dei sonetti di Góngora, una manciata di opuscoli di incontri già passati. Non si può dire che dimentichi il ragazzo. In realtà non l'ha mai visto. Un po' di calore è passato da un corpo all'altro, e questo è tutto. Un fenomeno insignificante, nella morsa dell'entropia.

Uscito dalla stazione, il ragazzo ancora senza nome cammina lungo via Mazzini. Passa davanti a un negozio di dischi, a un cinema chiuso, a un'agenzia di viaggi. Da un albergo Best Western sulla destra escono chiacchierando fra loro Martin Amis e Ian McEwan, in partenza per l'aeroporto di Ronchi dei Legionari. Ridono, e al ragazzo dà fastidio quel loro ridere, quel loro star bene. Li guarda in cagnesco. Non li riconosce, anche se ha letto qualche loro libro. Farebbe fatica a riconoscere anche Harry Potter, nello stato d'animo in cui si trova. Anche se gli passasse accanto con la divisa di Hogwarts. O in sella a un Ungaro Spinato o a un Dorso Rugoso di Norvegia. Il ragazzo non legge i libri di Harry Potter ormai da un paio d'anni. Gli piacevano, ma adesso è cresciuto. La mano infilata nel giubbino di tela, la mano magra del ragazzo accarezza la pistola.

«Chi può aver fatto una cosa del genere?» chiede a se stesso il vecchio prete. Viene da Pordenone, su incarico diretto del vescovo. Ha la pelle terrea mentre guarda la piccola bara sventrata, lo scempio che c'è dentro e intorno: le scritte sui muri, i simboli osceni.

Il poliziotto scuote le spalle. «Chiunque. Se avesse letto il rapporto del '98 del ministero dell'Interno...»

Ma don Francesco Sarti l'ha letto, quel rapporto. Come ha letto il rapporto del 2004, con il suo elenco interminabile di gruppi satanisti attivi in Italia. 70 gruppi individuati. E più di 500 gruppi cosiddetti virtuali. Come quello di cui gli sciagurati che hanno fatto... questo... devono far parte. Poveri disgraziati che vorrebbero far parte del giro grosso. Come quei samurai senza padrone, i *ronin*.

Don Sarti ha visto più cose nella sua vita di quante la gente comune possa immaginarsi, come diceva il personaggio di quel vecchio film di fantascienza. Don Sarti è un esorcista. È per questo che è venuto qui, stamattina, invece di concelebrare la messa solenne nel Duomo di San Marco.

«Ma cosa sto a farle la predica? È lei l'esperto. È lei il prete» sogghigna il poliziotto. «Il fatto è che nessuno può più essere sicuro neanche delle persone che ha intorno. Io ho due figli adolescenti e mi creda, ogni notte che stanno fuori non dormo finché non tornano a casa. Che razza di vita. Usciamo, vuole? Che qui non si respira.»

Escono dal cimitero. La giornata è tersa, colma di sole. Dalla collina si apre allo sguardo un paesaggio tranquillo.

Un mondo solare, innocente. La montagna alla loro destra, il Raut, sembra stringere la vallata in un abbraccio protettivo. *Eppure in mezzo al verde si consumano tragedie: piccole creature uccidono e muoiono, e quelli che sembrano allegri richiami potrebbero essere grida d'allarme, o d'agonia.* Don Sarti scuote la testa. Ha un brivido come di freddo, anche se suda nel giaccone imbottito.

Alla luce del sole il suo viso sembra fatto di pasta di pane. Le guance cascanti, la pelle chiazzata di macchie. Un essere imperfetto. Brutto, a voler essere obiettivi. Bellezza e perfezione, di questi tempi, sono attributi del demonio. Ricorda la scena che ha visto ieri, dietro il Duomo, dopo la messa del mattino. Le due ragazze. Così giovani, così belle. Anche la gioventù sta diventando qualcosa di inquietante. Dalla finestra della canonica le ha viste fermarsi dietro il muro della chiesa. Ridevano. Il suono delle loro risate passava attraverso il vetro scaldato dal sole. A un certo punto si sono messe a ballare, a cantare qualcosa. Poi...

Si accorge che il poliziotto gli sta parlando. Concentrandosi, lo ascolta.

«... Soprattutto la più piccola. La ragazzina, insomma. Se sua madre ci fosse ancora saprebbe cosa dirle. Come parlarle. Ma per me non è facile.»

«Non è facile per nessuno.»

«Mi hanno affidato questa indagine, ma non è perché sono informato, o più bravo. Me l'hanno data perché nessun altro l'ha voluta. E adesso devo immergermi ogni giorno in questa... melma... cercando di capire cose incomprensibili. Come questo Harkwell. Questo inglese che dice di essere il profeta del male. Pensa che sia collegato in qualche modo a... a questa cosa?»

Don Francesco sorride. Un sorriso fragile. Come una crepa nell'argilla del volto. Traccia un segno nell'aria. «Il Male non segue vie rette. È obliquo, strisciante. È spesso incomprensibile. *La traccia del serpente sulla roccia*, dice il Libro dei Proverbi.»

Il poliziotto si fruga in tasca, un gesto che viene dal passato, quando fumava ancora.

«E il Bene, di questi tempi? Dov'è, padre? Dov'è andato a finire, il Bene?»

Il tono è rabbioso. Allunga un calcio a un sasso accanto al suo piede. Il sasso vola via oltre il guard-rail, cade sul prato. Forse uccide qualcosa.

«Il Bene c'è. Deve crederci. Quando il Male si rafforza, anche il Bene si fa più forte, per contrastarlo. E il Bene, contrariamente al Male, si muove in linea retta.»

5

La Mercedes di Harkwell si ferma davanti all'Hotel Palace Moderno. Vallarta scende gli scalini del Teatro Verdi, dalla parte opposta della strada, facendosi incontro all'auto. Rabo Mishkin lo segue, a un passo di distanza. La schiera di gente in attesa davanti al teatro, in fila sotto il sole del pomeriggio, alza la testa, sbanda leggermente per guardare chi è arrivato. Simon Harkwell scende lentamente, come Neil Armstrong quel primo giorno sulla Luna. *Vengo in pace*, vorrebbe dire, abbozzando un saluto vulcaniano. Ma chi capirebbe la doppia citazione? Così si limita ad alzare teatralmente le braccia come il Mostro di Frankenstein. Decine di macchine fotografiche digitali catturano quel gesto. Scatta anche un flash. Puoi cancellare l'immagine con un clic, se la foto non è venuta bene. Se domani non sai chi hai fotografato. È questo che pensano alcuni dei presenti. È questo che faranno. Ma una delle foto scattate in questo momento verrà venduta, domani, a diecimila euro. La comprerà un tabloid inglese. Nella foto, Simon ha un sorriso indifeso, per niente satanico. Il sorriso smarrito di un *Englishman abroad*, di un espatriato, di un uomo timido, insopportabilmente a disagio in un Paese non suo. Tenta di nascondere tutto questo sotto un sorriso spavaldo, un sorriso che imita quello di un mostro da film. Ma non ci riesce. La foto lo mostrerà così: nudo, ma nudo solo a se stesso.

«*Welcome, Mister Harkwell.*»

«Buongiorno. Lei è il signor...?»

«Giancarlo Vallarta. E questo è il professor Rabo Mishkin.»

«Oh. È un piacere. Ho letto con interesse la sua biografia di Lovecraft.»

Mishkin ricambia energicamente la stretta di mano. «E io ho letto con entusiasmo *Pagine dal Libro dei Morti*.»

I due si guardano. Molto viene detto in quello sguardo. Senza bisogno di parole.

«Se vuole rinfrescarsi» sorride Vallarta «la sua camera è pronta.»

«Dov'è il mio albergo?»

«È questo» accenna Vallarta, indicando con un gesto l'ingresso del Moderno.

«Oh. Bene. E l'incontro dove si terrà?»

«Il teatro è questo.»

Simon Harkwell, la Nuova Bestia dell'Apocalisse, l'Araldo del Caos, l'uomo che ha ispirato con le sue opere il nuovo messianesimo satanico, contempla con soddisfazione la facciata moderna, tutta marmo bianco e vetro, del nuovissimo Teatro Verdi.

«Comodo» commenta con studiato *understatement*, nascondendo la soddisfazione. «In effetti un po' di riposo mi farà bene.»

«Ha pranzato?» gli domanda il barbuto e imponente professor Mishkin.

«Veramente no.»

«Allora ci permetta di invitarla a pranzo. Sono sicuro che anche se è un po' tardi il cuoco dell'albergo riuscirà lo stesso a mettere insieme qualcosa di buono. E naturalmente sarò lieto di pranzare con lei. Ci sono alcuni aspetti del suo ultimo saggio che avrei davvero voglia di discutere con lei.»

Vallarta non crede alle sue orecchie. «Io purtroppo non

posso trattenermi. Fra tre quarti d'ora devo presiedere una premiazione, in municipio.»

«Oh, ma tu vai, non farti problemi. Faccio io gli onori di casa.»

«Ma hai appena...»

«Dimmi solo su che conto devo far segnare.»

«Quello... dell'organizzazione...» balbetta Vallarta.

«Perfetto. Perfetto. Allora, vogliamo andare?»

Harkwell consulta il suo Breitling. «Io però avrei un impegno, fra un'ora.»

«Un'ora? Ce la possiamo fare senza problemi. Vai, tranquillo, Giancarlo. Va' alla tua premiazione. Mi prendo cura io, del nostro ospite.»

«Vengo un momento dentro a vedere se è tutto a posto» sospira il direttore artistico di Pordenonelegge.

Sarà una lunga giornata.

Passa più di mezz'ora prima che Vallarta riemerga dall'aria condizionata troppo fredda dell'atrio del Moderno. Ad accoglierlo, davanti all'hotel, trova una piccola folla di manifestanti radunatasi nel frattempo, con cartelli che vanno da un poco fantasioso HARKWELL GO HOME a un più creativo TORNA NELLE TENEBRE. Susanna Santonocito, la giornalista culturale del «Corriere di Pordenone», intervista al volo i manifestanti.

Vallarta si fa un appunto mentale di chiamare la segreteria del festival. Harkwell ha preteso quattro biglietti per il concerto di Springsteen. Ha dovuto dargli i suoi. Quando gli ha chiesto a cosa gli servivano, dato che a quell'ora sarebbe stato in teatro per il suo incontro, Harkwell ha risposto «sono per degli amici.»

Sarà un casino, procurarsene altri. La gente è in fila da ore al Palazzetto dello Sport. E qualcuno ci ha passato davanti la notte, in tenda, per essere il primo alla distribuzione dei biglietti gratuiti.

Sovrappensiero, passa in mezzo al casino.

Gianni Di Risio, la star televisiva locale, conduttore dell'unico talk show prodotto a Pordenone, ringhia nel microfono, guardando fisso in macchina.

«Non è tanto quello che Harkwell dice, quanto quello che gli succede intorno. Che non è mai niente di buono. Ricordiamo quello che è successo a Mantova, l'anno scorso, quando la contestazione da parte della comunità ebraica...»

«*HARKWELL MERDA! HARKWELL MERDA!*»

Vallarta, la giacca buttata sulle spalle con studiata trasandatezza, fende il mare di slogan e corpi sudati, rifiutando con un gesto elegante il registratore della Santonocito e sorridendo invece quando passa davanti alla telecamera di Telenoncello.

«A una domanda almeno devi rispondere, Vallarta» lo richiama Di Risio, alzando la voce per farsi sentire sopra il vociare dei dimostranti.

Vallarta si volta lentamente, con un movimento che parte dall'anca. L'ha visto fare da un cowboy in un film, quand'era ragazzo.

«Dici a me?»

Straniero, vorrebbe aggiungere.

«Una domanda sola.»

Vallarta guarda l'orologio. Sospira. «D'accordo.»

«Cosa farà Harkwell, stasera?»

«Uscirà da lì. Passerà di qui, dove siamo noi adesso, ed entrerà lì.»

Indica l'ingresso del Teatro Verdi. La folla ha cominciato a entrare per ritirare i biglietti per l'incontro delle otto. Detto questo, Vallarta accenna ad andarsene.

«Ehi, tutto qui quello che hai da dire?»

«Si era detto una sola domanda.»

«Ma tu non hai risposto. Cosa dirà Harkwell, di cosa parlerà?»

Ma Vallarta si allontana senza voltarsi indietro. Il suo cellulare suona, le note sono le prime imperiose battute dell'opera *I Was Looking At The Ceiling And Then I Saw The Sky* di John Adams.

«Pronto? Come, *un disastro*? In che senso? Hai provato a chiamare l'albergo? Va bene, arrivo. Maledette le donne. Trova qualcuno che mi sostituisca per la premiazione.»

Nel vecchio camper posteggiato da due giorni al margine del parcheggio Marcolin, i quattro Bambini di Astaroth si preparano per incontrare il Maestro. Aldone e Kevin sembrano due mormoni, di quelli che a volte si vedono girare in coppia per le vie della città, vestiti come i Men in Black. Giacca e cravatta. Comprate al Mercatone, ma se le guardi da lontano fanno il loro effetto. Kevin si è persino lisciato la cresta di capelli con il gel. Dimostra cinque anni di meno. Sembra un bambino.

Sul divano letto in fondo al camper, Federica è nuda. Seduta con le mani in grembo, tiene la testa bassa mentre Lena la pettina, la bacia con delicatezza, come una mamma.

«Hai i capelli bellissimi.»

Una carezza. Un altro bacio, sulla guancia fresca.

«Sei fortunata che ha scelto te.»

Senza alzare la testa, Fede sorride.

Il corso Vittorio Emanuele è come una vena d'argento che scorre in una miniera buia. Il ragazzo si è mosso per tutto il pomeriggio ai bordi di quella vena, percorrendo le strade più brutte di Pordenone, quelle che erano nuove e vive quarant'anni fa, all'epoca del boom, e adesso sono abitate da una fauna mista di immigrati e *marginali*, come li chiama suo padre, troppo *politically correct* per chiamarli coi loro veri nomi: delinquenti, sfigati, *merdaglia* umana. Davanti a un negozio ciondola un branco di negri. Anche il negozio è dei loro: sporco, disordinato. Un cesso. Vende di tutto: dal cibo alle scarpe. C'è anche un paio di cabine telefoniche coperte di adesivi colorati. Un negro con la pancia sporgente, in piedi sulla soglia, lo guarda storto quando il ragazzo si ferma a guardare la vetrina. Il ragazzo tira avanti. Ha i piedi stanchi, la pancia vuota. Teso com'è, non gli va di mangiare. Il cibo gli andrebbe subito in bile.

Vorrebbe vomitare il mondo. *Federica*, sussurra. *Federica*.

Ha chiamato dal suo cellulare tutti gli alberghi di Pordenone, chiedendo dello scrittore inglese. Ma hanno tutti negato di ospitarlo. Solo due di quelle risposte l'hanno insospettito. Troppo attente a premettere l'importanza della *privacy*, prima di rispondere di no. Stava aspettando davanti al primo dei due alberghi, il Villa Ottoboni, quando accanto a lui sono passate due persone, un uomo e una donna, che parlavano di Harkwell.

«Adesso c'è Rabo, con lui. Hanno pranzato, e adesso sono in camera, credo. Fuori dai guai, almeno per un po'.»

«Bella coppia. È come mettere insieme la nitro e la glicerina.»

«Non credo che *nitro* e *glicerina* siano due componenti chimiche» puntualizza Vallarta.

L'addetta stampa della grande casa editrice milanese gli fa le boccacce dietro la schiena. Un ragazzo in piedi davanti all'ingresso dell'Ottoboni la guarda fare così e sorride. Lei lo ignora.

«Può darsi. Comunque Harkwell e Mishkin sono due componenti esplosive. Non mi sembra una buona idea metterli insieme.»

«Non è che l'ho *scelto*. È capitato.»

«Spera solo che non facciano saltare in aria il Moderno.»

«Tu, invece, adesso dimmi come lo sistemiamo, 'sto capriccio della vostra primadonna. Lei e Augias hanno l'incontro fra meno di mezz'ora...»

Il ragazzo ha sentito abbastanza. L'Hotel Palace Moderno è il secondo albergo segnato sulla sua lista dei sospetti. Si stacca dalla colonna e punta verso il centro. L'albergo è proprio davanti al teatro, secondo la mappa che ha in testa. O lì o là, fa lo stesso. Il cerchio si chiude.

La voce di una radio che esce dalla porta di un bar riferisce in tono esaltato che il Boss, Bruce Springsteen, sta provando il suo concerto al Palazzetto dello Sport.

6

Mishkin allunga il calice verso quello di Harkwell.

«*L'chaim*. Alla vita» sorride.

«Veramente non so se dovrei unirmi al suo brindisi.»

«Perché no? Perché è un brindisi ebraico? In qualunque lingua la si chiami, la vita è universale.»

«Be', si suppone che io sia antisemita.»

«Ma per l'amor del cielo, Harkwell. Siamo fra amici. Si rilassi.»

Parlano in inglese. In effetti è facile rilassarsi, con Rabo. Il professore italiano è un conversatore brillante, e sembra conoscere a memoria i libri di Simon, e averne oltretutto un'alta opinione. A volte persino più alta di quella che ne ha lo stesso Simon.

L'inglese si alza dalla poltrona. Va alla finestra. Scosta le tende e guarda giù.

«Sono ancora lì?» chiede Mishkin.

In un vaso di vetro soffiato sul comò accanto alla finestra c'è una composizione floreale complicata e costosa, omaggio dell'organizzazione. Harkwell accarezza distrattamente un fiore. Una rosa rossa. «Ovviamente» sospira.

La parete del teatro, uniformemente bianca, sembra una falesia. *The white cliffs of Dover*. Prova di colpo un incomprensibile empito di nostalgia.

«Se non le piace avere nemici, forse dovrebbe rivedere il suo stile di vita.»

Harkwell va a sedersi di nuovo davanti a Mishkin. «Bel consiglio. Ordiniamo un'altra bottiglia?»

«No. Il prosecco è traditore. Però potrebbe aprire le porte del suo frigobar. Offre l'organizzazione.»

«*Really?*»

«Certo. Non lo dica in giro, però. Vallarta mi scorticherebbe vivo.»

Harkwell tira fuori dal frigo una serie di mignon di liquori. Le tiene fra le dita, offrendo quelle della destra al suo ospite.

«Johnny Walker *Black Label*. Smirnoff. Bacardi» sogghigna Mishkin, leggendo le etichette. «A lei cosa resta?»

«Famous Grouse. Cointreau. E questa, aspetti, una cosa che si chiama Candolini. Cos'è?»

«Una grappa. Prodotto locale. Senta, lasciamo perdere e scendiamo al bar. Offro io.»

«Non so se è il caso.»

«Ah, non ho mica paura di quei quattro coglioni. Ero a Berkeley, nel '67. E a Parigi nel maggio del '68.»

Harkwell scuote la testa. «Grazie, ma no. Anzi, fra un po' dovrò chiederle di lasciarmi.»

«Come mai?»

«Le avevo detto che ho un impegno. Aspetto qualcuno.»

Il sorriso sul volto di Simon è così particolare che Mishkin si incuriosisce. «Una donna?»

«Più o meno.»

«Come, *più o meno?*»

«Una *ragazza*. Giovane. *Molto* giovane.»

Rabo svita il tappo della mignon di vodka. Rovesciando indietro la testa, si svuota in gola il liquore.

«Non mi sembra particolarmente felice» commenta, quando ha finito di mandar giù anche la seconda bottiglietta, il Johnny Walker.

«È una cosa un po' più complicata. Un Dio si può annoiare. Anche dei doni più preziosi. Diciamo che se lei fosse un Dio e ricevesse ogni giorno il sacrificio di un... di un certo *animale*, diciamo...»

«Stava per dire qualcos'altro.»

Harkwell solleva la bottiglietta di grappa in un mezzo brindisi ironico. «Non le sfugge niente, vero?»

«Vero. Non stava pensando a un animale.»

«No.»

«E allora a cosa pensava?»

Ma Harkwell sembra stanco del gioco. «Se vuole scusarmi, professor Mishkin. La mia giovane ospite potrebbe essere qui da un momento all'altro.»

«*Molto giovane* quanto?»

«Non è affar suo.»

«Minorenne?»

Harkwell non risponde.

«Cosa succederebbe, se per una volta rinunciasse? Se ci fermassimo ancora un po' a parlare, invece di...»

«Perderei la mia reputazione.»

«Nessuno lo saprebbe.»

«Lo saprei io.»

«Potrebbe guadagnarci comunque qualcosa.»

«Non vedo come.»

Rabo sospira. Scuote la testa. «*Fa' quello che vuoi, così sarai*. È questo il suo credo, vero?»

«Il credo di Crowley.»

«Ci vediamo a teatro, allora.»

«Sì.»

«Al di là di tutto, interessante quello che ha detto a proposito dei numeri tatuati sui prigionieri di Auschwitz.»

«Davvero?»

«Sì. Sbagliato, ma interessante. Mi piacerebbe parlarne ancora con lei.»

«Dopo l'incontro, allora. Sarà un piacere.»

«E per me è stato un piacere sapere che quella storia di Crowley è solo una trovata pubblicitaria.»

Simon alza un dito ammonitore. «La confessione di un ubriaco non ha tenuta legale.»

«Non si preoccupi. Considero quello che ci siamo detti in questa stanza protetto da un vincolo di segretezza molto più stringente di quello professionale.»

«E sarebbe?»

«Il vincolo dell'amicizia. Su molte cose non saremo mai d'accordo, ma oggi credo di averla capita. Lei non è affatto quello che vuole far credere.»

«Ha capito tante cose, in così poco tempo» lo canzona Simon.

Rabo tende la mano verso Harkwell. L'inglese è in piedi accanto alla finestra. Non si muove da lì. Non allunga a sua volta la mano. L'alza invece in un saluto, che per strada si trasforma in un impacciato brindisi con l'ultima mignon di liquore.

«*L'chaim* allora, professor Mishkin.»

«*Mandi*, Simon.»

«*Mandi?*»

«Un saluto friulano. Dal latino *mane diu*: 'possa tu vivere a lungo'.»

Simon sogghigna.

«O anche 'possa tu *durare* a lungo'. Un brindisi ancora più benaugurante, date le circostanze...»

«Faccia il bravo, professor Harkwell.»

«Purtroppo non so più come si fa.»

«Oh, sa come si dice. È come andare in bicicletta. Non si dimentica mai, in realtà. Sono sicuro che se si sforza, se vuole, può ricordarsi come si fa, a essere bravo.»

Quando Mishkin è uscito, Harkwell si concede di sorridere. Gli capita di rado di incontrare una persona così interessante. Uno che arriva in anticipo sulle cose, come un bravo tennista. La gente che incontra normalmente gli fa pensare invece a dei giocatori di golf. Gente che tira la sua palla e la guarda andare. Con questo Mishkin, con questa persona appena conosciuta, Simon si è aperto più che con le sue mille amanti, più che con la sua agente, o con il suo analista.

Più che con sua madre.

Mamma.

Il crematorio era freddo. Una cosa assurda, a pensarci, ma il fuoco, lì, non serviva a scaldare. Serviva a consegnare alle nuvole il corpo di una donna di sessant'anni, devastata dal cancro.

La rabbia di quel giorno vibra ancora nelle sue cellule, urla ancora dentro di lui. È la rabbia a fargli scrivere quello che scrive, a fargli dire quello che dice: che la vita è niente, è sofferenza senza fine. Che questo non è il mondo di Dio.

Alza il ricevitore del telefono. Chiede al *concierge* se i ragazzi sono arrivati.

7

Dopo qualche discussione li hanno fatti entrare, hanno detto loro di attendere nella hall. I quattro Bambini di Astaroth sprofondano nei divani troppo morbidi. Affondano, nonostante siano così leggeri, fragili come aquiloni. Federica, le braccia abbandonate sui fianchi, sembra una bambola dimenticata lì da una bambina volubile.

«Va bene. La ragazza può salire» fa il *concierge*, dopo aver riappeso il ricevitore del telefono.

«Noi no?»

«Solo la ragazza, dice.»

Il suo sguardo interrogativo passa da Federica a Lena.

Federica si alza. Lentamente, come se avesse le gambe intorpidite.

«Allora io vado.»

Lena si alza in piedi, le appoggia le mani sulle spalle. Le sussurra qualcosa all'orecchio.

Federica fa segno di sì con la testa. Va verso l'ascensore, entra. Le porte si chiudono alle sue spalle.

Avvolto in una scenografica vestaglia di broccato rosso sangue, Simon Harkwell, la più recente e fotogenica incarnazione della Bestia dell'Apocalisse, guarda giù dalla finestra del terzo piano. I cartelli dei dimostranti l'hanno fatto sorridere.

TORNA NELLE TENEBRE. Perché, adesso dove sto? Dove stiamo? La parola tenebre gli ricorda una foto che ha visto su un tabloid, tanti anni fa. La foto mostrava un deserto, con pozzi di petrolio in fiamme. La prima guerra irakena. Il fumo nero e denso dei pozzi in fiamme oscurava il cielo, lo tingeva d'inchiostro. Quelle nubi di fumo acre e denso richiamavano altre nubi, quelle grevi di carne e grasso bruciato che ammorbavano l'aria di Auschwitz, secondo i libri che ha letto, e il cui contenuto, per fedeltà al suo personaggio, alla reincarnazione di Crowley, ha deciso di negare.

Quali tenebre? – vorrebbe chiedere a quei dimostranti. *Di che tenebre parlate? Dove credete di vivere?*

Bussano alla porta.

«Avanti.»

Passi leggeri sulla moquette. Si fermano in mezzo alla stanza. Harkwell si volta.

La ragazza è davvero giovane. Non dimostra più di sedici anni. Magra, corti capelli biondi. Una frangetta sugli occhi. Si è vestita, o qualcuno l'ha vestita, come per una cerimonia, con un completo bianco. La bocca di Simon si piega in un sorriso.

«Sei tu la prescelta?»

La ragazza annuisce.

«Come ti chiami?»

«Il mio nome da adepta?»

«Il tuo nome vero.»

«Federica.»

«Federica. Vieni avanti, ti prego. Non aver paura.»

La ragazzina muove due passi verso di lui. Simon le va incontro, come se volesse invitarla a danzare. Nella luce calda che entra dalla finestra i lineamenti di Federica sembrano ammorbidirsi. L'azzurro degli occhi risalta; la luce l'attraversa come un vetro. Simon prende le mani della ragazza nelle sue, le trattiene leggermente. Sono calde. Sente il profumo della sua pelle.

«Sei il più bel regalo che abbia mai ricevuto.»

Lei non risponde. *Un regalo.* Le sue dita hanno un fremito.

«Hai paura di me?»

«Un po'» sussurra Fede. E poi aggiunge: «*Maestro*».

Harkwell sorride ricordando la mail dei Bambini di Astaroth. MAESTRO, TU CHE CI ONORI DELLA TUA PRESENZA, VOGLIAMO OFFRIRTI UN SACRIFICIO PERFETTO.

«Una vergine» recita a occhi chiusi, sussurrando le parole all'orecchio della ragazzina. «*Una vergine purissima, in vesti bianche, pronta a offrirsi a te, a non negarti nulla.* Saresti tu?»

«Sì.»

«Sei *davvero* vergine?»

Lei china il capo.

«Sei molto bella. Non dirmi che ti sei mantenuta vergine per me.»

La ragazza non sa cosa rispondere. Simon fa scorrere l'indice lungo la sua guancia, le accarezza il lobo dell'orecchio.

«Spogliati» le ordina.

Il ragazzo senza nome è davanti all'albergo. Per arrivare lì ha dovuto attraversare controvoglia gli spazi della manifestazione, incrociare gente carica di sacchetti gialli pieni di libri, come se oggi li regalassero. Bambini che scrivevano sotto un tendone, una piccola folla che ascoltava un ragazzo recitare litanie armato di megafono. C'è una lunga coda davanti al teatro, e un cartellone con la faccia del suo nemico. Qualcuno ci ha disegnato sopra baffi e pizzetto e corna da Mefistofele. «Torna nelle tenebre!» urla un gruppetto di manifestanti. Il ragazzo si tiene lontano da loro. Non vuol essere notato. Va a infilarsi nella fila davanti al teatro. Ogni pochi minuti si tasta la stoffa del giubbino, per accertarsi che la pistola di suo padre ci sia ancora. La pistola da tiro al bersaglio, che papà nasconde in cima all'armadio, pensando che nessuno dei suoi figli lo sappia. *La pistola.* A un certo punto, dalla porta d'ingresso esce una faccia nota. È l'amica di Federica. Quante volte l'ha vista girare per casa loro, a Udine. *Lena*, ecco. Lena. La punk coi capelli verdi. Quella che storceva il naso ogni volta che lo vedeva. Che faceva smorfie come se avesse sentito odore di pesce marcio ogni volta che lui passava davanti alla porta aperta della camera di sua sorella. Solo che oggi i capelli sono normali, è anche vestita elegante. Lena e altri due, che la seguono a ruota. Ridono, i tre, ma sembrano anche tesi. Si guardano continuamente indietro. E Federica non è con loro.

Simon Harkwell ha abbassato le persiane. Raggi di luce tagliano la penombra della stanza, come lame parallele. Disegnano strisce dorate sul corpo nudo della ragazza. Fede è in ginocchio, gli occhi chiusi. Simon contempla i seni minuscoli, il ventre piatto, la peluria dorata in fondo, fra le gambe chiuse. Scioglie la cintura della pesante vestaglia. Sotto è completamente nudo. Il pene in erezione è lungo, duro come un sasso. Lo avvicina alle labbra chiuse della ragazza, a un millimetro dalle labbra, chiuse come gli occhi. Il pene vibra, violaceo. Con la sinistra, Simon le accarezza i capelli, le solleva la frangetta. I suoi capelli, la pelle, odorano di shampoo per bambini, di sapone neutro. Odori che gli fanno chiudere a sua volta gli occhi, che lo riportano indietro. Si spinge leggermente in avanti, o forse è lei a muoversi, e di colpo è dentro le labbra di lei, nella sua bocca umida e calda, avvolgente. La ragazza lo inghiotte. Non del tutto, però, non fino in fondo. La lingua non collabora. Non stuzzica il pene, non si esibisce in un numero da premio. A voler essere precisi non si può nemmeno definire un pompino. È una bocca che si offre, che non si rifiuta. Una bocca che lo accoglie, tutto qui. *Come un primo bacio inesperto, un cozzare di denti, la lingua che non sai dove mettere.* Simon preme le mani sulle tempie della ragazzina. I capelli biondi scivolano sotto le sue dita, ma la ragazza obbedisce al tocco, lo inghiotte sino in fondo. Simon inarca la schiena. Spinge e si ritira, spinge e si ritira, finché – giunto in prossimità dell'orgasmo – fa uscire il cazzo, teso al massimo e quasi verticale, quasi parallelo ai muscoli sodi del suo addome. La ragazzina apre gli occhi, e l'espressione che Simon vi legge è quanto di più afrodisiaco abbia mai visto. Un'espressione stupita, infantile.

Un lampo di memoria lo frusta, la scheggia tagliente di un ricordo.

Adesso, secondo il copione, dovrebbe sollevarla di peso. Farla girare, metterla a quattro zampe, o farle appoggiare il busto al letto, spalancarle le gambe e prenderla da dietro, *more ferarum*. È stato sempre così. Un copione collaudato. La messe è infinita. Le donazioni, praticamente quotidiane. Uomini e donne, ma soprattutto donne. Vergini, in entrambi i casi. Ha officiato quel rito così tante volte che è diventato davvero una specie di rito, della personalissima religione di Simon Harkwell.

Prendendola per le braccia la fa alzare. Lei obbedisce, passiva ma non come un peso morto. Elastica, solo priva di volontà. Si lascia guidare fino al letto, asseconda il gesto con cui lui le fa piegare la schiena, la fa mettere in ginocchio. Sta per inginocchiarsi anche lui, per calare su di lei, dentro di lei, quando il ricordo emerge, rivive davanti ai suoi occhi. *Un corpo magro, pallido, il corpo di un ragazzino. Il buio della canonica, il corpo dell'adulto, il suo ansimare pesante, alle sue spalle. Il peso delle mani sui fianchi. Qualcosa di grosso e rovente che lo penetra da dietro. Le parole mellifue dell'adulto che gli preme le spalle, inchiodandolo al mobile scuro.*

Simon si allontana da quel ricordo. L'erezione rimane, ma non sa più di chi sia, se la sua o quella dell'uomo il cui volto ha dimenticato. L'erezione che l'uomo ha spento dentro di lui, rossa di brace. *L'uomo che si faceva chiamare padre. E su tutto, su tutto, la croce appesa al muro, il sogghigno dell'uomo appeso alla croce, l'uomo che vede tutto e ignora tutto e tutto perdona, l'uomo a cui piace farsi inchiodare a una trave di legno. L'uomo-Dio che guarda ogni cosa a occhi chiusi, fingendo di non vedere. Che non ha occhi per il dolore dei bambini...*

«Alzati» ordina.

«Come...?»

«Vestiti.»
«Ma perché?»
«Non fare domande. Vestiti e vattene.»

La strattona su di peso, raccoglie i vestiti e glieli lancia addosso. I vestiti bianchi ricadono sul pavimento, ed è come se la ragazza sedesse sulla neve. Lacrime le striano gli occhi. Simon la schiaffeggia. La ragazza resta passiva, lo sguardo vuoto. Si siede sui vestiti, come se fossero una cuccia. La bellezza si è persa, consumata in questo sguardo privo d'intelligenza. Simon si guarda intorno. Non sa cosa darle, per farla andare via.

Vede la busta sul letto. La strappa, tira fuori i biglietti. Glieli mostra.

«Prendi! Tienili!»

Poi lo ripete in italiano. La ragazza scuote la testa. Lui le infila i quattro biglietti in mano. «Per Springsteen! Tu e i tuoi amici! Andate!»

«Maestro...»

Lui la solleva di peso. Tenendola per un braccio le infila la maglietta. Il reggiseno imbottito, glielo drappeggia intorno al collo, come una sciarpa. La ragazzina se lo mette, automaticamente, senza pensare davvero a quello che fa. Allo stesso modo si infila le mutandine bianche, e poi il resto dei vestiti. Piange. Le lacrime luccicano, scendendo lungo le guance. Simon si riflette in quelle lacrime.

«Adesso ti do un ordine, Federica. Ora tu uscirai da questa stanza e non dirai ai tuoi amici che... insomma, che non è successo niente. Dirai che ti ho obbligata al segreto su quello che c'è stato fra noi. Mi ascolti? Ascoltami! Devi dargli i biglietti, e devi dire che vi ho ordinato di andare al concerto di Springsteen.»

«Ma noi vogliamo sentirti...»

«Devi dirgli che è un ordine. Andate al concerto.»

«Ma, maestro...»

Simon sbuffa, esasperato. Appoggia le mani sulle spalle della ragazzina. Lei vestita, lui nudo, stanno uno davanti all'altra. È alta quasi quanto me, pensa Simon. *Che bella don-*

na diventerai. Che creatura splendida, e invidiabile, con tutto il mondo aperto davanti a te.

Solleva l'indice ad accarezzarle la guancia. L'umido delle lacrime gli rimane sulla punta del dito. Attorciglia una ciocca di capelli, ne fa un ricciolo biondo. *La ciocca del mio ricordo. Come in quella poesia di Apollinaire.*

Toglie il dito, la ciocca si disfa, i capelli tornano a velarle la guancia. Simon avvicina le labbra alle sue, tornate pure. La bacia. Un bacio tenero, a labbra chiuse. Poi si allontana da lei, camminando a ritroso, fino a diventare solo un'ombra scura contro la finestra, l'ombra di un uomo.

«Ho un altro comando, per voi. Smettetela. Non siete degni di far parte dell'Ordine. Non lo sarete mai. Io vi bandisco per sempre dai regni della Magia. Dillo, ai tuoi amici.»

8

Nel regno della realtà, nel regno ordinato e lucido della fisica, le probabilità di questo momento sono infinitamente piccole. Tutto sembra disposto ad arte, come da un regista. Il ragazzo con la pistola guarda sua sorella uscire dall'albergo, il volto in lacrime. I suoi amici, quei tre disgraziati, le si fanno intorno, muovendosi come se danzassero. Come cani in calore. Ma lui ha occhi solo per Federica, per le sue lacrime, per il modo scomposto in cui cammina sui tacchi alti e si allontana, quasi zoppicando. Vorrebbe seguirla ma non può. Non ancora. Ha una cosa da fare.

Tempo di uscire, pensa Simon Harkwell, quarantanove anni, inglese, autore di tre bestseller e imputato in dieci processi, con accuse che vanno dal negazionismo al plagio di minorenni. *Che pomeriggio strano. Questa luce, poi. Così calda, eppure siamo alla fine dell'estate.*

Si veste come se dovesse andare a una festa. Una volta ha incontrato Tom Wolfe, lo scrittore americano, ed è rimasto incantato dal suo stile. Così si veste di chiaro, da cima a piedi. Una scelta in contrasto con la sua immagine pubblica, ma oggi va bene così. Si porta dietro da anni quei vestiti, e li fa sempre stirare in albergo, al suo arrivo, anche se poi non li indossa mai. Ma oggi è un giorno speciale. Che merita qualcosa di speciale. Non le solite cose. Potrebbe andare a vedere quella strada per cui l'autista l'ha portato arrivando qui. Il *corso*, come l'ha chiamato. Ogni città d'Italia ha un corso? Da dove viene, quel nome? Il corso con i palazzi dipinti e le statue.

Quando ha finito di vestirsi alza del tutto le persiane della finestra. Non guarda in basso. Non gli interessa. È bello sentirsi per una volta così leggero. La luce delle cinque del pomeriggio è dorata, come la cornice di uno di quei meravigliosi dipinti veneziani che ha visto alla Galleria dell'Accademia. Uscendo, spezza il gambo di una rosa rossa e si infila il fiore all'occhiello della giacca.

Rabo Mishkin, ansando, si affretta verso l'Hotel Palace Moderno. Non sa il perché. È come un istinto a guidarlo, a fargli accelerare il passo.

Alle 17.15 Simon Harkwell passa davanti al *concierge* dell'albergo. Gli allunga la chiave sul banco. «Solo un'informazione, per favore. Da che parte si va per raggiungere il corso?»

«Corso Vittorio o corso Garibaldi?»

«Ce ne sono due? Quello dove c'è un palazzo con delle teste sulla facciata. Un palazzo degno del Canal Grande.»

«Ah, allora è corso Vittorio Emanuele. È qui a due passi. Come esce da qui prende a sinistra, passa davanti al Teatro Verdi, va avanti per cinquanta metri e si trova sul corso. Vuole una cartina?»

«Molto gentile, grazie.»

*

L'auto che ha riportato in città don Francesco e il poliziotto si ferma a cento metri dal Moderno. In mezzo alla strada c'è una piccola folla di manifestanti, una folla eccitata, come a una sagra.

«Cosa succede?» chiede il poliziotto all'autista.

«Non so. Una manifestazione? Domando alla centrale?»

«Lascia perdere. Facci scendere qui.»

Sono le 17.17 quando Simon Harkwell esce dall'albergo. Sulle prime nessuno sembra riconoscerlo. Il suo abito bianco è l'esatto contrario di quello che i manifestanti si attendono. Così lo scrittore può percorrere indisturbato metà della distanza che lo separa dal teatro, quello splendido teatro che sembra una bomboniera bianca. Cammina guardando in avanti, come quando da bambino doveva attraversare una stanza buia.

Il ragazzo alza gli occhi e lo vede venire avanti. Venirgli incontro. Quante volte ha visto quel volto. Ricorda il giorno in cui ha trovato il libro sul comodino di sua sorella. Il volume era girato con la copertina in giù. Sulla quarta di copertina c'era il volto irridente dell'autore. Quegli occhi chiari, di ghiaccio. Il sorriso crudele.

Ora Simon Harkwell è a tre passi da lui. Il Grande Regista vuole che siano le 17.17 e 17 secondi quando i loro sguardi si incontrano. Simon guarda il ragazzo e il ragazzo guarda lui. Harkwell rimane a bocca aperta. Gli occhi sono gli stessi della ragazza. Li fissa, affascinato. Un pesce ipnotizzato dalla lanterna. Un topo dagli occhi del cobra. Impacciato, tremando, il ragazzo lotta con la lampo del giubbino. Estrae la pistola.

Rabo sente i colpi, tre. Vede due grandi fiori rossi esplodere nel petto di Harkwell. Un altro fiore rosso cade a terra, un bocciolo di rosa. La folla si divide intorno a un ragazzo dall'aria stranita, che fissa la pistola che ha in mano e poi la lascia cadere. Un prete e un uomo anziano si lanciano verso il ragazzo. L'uomo urla un nome. Prende il ragazzo fra le braccia, lo trattiene in quell'abbraccio, forte come una morsa, non lo lascia. Il prete invece si china accanto a Harkwell, cade in ginocchio accanto a lui. Si fa il segno della croce. Pronuncia parole che Rabo capisce solo quando è vicino. *Ego te absolvo...*

Nella nebbia rosata che lo avvolge, nel pulsare ovattato e sempre più lento del suo cuore, un pulsare che è come una musica all'orecchio, Simon alza gli occhi dalla devastazione del suo petto. Guarda l'uomo chino su di lui. *L'uomo nero, il prete.* Le sue parole ansimanti. *Finalmente ti vedo*, pensa in un lampo, un pensiero veloce, in tutta quella lentezza, nel suo spegnersi come una candela. Ma il suo ultimo pensiero, l'ultima cosa che attraversa la sua mente, sono *gli occhi della ragazza, gli occhi del ragazzo, gli occhi che...*

Rabo si china accanto al prete.

Harkwell sorride.

Muore.

9

Sotto le luci sciabolanti e gli *strobes* impazziti, la chitarra elettrica del Boss fende lo spazio, distorce il tempo in accordi potenti, lo piega. La calca di ragazzi esplode in un grido collettivo quando la voce roca di Springsteen attacca le note gloriose di *Born to Run*. Lena salta verso l'alto e ricade giù, lo fa ancora, e ancora, una specie di danza Masai. Aldo solleva i pugni verso il cielo, come se stesse boxando con Dio. Kevin non c'è. Kevin non è venuto con loro. Al suo posto c'è un altro ragazzo che hanno incontrato fuori, un ragazzo di Mestre che non aveva il biglietto. Il ragazzo è incantato da Federica.

Non sa più se guardare il palco, dove il Boss scamiciato duetta con Patti Scialfa, o la ragazza bellissima accanto a lui, vestita di bianco, il volto pallido, il corpo che nemmeno la musica a tutto volume sembra capace di scuotere dal torpore.

Il concerto è fantastico. Seduto in terza fila nel parterre nord, Giancarlo Vallarta guarda la folla: soprattutto ragazzi, ma anche qualcuno della sua età, e tutti sembrano percorsi da una scossa elettrica, tutti saltano e si agitano e si sbracciano al ritmo della musica. Anche lui fatica a star fermo. Sono tutti in piedi, adesso, pestano i piedi seguendo il ritmo, un vibrare che sembra un terremoto. Due posti dietro di lui, dove avrebbe dovuto essere il suo posto, ci sono due ragazzi e due ragazze. Sono i quattro posti che aveva ceduto ad Harkwell. Quindi quelli sono i suoi amici. Forse non hanno saputo della sua morte, pensa. Altrimenti non sarebbero qui. O forse sì, forse la ragazza vestita di bianco lo sa. Altrimenti perché avrebbe lo sguardo così triste? Hanno discusso a lungo, fra gli organizzatori, se annullare il concerto. Poi hanno deciso di no. I problemi sarebbero stati troppi. Springsteen non sa nulla. La morte di Harkwell esploderà sui media solo domani, quando questo concerto sarà una cosa del passato. La vita continua. Vallarta fissa per un attimo il posto accanto al suo. Rabo Mishkin non è venuto. È rimasto accanto a Harkwell anche quando l'hanno portato via, nell'ambulanza a sirene spiegate. Forse è ancora con lui, dovunque l'abbiano portato. Probabilmente alla camera mortuaria dell'ospedale.

Sorride a sua moglie, che lo strattona per un braccio. Anche lei non sa niente. Non gliel'ha ancora detto. Ci sarà tempo anche per questo.

«Hai un accendino?» sente che gli sta chiedendo.

«Perché?»

Ma non ha bisogno che lei gli risponda. Le luci del palco si sono abbassate per l'ultima canzone. Springsteen accorda la chitarra.

«This is a song written by Pete Seeger back in 1965, as an anthem for the Vietnam anti-war movement...»

«*Bring 'Em Home*» sussurra la folla. Qui e là, in ogni parte del palazzetto, si accendono fiammelle, brillano le luci dei telefonini.

«*If you love this land of free*» attacca The Boss.

«*Bring 'em home, bring 'em home*» risponde il pubblico in coro, e l'edificio in penombra, sotto le grandi arcate, sembra un mare di fiamme.

La moglie di Vallarta canta, l'accendino in mano, e la sua voce si unisce a quella degli altri, un mare che canta. La ragazzina bionda canta anche lei, muovendo appena le labbra, e vedendola cantare il ragazzo che ha accanto la guarda come se fosse una cosa unica al mondo.

We'll give no more brave young lives
Bring 'em home, bring 'em home
For the gleam in someone's eyes...

ANDREA FAZIOLI

Swisstango

1. *La Svizzera verde*

Rino Bonfanti, mentre camminava lungo Bahnhofstrasse a Zurigo, riconosceva un genio del male in ogni svizzero tedesco con la borsa di pelle. Gente che rode il sistema, pensava, gente che fa girare i soldi. E a giudicare dai prezzi in vetrina, di soldi ne giravano fin troppi. Un paio di stivali a cinquemila franchi. Un portasigarette d'oro a quindicimila. Un orologio a centonovantanovemila.

E una birra, scoprì appena si sedette in un bar, a dieci franchi. Cioè, calcolò, a quasi sette euro. Che Paese. Lui di solito non lavorava in Svizzera ma nel Nord Italia, visto che abitava in Ticino. Ed è buona norma non lavorare mai dove si vive, specialmente se il lavoro consiste nella rapina a mano armata.

Però quel giorno avrebbe fatto uno strappo alla regola. Quando si riceve una proposta da un uomo come Peter Füssli non ci si tira mai indietro. Prima di tutto perché Peter Füssli è in contatto con le persone che contano, con gli svizzero tedeschi dalla cravatta sbagliata e il portafogli pieno. E in secondo luogo perché probabilmente il lavoro sarebbe stato in Svizzera tedesca, non in Ticino. Insomma: il santo valeva la candela, dopotutto, e ascoltare non costa niente.

«Se mi ascolti ci stai» disse però subito Peter Füssli. «Non voglio cazzate, stavolta, non voglio ripensamenti.»

«Ma se non so niente, come faccio a decidere?»

Füssli sembrò soppesare la domanda. Era un uomo smilzo, con pochi ciuffi di capelli e la faccia di chi a scuola veniva preso in giro dai compagni. Ma quando lavoravi in un colpo targato Füssli, andavi sul sicuro. Lui non partecipava mai direttamente: riceveva le richieste e commissionava il furto a qualcuno, prendendo poi la sua quota.

«Non so» disse alla fine leccandosi la schiuma di birra dal labbro, «magari trovo qualcun altro che accetta senza fare domande.»

«Sì» fece Bonfanti, «ma allora perché hai chiamato me?»

Davanti a loro scorreva l'incessante viavai della Bahnhofstrasse. Begli abiti, belle donne e sguardi fieri dietro le lenti fumé. Un esibizionismo discreto, nascosto dietro la rispettabilità e l'intima convinzione che – in fin dei conti – è meglio non farsi notare. Rino Bonfanti pensò che se avesse acceso una videocamera, tutti avrebbero fatto in modo di evitarla. Così è la Svizzera, e se vuoi lavorarci devi conoscerla. Disse:

«Io conosco il Paese. Sono la persona adatta».

«Okay Gaucho» annuì Füssli, «proverò a parlartene. Ma stai attento che non è facile fare un colpo a casa propria. Lo ripeto, io non...»

«Tu non vuoi cazzate, questo l'ho capito. Allora, di che si tratta?»

Rino Bonfanti odiava quando lo chiamavano Gaucho. Si era trasferito in Svizzera dall'Argentina quasi cinque anni prima, e i suoi antenati erano emigrati proprio dalla Svizzera italiana in Sudamerica. Perciò non era meno svizzero di quel coglione. Ma strinse le labbra e non disse niente. Prima il lavoro.

«Dunque» cominciò Füssli, «c'è da prendere un carico di mobili. E altri oggetti d'antiquariato. Roba antica, preziosa.»

«Quanto valgono?»

«Non importa. Il mio cliente è disposto a pagare cinquecentomila franchi. A dire il vero lui ha comprato i mobili da un antiquario italiano, ma vorrebbe che il carico venisse rubato durante il trasferimento da Milano a Zurigo. È chiaro?»

Bonfanti sapeva che Füssli non gli avrebbe detto di più. L'essenziale era prendere quegli oggetti, non investigare le ragioni per le quali il cliente voleva rubare una cosa che gli apparteneva. Si limitò a immaginare che ci fosse qualche trucco con le assicurazioni e domandò:

«Come faremo a prendere il carico durante il trasferimento?»

«I mobili viaggeranno in un furgone. Da sud a nord, attraverso la Svizzera.»

«Sai dove si fermerà?»

«Non si fermerà. Senza fermate dalla cassaforte di Milano a quella di Zurigo. E c'è una macchina con due guardie di sicurezza che lo seguirà per tutto il tragitto.»

«Bene» disse Bonfanti alzando una mano per chiedere il conto. «Cos'è, una specie di test? Vuoi che mi metta in mezzo all'autostrada con due pistole? Ma mi prendi per uno stupido?»

«Perché non mi ascolti per un momento?»

Bonfanti scosse il capo. Aveva i capelli ricci lunghi fino alle spalle ed era vestito di tutto punto con un completo gessato: poteva sembrare un artista il giorno del vernissage della sua prima mostra. Ma a guardarlo negli occhi si capiva che non molti anni prima lui e il suo coltello si erano guadagnati da vivere giorno per giorno.

«Va bene Füssli. Ti ascolto. Questo furgone attraversa la Svizzera, e noi come cazzo lo fermiamo?»

«Nel cuore della Svizzera.»

Bonfanti alzò le sopracciglia.

«Cioè?»

«Se il cuore della Svizzera smettesse di battere per qualche secondo...»

«Ascolta» Bonfanti fece per alzarsi, «ti ho già detto che...»

«Aspetta! Dunque, il furgone prenderà la galleria del San Gottardo. Mi segui?»

Bonfanti lo guardò. Füssli si affrettò a proseguire:

«Il furgone entrerà nel tunnel verso le otto e mezzo di sera di martedì 29 ottobre e tu, grazie alla tua abilità, farai in modo che ne esca senza il suo prezioso carico».

Bonfanti appoggiò le mani sul tavolo e si chinò verso Füssli.

«Se ho capito bene» mormorò «tu vuoi che io faccia una rapina in mezzo alla galleria del San Gottardo...»

«Esattamente» replicò Füssli, impassibile come un gufo.

«Ma tu sei scemo! Sei completamente fuori di testa!»

Füssli fece un sorrisetto.

«Invece tu ce la puoi fare, Gaucho. Io dico che ce la puoi fare.»

«E io dico che non ha senso!»

Ma un'ora più tardi, tornando in Ticino con la sua Lexus d'occasione, Bonfanti cominciò a farsi prendere dal tango.

Era sempre così quando gli proponevano un colpo. All'inizio era scettico, ma poi la sua mente divagava e cominciava a segnare il ritmo inconsciamente, come durante il ballo. Bonfanti pensava ad altro, ma la sua mente – per conto suo – esaminava le varie possibilità.

Da quando si era trasferito dal Sudamerica al Ticino, Bonfanti cercava la compagnia degli argentini. Neanche lui sapeva dire perché. Odiava il quartiere di Buenos Aires in cui era nato e soprattutto la polizia della città, la miglior maledetta polizia del mondo, come si dice. Ma inspiegabilmente si era trovato a frequentare il Circolo degli Amici dell'Argentina e a farsi spedire il vino e i film e le canzoni, e perfino a ballare.

Prima di ogni colpo, anche la sua mente ballava.

In galleria? È impossibile. Però... però se si sfrutta la possibilità di fermarsi per un guasto o per... e la rapidità, certo, la rapidità. Prima bisognava agganciare un contatto tra gli addetti alla manutenzione, Füssli aveva delle conoscenze, e poi...

Quasi per combattere il tango, accese la radio. Fece girare un paio di canali in lingua tedesca finché s'imbatté nella radio svizzera italiana. Ascoltò una canzone di Francesco De Gregori. *Con le mani posso fare castelli, costruire autostrade, parlare con Pablo...* Una rapina in mezzo alla galleria del San Gottardo. La galleria più lunga d'Europa! Ma scherziamo?

Lui conosce le donne e tradisce la moglie con le donne e il vino e la Svizzera verde...

Guardò fuori dal finestrino. Attorno al lago di Zurigo le case parevano finte, come se un bambino le avesse posate per gioco sui prati e sulle colline. Le strade tagliavano diritte i campi e si perdevano in mezzo ai frutteti o davanti agli imbarcaderi. Case di vetro e di legno, ville travestite da fattorie che cercavano di non dare nell'occhio.

Questa è la Svizzera verde, pensò Bonfanti. Questo è il Paese che mi renderà un uomo ricco.

Hanno ammazzato Pablo, Pablo è vivo.

2. *Questioni di lavoro*

Il rumore dei camion sovrastava la radio. *Hanno ammazzato Pablo* – ripeteva la voce di Francesco De Gregori – *Pablo è vivo, è vivo, è vivo...* Antonio La Fauci spense l'apparecchio. Un po' di silenzio. E come diavolo faceva a essere vivo, se l'avevano ammazzato?

La Svizzera verde, poi, faceva ridere. Verde? Ma dove? Quando? Antonio diede un colpo di clacson per non farsi travolgere da un TIR. Era contento di non essere più un vero e proprio camionista, di non dover viaggiare su e giù per l'Europa. Ora si limitava a trasporti di carichi speciali fra l'Italia e la Svizzera interna. L'unico guaio era che alla dogana di Chiasso gli capitava di stare intruppato per ore in mezzo agli altri camion, quelli veri, quelli che andavano fino in Belgio o in Olanda.

E senza volerlo, certe volte aveva un po' di nostalgia per il suo vecchio lavoro. Ma passava subito. Anche perché se l'avesse detto a sua moglie, chi l'avrebbe sentita più? Certo, fare su e giù per la stessa via, senza cambiare mai, era un po' noioso. Ma perlomeno riusciva a passare più tempo a casa.

Attorno a lui la Svizzera era grigia. Dopo aver superato il controllo al confine italiano, si avviò lentamente verso la postazione elvetica. Due guardie annoiate gli fecero cenno di accostare. Chissà perché le guardie di confine hanno sempre un'espressione annoiata. Be', non dev'essere facile vivere in mezzo al traffico. Chissà – pensò Antonio – magari anch'io ho una faccia così. Come uno che si è appena svegliato, ma per tutta la giornata. O come uno che non si sveglia mai.

Dopo aver sbrigato le formalità, Antonio riuscì a districarsi dall'ingorgo e imboccò l'autostrada per Lugano. Aveva deciso di cenare a casa e di ripartire poi per Zugo, dove stava portando un carico di stoviglie e vasellame. Sarebbe arrivato in ritardo, ma dopotutto erano soltanto dei vasi, no? Niente di urgente, per fortuna.

Erano quasi le sette e cominciava a farsi buio. Antonio uscì a Lugano sud: abitava a Grancia, in un palazzo isolato che spuntava tra due grandi magazzini. In certi orari c'era un traffico infernale, ma quel giorno la situazione era abbastanza tranquilla. Antonio fu a casa in un quarto d'ora.

«La pasta è quasi pronta» gli disse sua moglie accogliendolo all'ingresso, «ma sei sicuro che vuoi ripartire?»

«Eh, ormai...»

«Abbiamo anche un ospite.»

«Come?»

«C'è uno che ti aspetta di là, in sala. Dice che deve parlarti di affari.»

«Affari? Che affari?»

Antonio era incuriosito. Nella poltrona grande del salotto, con in mano una bottiglia di birra, sedeva uno strano individuo. Sulla quarantina, già un po' stempiato, aveva un paio di basette come non se ne vedono più dagli anni Settanta. Indossava una giacca di taglio elegante, cravatta e un paio di jeans sbrindellati. Antonio non riuscì a definirlo e gli lanciò un'occhiata circospetta.

«Mi ha detto mia moglie che vuol parlarmi d'affari...»

«Si sieda, Antonio, la prego.»

L'uomo aveva un vago accento straniero. Tedesco, forse. Antonio si sedette sul divano. Sua moglie portò una birra anche a lui e l'uomo aspettò che fosse uscita prima di parlare.

«Mi chiamo Wasserfeld. Vengo a farle un'offerta.»

«Un'offerta?»

«Naturalmente non posso spiegarle nei dettagli di che si tratta. Prima ho bisogno che lei mi dia una risposta. Mi rendo conto che tutto ciò le sembrerà un po' strano...»

«Be', in effetti...»

«Ma lasci che le faccia una domanda: lei è contento del suo lavoro?»

«Il mio lavoro? Io... ma cosa c'entra? Chi è lei?»

«Mi chiamo Wasserfeld. Lavoro nel campo dei trasporti e so che anche lei è impiegato in quel settore. Magari potremmo trovare un accordo...»

«Un accordo?»

«Diciamo che le potremmo offrire un incarico confidenziale, più soddisfacente per la sua ambizione.»

«Se ho capito bene, vorrebbe offrirmi un lavoro?»

«Ecco, non proprio un lavoro. Alto rischio e alto rendimento, capisce? Non è come trasportare qualcosa da un posto all'altro, ma si tratta di fornire informazioni a chi le potrà usare nel modo giusto.»

Antonio aveva capito. Si alzò.

«Ecco, signor...»

«Mi chiamo Wasserfeld.»

«Signor Wasserfeld, io ho avuto una giornata dura. Devo andare ancora fino a Zugo e prima ho da cenare. Perciò le auguro una buona serata.»

Antonio indicò la porta. Non sapeva se quel tizio, quel Wasserfeld, fosse uno scherzo o davvero il principio di un grosso guaio. Ma quella sera non c'era tempo per vederci chiaro. Anche Wasserfeld sembrò afferrare la situazione. Si alzò di scatto, appoggiando un biglietto sul tavolo in mezzo al salotto.

«Casomai mi richiami» disse poi ad Antonio «entro due giorni.»

E se ne andò, non senza aver salutato con un cenno cordiale la signora La Fauci che, in cucina, cercava di tendere le orecchie ai discorsi tra i due uomini.

Antonio rimase in salotto a guardare il biglietto sul tavolo. C'era soltanto un nome: WASSERFELD. E un numero di cellulare: (0041) (0) 79 584 04 67. Due giorni, aveva detto. E aveva parlato di un incarico confidenziale.

Cioè una rapina.

Ma l'autista si sarebbe fatto corrompere?

Con in mente questa domanda, Antonio si sedette in cucina a mangiare un piatto di penne all'arrabbiata.

«Che cosa voleva quel tipo?» gli domandò sua moglie.

«Niente» fece Antonio pulendosi la bocca. «Questioni di lavoro.»

3. Operazione Gottardo

Non è che per vivere di rapine a mano armata uno debba vivere a Los Angeles. Però aiuterebbe, pensò Bonfanti spegnendo la sveglia. Subito scalciò via le coperte e si strinse a Giovanna.

«Che cosa c'è?» fece lei. «Che ore sono?»

Magari non a Los Angeles. Anche a Milano o a Rio de Janeiro. Tanto per non parlare di Buenos Aires. Ma non in un posto in cui un rapinatore ha da mettere la sveglia il sabato mattina. Non in una maledetta cittadina svizzera dove chi dorme non piglia pesci, ragazzi, diamoci da fare.

«Dobbiamo alzarci» l'accarezzò sotto la camicia. «Oggi arrivano Toni e Mosè, non ti ricordi?»

«Mmm...»

La mano di Bonfanti indugiò attorno al seno pesante di Giovanna. Ma la distanza era grande, la memoria cattiva e vicina. E nessun tango mai più... Bonfanti non si sentiva sicuro. Appoggiò le labbra sul collo di Giovanna, la baciò e annusò l'odore dei suoi capelli. La galleria del San Gottardo. Uno le rapine le può fare anche in Svizzera, certo. Ma il requisito fondamentale è dimenticarsi di essere pazzi.

Dalla finestra giungevano i suoni del mercato cittadino. Bonfanti scivolò sopra Giovanna, appoggiò la testa sul suo petto e ascoltò il suo respiro, ancora in bilico tra il sonno e la veglia. Sarebbe bello stare qui a far l'amore, con le voci stridule dei venditori sullo sfondo e il chiacchiericcio dei bravi ragazzi che sono usciti a comprare il giornale.

Ma non si può.

Bonfanti si alzò e spalancò la finestra. Giovanna si riscosse alla ventata di freddo e fissò Bonfanti con occhi neri e indignati. Lui s'infilò i jeans e sorrise.

«Perché non vai in bagno?» le disse. «Guarda che siamo in ritardo.»

Lei si ravviò i capelli con la mano e sbadigliò.

«Siamo in ritardo? La prossima volta mi metto con un insegnante...»

«Lo sai che M'basa e Crivelli oggi devono andare a Roma per lavoro, e poi chissà quando tornano.»

Giovanna fece una smorfia.

«A Roma per lavoro! Manco fossero degli uomini d'affari!»

Toni M'basa e Mosè Crivelli erano già arrivati quando Bonfanti aprì la porta. Stavano contemplando interessati i formaggi e i salumi esposti su una bancarella accanto all'ingresso.

«Sembrano buoni» fece M'basa. «Chissà quanto costano?»

Nero e stretto in un cappotto nero, con le mani in tasca, M'basa pareva un blocco di granito in attesa di essere modellato. In effetti era capace di chiedere il prezzo di una formaggella o di ammazzare un uomo senza cambiare espressione.

Attorno ai due uomini passavano ragazzini e vecchie signore che proteggevano la sporta della spesa dagli assalti del mondo. Il borgo medievale della città si animava con un filo di meraviglia, come se si stupisse di essere ancora lì. Si usciva di casa – sopravvissuti a un'altra settimana – parlando di lavoro o di hockey su ghiaccio mentre si valutava il prezzo dei polli e dei salumi.

«Oh, Rino!» esclamò Crivelli appena avvistò Bonfanti. «Non abbiamo suonato il campanello per non disturbare!»

«E poi volevamo comprare un pezzo di formaggio» aggiunse M'basa.

«Lascia stare» fece Mosè, che era smilzo e brutto come un pezzo di filo spinato. «Quella è roba che fa ingrassare! Ma dimmi Rino, ce lo beviamo un caffè?»

«Entrate pure in casa» fece Bonfanti, «vi offro un aperitivo.»

«Cosa vuol dire che fa ingrassare? Cosa ne sai tu?» borbottava M'basa.

«Dico solo che non è roba di qualità.»

«Ah no? E che cosa dovrei mangiare allora?»

«Ecco.» Bonfanti li accompagnò per le scale. «Giovanna vi sta aspettando.»

«Dovrei cibarmi di fiocchi d'avena, come fai tu?»

«Io non dico niente.»

«Oppure dovrei...»

«Vi ricordate di Giovanna?» li interruppe Bonfanti.

Giovanna Marinoni era ticinese e sapeva molto poco di tanghi o di rapine. Lavorava come segretaria in uno studio legale ma aveva l'ambizione di andare via, da qualche parte, e di fare qualcosa. Siccome i suoi progetti rimanevano un po' vaghi, placava la sua voglia di avventura vivendo con Rino Bonfanti.

«Volete un bianco?» domandò a Crivelli e M'basa, i quali la guardavano con facce poco rassicuranti.

I tre uomini si sedettero attorno al tavolo della cucina. Giovanna indossava una vestaglia che la proteggeva appena dalle occhiate bramose di Crivelli e da quelle imperscrutabili di M'basa. Bonfanti versò il vino e disse:

«Metteremo a ferro e fuoco la galleria del San Gottardo».

Crivelli, che stava sbirciando Giovanna, fece un sobbalzo. Toni M'basa invece domandò:

«Quella stradale o quella ferroviaria?»

Bene, pensò Bonfanti, se volevo dei pazzi ho qui le persone giuste.

Spiegò loro il progetto di Füssli e annunciò che il trasporto sarebbe avvenuto un mese dopo. Avrebbero dovuto fermare il furgone, prendere quel maledetto carico e svignarsela. Visto che il furgone era seguito da un auto della sicurezza, la prima cosa da fare era isolarlo.

«Ed è per questo che faremo il colpo dentro la galleria» spiegò Bonfanti.

«Ti sembra un luogo isolato?» domandò Crivelli.

«E cosa c'entra?» rispose Bonfanti lanciandogli un'occhiataccia. «Non è il luogo che dev'essere isolato. Sentite, prima vi spiego due cose sulla galleria, okay?»

I due uomini annuirono e Bonfanti fece un segno a Giovanna. Lei uscì dalla stanza. Non voleva tenerla all'oscuro, ma preferiva che non ci fossero distrazioni. E a Giovanna non interessavano troppo i dettagli. Anzi, quasi preferiva non sapere niente. «Torno più tardi» disse con un mezzo sorriso.

Salì al piano superiore, spalancò le finestre e rifece il letto. Sapeva che i tre uomini, di sotto, stavano organizzando una rapina. Ma rifare il letto – pensò sprimacciando i cuscini – è sempre rifare il letto. Una donna ha un bel cercare il pericolo, il mistero di uno sguardo impenetrabile. Un uomo diverso dagli altri. Ma poi tutto ciò ti sfiora soltanto di riflesso. Giovanna era troppo immersa nella solida realtà ticinese perché l'avventura la prendesse davvero. Per lei tutto era distante, come l'eco di una canzone che proviene da un'altra stanza.

Bonfanti, al piano di sotto, la stava prendendo con calma. Dapprima fornì qualche informazione scolastica. Sembrava di sentir parlare un opuscolo.

«La galleria semi-autostradale del San Gottardo è la più lunga d'Europa» cominciò con tono dottorale. «Diciassette chilometri. Attraversa il confine tra il Canton Ticino (dove si parla italiano) e il Canton Uri (dove si parla il tedesco).»

«Ma va?» fece Crivelli.

Bonfanti non si lasciò scomporre.

«La gestione della galleria è suddivisa tra le polizie dei

due Cantoni, però il fatto che sia in buona salute interessa a tutta l'Europa.»

Bonfanti non aggiunse che fin dall'inizio dei tempi tutti passano di lì. Accanto alla galleria autostradale c'è quella ferroviaria, c'è la strada che s'inerpica sul passo, c'è la vecchia mulattiera e la futuristica Alptransit che stanno costruendo a suon di miliardi.

«Ma scusa» disse Crivelli che non aveva quasi toccato vino, «a noi cosa ce ne importa della salute di 'sta galleria?»

«Te lo spiego subito. Il fatto è che ci sono due corsie senza separazione, come sai, e se una macchina esce dalla sua carreggiata è un bel casino.»

«E allora?»

La galleria fu aperta nel 1980 e da allora, in effetti, ogni tanto qualche cosa va storto. L'incidente peggiore fu quello del 24 ottobre 2001. Alle 9.39 di mattina un autocarro sbandò e, dopo aver urtato la parete della galleria sulla destra, invase la corsia di contromano a poco più di un chilometro dall'entrata sud. Di colpo divampò l'inferno. Il fuoco, i fumi tossici e i gas che bruciavano nell'aria. Le urla. Il rombo dei motori impazziti. Furono coinvolti tredici camion e dieci automobili; alla fine la polizia contò undici morti. Otto persone finirono in ospedale. I soccorsi arrivarono con trecentocinquanta uomini, settanta veicoli e cinque elicotteri. Da tutto il mondo sciamarono folle di giornalisti: il cuore dell'Europa aveva mancato un colpo.

Ma tutto ciò, sebbene fosse passato nei suoi pensieri, era assai lontano dall'Operazione Gottardo di Rino Bonfanti.

«Noi dobbiamo tener presente che quel posto è pieno di poliziotti» si limitò a dire. «Però sono poliziotti che parlano lingue diverse e, soprattutto, noi abbiamo qualcuno all'interno dei reparti di sorveglianza.»

«Questo mi piace» disse M'basa. «Ma come facciamo a fermare il camion nella galleria?»

«Sto pensando a un piano» rispose Bonfanti. «Bisogna vedere che tipo è l'autista, magari riusciamo a tirarlo dalla nostra parte.»

«Non penso» replicò M'basa versandosi un altro po' di bianco. «I poliziotti gli salterebbero addosso.»

«Vedremo. In realtà se non è d'accordo ci organizziamo lo stesso. Magari lo chiamiamo al telefono e gli diciamo: fermati se non vuoi che ti spariamo addosso. Lui si ferma, noi prendiamo il carico e...»

«Si ferma dove?» intervenne Crivelli. «Non siamo dentro la galleria?»

«E qui arriviamo al punto» gli rispose Bonfanti. «Com'è fatta la galleria?»

«Punto? Quale punto? Io ho fatto un'altra domanda, io...»

«Il punto lo possiamo scegliere poi. Il fatto è che se fermiamo il furgone...»

«Ma come cazzo lo fermiamo in mezzo alla...»

«Crivelli» disse M'basa.

Lo disse come uno dice «forse nevica» o «il Milan sta pareggiando.» Ma Crivelli chiuse la bocca di scatto ed ebbe un gesto quasi di spavento. Bonfanti lo lasciò macerare nel silenzio per un paio di secondi, poi ricominciò.

«Ogni duecentocinquanta metri, lungo tutta la galleria, c'è un rifugio laterale, separato da due porte in metallo; questo dà accesso a un secondo cunicolo parallelo di sicurezza, che è poi quello che usano gli addetti alla manutenzione e, quando serve, i mezzi di soccorso. Ora, che cos'abbiamo noi?»

Silenzio. Bonfanti trattenne un sorriso e proseguì:

«Noi abbiamo un furgone seguito da una macchina con gli uomini della scorta. Perciò si tratta di far sì che il furgone si fermi in una di queste rientranze, queste piazzole ogni duecentocinquanta metri, e che la macchina invece prosegua. Con le buone o con le cattive, si tratta di convincere l'autista a fermarsi».

Crivelli contemplava con le sopracciglia aggrottate il suo bicchiere ancora pieno di vino. Borbottò:

«E i poliziotti?»

«A quelli bisogna pensare prima. Tra l'altro, non potremo fare il colpo in tre... io ho pensato una specie di piano per sette persone.»

«Ah-ha» fece Crivelli. «Ma nella galleria non ci sono delle videocamere?»

«Certo, e quando c'è qualcosa che non va mandano le immagini nei due centri di sorveglianza nord e sud: uno a Göschenen e l'altro ad Airolo.»

«E allora?»

«E allora bisognerà che i centri di sorveglianza non possano avvertire nessuno.»

«E bisognerà farlo» aggiunse M'basa «con le buone o con le cattive.»

4. *Una vita tranquilla*

È un giorno d'ottobre come tanti altri – Antonio pensava – un giorno di nebbia e di cose che succedono sempre. Se ne stava appoggiato alla ringhiera. Alle sue spalle c'era il casinò di Lugano, di fronte la distesa del lago.

Era appena stato a trovare sua madre, che viveva barricata in un appartamento del centro. Sempre lì a spiare che non ci fosse qualche intruso, un ladro o una malattia che invadessero la sua preziosa privacy di ninnoli e quiz televisivi. Una vita tranquilla, questo era quello che diceva lei, voglio soltanto una vita pacifica. E si era ritirata da ogni dramma, aspettando l'ultimo. Lui le raccontava del suo lavoro, seduto sulla poltrona dell'ospite in salotto. Aveva paura che a parlarle troppo forte si spaccassero i soprammobili.

Ma un giorno ti succederà, avrebbe voluto dirle. Un giorno scivolerai sulle scale e se ti va bene vivrai ancora qualche anno dentro una casa per anziani. E faremo uno scatolone con i tuoi preziosi ricordi, che cos'altro potremmo fare?

Perciò a che serve essere prudenti? Antonio si accese una sigaretta per dare un po' di riposo ai suoi pensieri. Il vento increspava appena le onde. Era un mercoledì mattina e sul lungolago passavano pochi studenti, qualche donna con le borse della spesa. Antonio si girò con le spalle appoggiate alla ringhiera e guardò la facciata del casinò.

Era una visione strana, a quell'ora del giorno. Eppure lascia che venga il buio e là dentro si consumano i drammi. Altro che vita tranquilla. Nemmeno la sigaretta poté impedire che i suoi pensieri tornassero al misterioso Wasserfeld. Entro il giorno dopo avrebbe dovuto dargli una risposta. Antonio sapeva che molti autisti nel campo dei trasporti di valore davano le soffiate ai rapinatori. Non c'erano prove contro di te, se tu non ti portavi i soldi in banca o se non tentavi di fare il furbo.

Perché non dire di sì?

Per onestà, forse. Ma poi con l'onestà dove si arriva? Ad attraversare la Svizzera su e giù, ogni giorno una coda al San Gottardo e una in dogana. E alla fine, se si è fortunati, si finisce in un appartamento pieno di ricordi.

Ma se avesse detto sì, bisognava che gli offrissero qualcosa. Non una soffiata e basta. Perché l'unica scusa per la disonestà è la ferma intenzione di cambiare vita. Se avesse chiamato quel numero, se avesse tradito i suoi datori di lavoro, Antonio lo avrebbe fatto per avere qualcosa di più che una vita di viaggi attraverso le Alpi.

S'incamminò verso piazza della Riforma. Aveva lavorato la domenica precedente, perciò ora si trovava a disporre di un giorno libero in mezzo alla settimana. Ma se lo stava guastando con la preoccupazione. Spense la sigaretta e la gettò in un cesto per i rifiuti. Una coppia si stava baciando su una panchina di fianco a lui. Poco più in là un netturbino stava raccogliendo senza fretta un mucchio di foglie secche. Antonio ricordò quando da bambino si giocava a correre in mezzo alle foglie secche. Ma era un altro tempo, un altro luogo. Qui in Svizzera, pensò, le foglie non fanno nemmeno in tempo a cadere che le hanno già raccolte.

Entrò con un piede nel mucchio.

«Ehi, ma cosa fa?» gli disse il netturbino.

«Una vita tranquilla» mormorò Antonio facendo crocchiare le foglie, «vaffanculo una vita tranquilla!»

La sua mano corse alla tasca interna della giacca. Il biglietto era ancora lì.
WASSERFELD – (0041) (0) 79 584 04 67.

5. *Así se baila el tango*

Nella centrale di comando ad Airolo faceva troppo caldo. Graziella si domandò perché sprecassero enormi quantità di energia per riscaldare una stanza praticamente vuota. A quell'ora tranne lei e il poliziotto non c'era nessuno. Era giovane, il poliziotto, uno di quelli che Graziella non conosceva. Non aveva neanche provato a far conversazione, perché si sarebbe sentita in imbarazzo.

Certe volte c'era uno simpatico, sulla quarantina, con il quale poteva fare due chiacchiere sui figli o su come vanno le cose nel mondo. Ma questo se ne stava lì a scrivere messaggi sul cellulare e a bere la sua disgustosa Red Bull, che tra l'altro puzzava di farmacia – sì, Graziella ricordava bene –, era un odore come di fragola, forse uno degli antibiotici che prendeva il figlio di sua sorella quando...

Una luce sullo schermo attirò la sua attenzione. Girò la manopola dell'audio, per non perdere un eventuale allarme. Fece scorrere le vidocamere fino a inquadrare l'entrata. A quanto pareva era soltanto un rallentamento all'ingresso, dovuto a una macchina che andava eccessivamente piano.

Graziella si distrasse e tornò in compagnia dei suoi pensieri. Ma una parte di lei rimase attenta a quanto succedeva nella galleria, ben cosciente che il primo allarme sarebbe arrivato a lei.

E le catastrofi, come le aveva insegnato il tenente Moretti al corso, succedono sempre nelle notti tranquille.

L'agente Red Bull avrebbe dovuto tenere i contatti con le pattuglie all'entrata e all'uscita. A lei invece toccava sorvegliare i monitor e gestire le informazioni, comprese le telefonate inutili al suo collega di Göschenen, dall'altra parte della galleria.

Guardò l'orologio: mezzanotte e ventitré. Fra sette minuti avrebbe telefonato a quel pallone gonfiato, che non pronunciava mai una parola in italiano nemmeno per sbaglio. Sbadigliò e si domandò se non avrebbe fatto meglio a tirar fuori le parole crociate. In quel momento qualcosa all'angolo del suo campo visivo attirò la sua attenzione. Guardò subito lo schermo, ma tutto filava liscio.

In realtà era soltanto un altro poliziotto che era entrato dal fondo e si stava avvicinando all'agente Red Bull. Speriamo che non si mettano a far casino, pensò.

Davanti agli occhi di Bonfanti dondolava la vecchia lampada a cherosene. Era quella che stava sulla porta nel suo vecchio appartamento a La Plata, fra la avenida 1 e la calle 71. Quando cominciava il tango, Bonfanti tornava sempre lì.

Accanto c'erano le luci del policlinico. *Qué saben los pitucos... qué saben lo que es tango, qué saben de compás...* Bonfanti aprì la porta con disinvoltura, appena un po' rigido nella divisa. Entrò in una specie di vestibolo, come una sala di decompressione. Le pareti erano spoglie. Ancora pochi passi e sarebbe sbucato nella galleria principale. Sotto l'occhio delle telecamere, che però a quel punto erano già inoffensive. O almeno così prevedeva il piano. Dietro la porta sentiva il rombo attutito del traffico. Pareva che la montagna stesse vibrando, che stesse cercando di comunicare.

Pareva di essere ancora lì, quella volta che Miguel diceva di aver vinto cinquecentomila australes alla lotteria, e si erano scolati una bottiglia di valleviejo. E c'era sempre quel ronzío del frigorifero, notte e giorno un mese dopo l'altro.

Así se baila el tango, sintiendo en la cara la sangre que sube...

Mosè Crivelli era coscienzioso: non sopportava l'adrenalina. Era finito nel giro per vie traverse, dopo un paio di rovesci economici, ma serbava il sogno inconfessato di un lavoro fisso. Perciò affrontava una rapina a mano armata come altri vanno a funghi: un pizzico di eccitazione, ma senza esagerare.

«Fai un movimento e sei morto» disse al poliziotto dopo aver indossato la maschera. «Sdraiati pancia a terra, subito, e allarga le braccia.»

Il poliziotto era stupefatto e ubbidì senza dire una parola. Crivelli gli puntò un ginocchio sulla schiena, mentre suo fratello Adamo entrava dalla porta – anche lui vestito da agente – e immobilizzava la donna davanti agli schermi.

Crivelli lavorava sempre in coppia con suo fratello. Si capivano senza troppe parole, si fidavano l'uno dell'altro e, soprattutto, sapevano come tranquillizzare gli ostaggi. È uno degli aspetti più importanti: c'è chi entra e comincia a gridare agitando la pistola. Mosè e Adamo Crivelli invece sapevano come parlare alla gente, come tenerla tranquilla.

«Va tutto bene» disse mentre cercava la figura di Bonfanti su uno degli schermi. «Va tutto bene.»

Però Miguel non aveva vinto niente, alla lotteria. Gli piaceva fare lo spaccone. E poi era un tempo che pareva più leggero, nel ricordo, e bastava uno scherzo per dimenticare il peggio. Bastava una partita di calcio o una bistecca affogata nel *chimichurri* a farti dimenticare che nell'83, sul serio, ti piaceva discutere di Alfonsín, della democrazia.

Aveva già paura, a quel tempo?

Forse no. Gli pareva di risentire la voce di Miguel:

«*E adesso che siamo ricchi, dove andiamo?*»

«*Ma che ricchi?*» rispondeva Bonfanti.

«*Cinquecentomila! Ehi, Rino, se vuoi ti pago il giro del mondo!*»

E aprivano un'altra bottiglia.

«*Il giro del mondo per andare dove?*» chiedeva Bonfanti.

«*Ubriachi a casa*» rideva Miguel, «*ubriachi all'estero. Che differenza fa?*»

Non aveva paura. Era un tempo che gli piaceva ancora toccare le cose con mano, farsi sorprendere da un'idea o da una risata. Però era un tempo senza futuro. Era fisso come una fotografia in bianco e nero. Dopo aver vissuto una giornata, si ricominciava tutto l'indomani. Ora invece Bonfanti se n'era andato molto lontano, e aveva paura. Però stava cominciando a capire. Come un cacciatore solitario, ora conosceva le albe, i tramonti. Nessuna stagione lo coglieva di sorpresa.

Il tango sullo sfondo non l'abbandonava, ritmava i suoi gesti mentre usciva dalla porta e si fermava sulla piazzola di sosta. Nonostante il frastuono dei motori che sfrecciavano dentro la galleria, la musica rimase con lui mentre componeva il numero di Antonio La Fauci.

Si augurò che Toni M'basa e i fratelli Crivelli avessero preso le due centrali di comando. Altrimenti sono fottuto, pensò. Non portava la maschera: non poteva indossarla prima del momento giusto. Il piano prevedeva tutto. Era semplice, in fondo. Anche perché tra i vari pericoli che potevano colpire la galleria, gli esperti non avevano mai contemplato la rapina a mano armata. E chi se l'aspettava? Una volta che hai preso il controllo a Göschenen e ad Airolo, la galleria è tua.

Ottantatré telecamere a circuito chiuso, una ogni 250 metri. Le immagini arrivano nei dieci schermi di Airolo e in quelli di Göschenen. Quando una macchina si ferma, quando c'è fumo o fuoco o si apre la porta di uno dei rifugi, gli addetti dei centri di comando possono inquadrare due chilometri di galleria.

E Graziella vide accendersi gli schermi prima che la facessero sdraiare per terra. Vide aprirsi la porta di uno dei rifugi e un uomo inquadrato di spalle, fermo sul bordo della carreggiata.

In pochi secondi i suoi pensieri impazzirono in tutte le direzioni. La paura di morire, l'urgenza di dare l'allarme, la curiosità di sapere che cosa volessero. L'idea che volessero commettere un atto di terrorismo le annebbiò la mente.

Non riusciva a muoversi, figuriamoci a dare l'allarme. Si sdraiò come una bambola meccanica, guidata dalla voce carezzevole dell'uomo con la pistola. Poi l'altro uomo, quello che era entrato per primo, la guardò negli occhi. Indossava una maschera nera, e Graziella notò che aveva gli occhi chiari, con un reticolo di venuzze rosse.

«Va tutto bene» le disse, «stia tranquilla, signora, non le succederà niente. Noi vogliamo soltanto fare una rapina.»

«Pronto?»

«Parlo con Antonio La Fauci?»

«Sì, e lei chi è?»

«Non importa. Senta, io mi trovo nella galleria del San Gottardo, al chilometro sette. Ora lei dovrebbe essere attorno al quinto e...»

«Ma che cosa sta dicendo? Io...»

«Stia zitto e ascolti. Quando arriverà alla piazzola di sosta del settimo chilometro, accosterà e si fermerà. La piazzola sarà in parte sbarrata da transenne di sicurezza, così la macchina che la segue dovrà proseguire. Se dovessero...»

«Ma lei è pazzo! Che cosa...»

«Se dovessero telefonarle, dica che va tutto bene, che vuol dare una controllata al motore o roba del genere. Gli dica di aspettarla alla piazzola successiva. Dopo che avrà parcheggiato le spiegherò cosa succede.»

«Ma...»

«Ah, dimenticavo: non sono solo. Lungo la galleria ci sono degli uomini armati. Al primo segno d'allarme, o se lei non si ferma, io la faccio ammazzare. È chiaro?»

«Ma io... io non...»

«È chiaro?»

«Non... certo... certo, sì.»

Toni M'basa e il suo amico Kevin controllarono più volte i nodi e i bavagli. Se uno dei sorveglianti fosse riuscito a liberarsi sarebbe stata la fine. Per tutti loro, a cominciare da Rino Bonfanti giù fino ai fratelli Crivelli che aspettavano ad Airolo. Poi Kevin, che era un ticinese alto e grosso come un piccolo TIR, rimase ad aspettare. M'basa andò a cercare il veicolo di soccorso, seguendo le indicazioni della mappa di Bonfanti.

A questo servono i contatti, pensò mentre digitava il codice per aprire la porta del garage. Bonfanti aveva potuto fornire loro una mappa con tutti i dettagli per muoversi all'interno del cunicolo che affianca la galleria. Inoltre conoscevano i vari turni degli addetti alla sicurezza, avevano le loro divise e una copia della chiave dei veicoli.

M'basa si domandò se alla fine quello che dava le informazioni lo avrebbero beccato. Possibile, ma in realtà bastava che tenesse la bocca chiusa. M'basa pensò che era incredibile come la gente non riuscisse mai a starsene zitta. Certo che Bonfanti ha lavorato bene, riflettè. Un colpo con pochi informatori e, tutto sommato, con pochi uomini. E che colpo! M'basa amava le cose ben fatte. Non aveva grandi aspirazioni per il futuro, e tanto meno sogni a occhi aperti. Il suo piacere era la sensazione di aver fatto un buon lavoro. Come dopo una corsa, quando ti siedi e lasci che il corpo assapori la stanchezza.

Guidò il veicolo fino all'imbocco del cunicolo e poi andò a chiamare Kevin.

Il piano prevedeva che raggiungessero Bonfanti al chilometro sette e che, il più in fretta possibile, svuotassero il furgone con i valori. Kevin indossava una divisa uguale a quella di M'basa: taglia extralarge, con la scritta «security» sulla schiena. Ma più che altro parevano due buttafuori.

Senza una parola si avviarono lungo il cunicolo, a bordo di un furgone di servizio. M'basa si muoveva con gesti metodici, calibrati. Non c'era niente d'inutile, in quello che faceva. Anche lui, come tutti gli altri, era armato: se fosse risultato necessario, avrebbe sparato. Ma non per violenza gratuita o per esaltazione. M'basa non era un fanatico: ciò che importava era prendere la refurtiva e filare senza farsi prendere.

Kevin aveva conosciuto M'basa in palestra. All'inizio si erano ignorati. Poi però Kevin aveva offerto a M'basa qualche ingaggio come guardia del corpo o come agente per società di sorveglianza; e alla fine M'basa se l'era portato dietro a fare qualche lavoretto. Kevin si schiarì la voce e domandò:

«Una volta fuori di qui dove andiamo?»

«Una cosa alla volta» rispose M'basa.

«Era per sapere se il piano...»

«Dobbiamo ancora svuotarlo, quel furgone del cazzo. E comunque il piano prevede tutto, okay?»

Kevin annuì. Si ripeté che non era il primo colpo che faceva con Bonfanti e M'basa. Le altre volte le cose erano sempre andate bene. Anche se non avevano mai fatto una rapina dentro il San Gottardo...

Ma era meglio non pensarci.

Bonfanti vide il furgone accostare e infilarsi dietro le transenne. Le aveva piazzate con attenzione, in modo che la macchina dei cani da guardia non avesse spazio per fermarsi. Ma passando accanto alla piazzola rallentò. L'uomo seduto di fianco al conducente scrutò il volto di Bonfanti. Non pareva sorpreso. Probabilmente l'autista del furgone aveva comunicato di avere un problema meccanico.

Ma certo i cani da guardia non si aspettavano che la piazzola di sosta fosse occupata da transenne e da un addetto ai lavori. Bonfanti abbassò subito gli occhi, ma vide passare nello sguardo dell'uomo un'ombra di sospetto. Da dietro però stavano arrivando altre automobili. I cani da guardia dovettero proseguire.

Bonfanti indossò in fretta una maschera nera e tolse dalla giacca la sua Walther semiautomatica, facendo in modo che il furgone lo nascondesse dalle automobili che passavano lungo la galleria.

«Ma cosa c'è? Cosa vuole?» esclamò Antonio La Fauci appena sceso dal furgone.

«Non c'è niente di complicato» fece Bonfanti mentre

perquisiva in fretta il camionista. «Voglio semplicemente rubare il contenuto del suo furgone.»

In quel momento il cellulare di Antonio squillò.

«Metta il vivavoce e risponda pure» ordinò Bonfanti facendo un passo indietro.

Erano i cani da guardia che fiutavano guai.

«No, no» disse Antonio, «tutto bene. Ho quasi risolto il problema.»

«E quell'operaio che cosa faceva lì? Cos'erano quelle transenne?»

«Oh, niente, stanno facendo dei lavori. Tra pochi minuti sono da voi.»

Antonio chiuse la telefonata e chiese a Bonfanti:

«Pochi minuti, giusto?»

«Anche meno» rispose l'argentino. «Dipende da lei.»

Il camionista la prendeva con filosofia. Meglio così. Bonfanti era pronto a usare la forza, se necessario, ma i lavori fatti meglio sono quelli che filano via senza intoppi. Fece un cenno ad Antonio e gli disse:

«Sposti il furgone là, vicino alla porta, e poi mi dia le chiavi».

Accanto alla piazzola di sosta, continuavano a sfrecciare le automobili. L'aria odorava di anidride carbonica e di roccia. Bonfanti sapeva che le videocamere riprendevano ogni sua mossa, ma sapeva pure che ai posti di sorveglianza non c'era nessuno. Aveva la sensazione di muoversi in uno spazio virtuale, fuori dal mondo conosciuto. Come se la galleria dentro la montagna fosse altrove, in un altro spazio o in un altro tempo...

Ma tutto ciò non impediva a Bonfanti di stare all'erta. Antonio parcheggiò il furgone e gli diede le chiavi. Bonfanti aprì il vano posteriore senza fretta.

In quel momento il pannello scorrevole si aprì e comparve la figura di Toni M'basa.

«Okay?» domandò a Bonfanti.

Bonfanti annuì.

«Va tutto bene.»

Dopo la loro fuga, di quella rapina non sarebbe rimasto niente. Le immagini delle videocamere non venivano registrate, nessun testimone avrebbe riconosciuto le loro facce. Ed era essenziale, perché Bonfanti in Svizzera voleva viverci ancora.

M'basa e Kevin cominciarono a trasportare i mobili e gli altri oggetti dal furgone nel veicolo di soccorso. Tutti non ci sarebbero stati, ma Bonfanti aveva una lista che indicava quelli che voleva Füssli.

C'era una libreria doppio corpo in noce, stile impero, e poi due comò Luigi Filippo, una monetiera in legno ebanizzato, tabacchiere, argenteria, gioielli, un orologio Hamilton in platino con diamanti di sei carati, un canterano del Cinquecento, un comodino Biedermeier e poi altri gioielli e altri orologi preziosi.

Gli oggetti erano ben imballati, con etichette precise e visibili, sicché M'basa e il suo amico poterono lavorare in fretta. Bonfanti con un occhio guardava il camionista e con l'altro la strada, casomai i cani da guardia si fossero insospettiti e avessero deciso di tornare indietro a piedi. Però a un certo punto M'basa lo chiamò e gli disse:

«Arriva Crivelli».

Bonfanti non fece domande. Seguì M'basa nel cunicolo di sicurezza e vide che, accanto al furgone dove stavano caricando i mobili, ne stava arrivando un altro. Mosè Crivelli scese in fretta e si guardò intorno. Era un po' trafelato. Sotto la luce livida dei neon pareva uno che ha perso la strada e che si ferma a domandare in un quartiere di periferia. Si avvicinò a Bonfanti, con una ruga di preoccupazione che gli cadeva tra gli occhi.

«Che c'è?» domandò Bonfanti.

Fu in quel momento che le cose cominciarono a cambiare ritmo. Bonfanti sentì che il tango si faceva cattivo, e la voce di Crivelli gemette, come un bandoneón che tenta di non perdere il tempo.

«È cambiato un po' il programma» disse Crivelli puntando una pistola contro la faccia di Bonfanti.

Nello stesso momento suo fratello estrasse la sua SIG e si girò verso M'basa e Kevin.

«Non muovetevi» disse, «è meglio che non fate niente o siete morti.»

Kevin non credeva ai suoi occhi. Mormorò:

«Ma cosa... ma che cazzo...»

«Sdraiati!» gridò Crivelli, il quale era sempre meno calmo. «Sdraiati a faccia in giù e non parlare!»

Anche Bonfanti e M'basa obbedirono, senza fare commenti. Ma Bonfanti le sentiva, eccome, le note stonate. Sentiva che la musica stava morendo. Crivelli gli fece appoggiare le pistole per terra.

«Tu» disse poi rivolto ad Antonio La Fauci, «prendi le pistole e portale qui. Dobbiamo sbrigarci. Hanno già caricato tutto?»

«Stavano per finire» rispose Antonio. «Tra un minuto però io devo ripartire, altrimenti...»

«Tranquillo, adesso finiamo.»

«Ma siete sicuri che andrà tutto bene?» Antonio era ansioso, Bonfanti immaginò che fosse il suo primo tradimento.

«È tutto a posto» fece Crivelli.

Bonfanti non si rimproverava niente. I due Crivelli avevano fama di essere ragazzi in gamba, ma dentro il furgone c'erano parecchie migliaia di franchi. Non puoi mai sapere quando uno perde la testa. Certo, dopo quel tradimento sarebbero stati fuori dal giro per sempre. Ma chi non ha la tentazione di commettere il famoso ultimo colpo?

«Senti Crivelli» provò a dire, «forse non hai capito com'è la situazione...»

«Zitto!»

«Perché qui siamo in mezzo al San Gottardo, e se qualcuno nota anche solo per mezzo secondo che qualcosa non va, noi...»

«Ma vuoi stare zitto?» Crivelli imprecò. «Ma vuoi chiudere quella bocca di merda?»

Bonfanti tacque. Il fratello di Crivelli e il camionista finirono di svuotare il furgone. Poi il camionista ripartì e loro rimasero nel cunicolo di sicurezza.

«Il piano non cambia» disse Crivelli. «Ora torniamo fino ad Airolo, teniamo le divise degli addetti alla sorveglianza fino all'autogrill, ci cambiamo e ognuno per la sua strada.»

«E noi?» domandò Kevin.

«Voi, se non fate niente di male, andate per la vostra strada anche voi.»

Bonfanti si domandò se dicesse la verità. Probabilmente sì. Non gli conveniva ucciderli. Tanto nessuno di loro sarebbe andato a denunciarli alla polizia. Li avrebbero sputtanati nell'ambiente, questo sì, ma non si sarebbero vendicati. Le vendette da gangster non vanno di moda nella Svizzera italiana.

Il problema era che i due Crivelli di solito lavoravano all'estero. E gli occhi di Mosè erano sempre più brucianti, le parole sempre meno lucide. Questo qui è capace di farci fuori, pensò Bonfanti mentre salivano tutti sul veicolo di servizio e ripartivano verso sud.

6. *Area di servizio*

Graziella tentava di muoversi. All'inizio non perché pensasse a fuggire, ma per tenere il sangue in circolazione. L'avevano allacciata al tavolo d'acciaio, imbavagliata e stretta con una corda di nylon che le mordeva le caviglie. Il poliziotto invece l'avevano legato al termosifone.

Era più fortunato di lei. Perché a quel punto il caldo le era passato, e attaccata come un salame al tavolo inchiodato al pavimento le pareva di avere freddo. Tremava. Sentiva le gambe sempre più torpide, e il cuore che pulsava ancora a un ritmo esagerato. Chissà dove sono andati, si domandò. Le era parso che al momento di partire diventassero più nervosi. Prima erano tranquilli, tanto che anche lei aveva cominciato a pensare: forse non ci fanno niente. Ma poi l'avevano trascinata contro il tavolo e l'avevano legata senza riguardo.

Il poliziotto la guardava come per dirle qualcosa. Graziella non capiva, scosse il capo. Poi notò il telefono. A pochi metri da lei, seminascosto dalla gamba opposta del tavolo, c'era il suo cellulare. Non ricordava quando le fosse caduto, ma si accorse che gli occhi del poliziotto le lanciavano un messaggio preciso.

Sarebbe bastato poco. Era questione di metri, se non di centimetri. Se fosse riuscita ad allentare un po' i lacci attorno alle caviglie, se fosse riuscita ad allungare le gambe. Una volta preso il telefono, in qualche modo avrebbe composto un numero. Con il naso, se necessario. E avrebbe lanciato l'allarme, mugolando dietro il bavaglio. Dal centro di comando di Airolo avrebbe annunciato: la galleria del San Gottardo è in mano a un gruppo di sconosciuti. Armati. Con intenzioni cattive. Fate qualcosa, avrebbe detto, venite a darci una mano.

Ma prima doveva raggiungere quel telefono.

Nessuno parlava. Il rombo dei motori nelle orecchie, quella luce da catacomba distorcevano il normale scorrimento del tempo. Bonfanti guidava un furgone di servizio. Dietro, Mosè Crivelli teneva d'occhio M'basa e Kevin. Adamo Crivelli, seduto accanto a Bonfanti, guardava fisso nel vuoto come un ubriaco.

Quando uscirono dalla galleria nella notte fredda d'autunno, anche chi non aveva la pistola tirò un sospiro di sollievo. Bonfanti si aspettava una tragedia da un momento all'altro. Se fosse trapelato anche un minimo segnale di allarme...

Li avrebbero presi tutti. Senza scampo. Perché gli Svizzeri non pensano mai al peggio, sono abituati alle cose che funzionano. Poi però quando qualcosa non va diventano inflessibili. Decine di poliziotti e militari e funzionari con la bava alla bocca si sarebbero precipitati verso il San Gottardo.

Perché santo cielo, una rapina nel ventre delle Alpi! Soltanto la loro svizzerità li avrebbe trattenuti dalla lapidazione immediata.

Ma non li avevano ancora presi.

L'automobile cautamente si avviò lungo l'autostrada. Non c'era molto traffico. Bonfanti cercava di accordare il tango, le ultime note dolenti, a qualche pensiero utile. Perché i Crivelli erano impazziti? Non era nel loro carattere, c'era qualcosa che non andava. E a chi avrebbero rivenduto la refurtiva?

E all'improvviso capì.

«Füssli» mormorò. «Voi siete pagati da Füssli.»

I fratelli non risposero.

«È chiaro» proseguì Bonfanti, «io ero soltanto un modo per distogliere l'attenzione dal camionista. Perché sennò tutti avrebbero sospettato di lui, vero?»

«Basta» fece Mosè Crivelli.

«Invece Füssli ha finto di affidarmi l'incarico, ma in realtà si è messo d'accordo con voi e col camionista. E potrà pagarvi meno, perché io ci rimetto i costi per il contatto nella galleria e per la preparazione e per le armi. Ma se spera che...»

Il tocco della pistola sulla nuca lo fece smettere.

«Senti Gaucho» disse Crivelli, «forse hai fatto male i conti, forse no. Comunque adesso te ne stai zitto.»

Stavano per arrivare all'area di servizio di Quinto. Illuminata dai riflettori, davanti a loro si stagliò la struttura disegnata dall'architetto Botta. Pareva lo scheletro di un aeroplano, caduto per sbaglio tra la montagna e l'autostrada. Non c'erano metropoli, nei dintorni, ma paesi di montagna. Eppure l'area di servizio era vasta e nell'ombra si profilavano branchi di TIR. Perché da lì passava l'Europa.

Bonfanti s'irrigidì sul sedile. Quella era l'ultima difficoltà. Se fossero riusciti a cambiare abiti e mezzo di trasporto, avevano buone possibilità di farcela.

Seguendo le indicazioni dei Crivelli, Bonfanti attraversò il parcheggio e si fermò in un angolo buio. Attorno a loro si profilava la sagoma di ferro, come il relitto di un viaggio cominciato. A pochi passi c'erano le pompe di benzina, il negozio, i bagni.

Tutti loro erano abbigliati in modo da non lasciare tracce sul veicolo: guanti, copriscarpe e berretti. I vestiti li avrebbero poi fatti sparire. La maggior difficoltà sarebbe stato trasferire la refurtiva da un furgone all'altro. Bonfanti si domandava ancora se i Crivelli volessero ucciderlo. Pensava sempre di no, ma a quell'ora di notte la pazzia diventava una variabile concreta. E poi Füssli, per coprirsi le spalle, era ben capace di aver dato ordini precisi in quel senso.

Dopo che si furono tolti berretti e copriscarpe, Adamo Crivelli andò a prendere un altro furgone che aspettava nel parcheggio. Quando tornò cominciarono il trasferimento. M'basa e Kevin dovevano svuotare il veicolo di servizio e ammassare tutto nell'altro furgone. Ma avevano appena cominciato quando, come sbucata dal nulla, si avvicinò una macchina scura.

Bonfanti chiuse gli occhi per due secondi. Quando li riaprì, aveva di fronte due poliziotti. Fecero per avvicinarsi, ma poi la radio di uno dei due gracchiò qualcosa e lui rispose. L'altro si fermò ad aspettare che avesse finito.

I due Crivelli nel frattempo fecero sparire le pistole. Mosè si avvicinò a Bonfanti e bisbigliò:

«Senti, qui dobbiamo fare la commedia. Conviene anche a voi!»

«Ah sì?» fece Bonfanti.

«Non fare lo stupido! Se ci prendono sei fottuto! Lascia parlare me, okay? Abbiamo le divise, possiamo dirgli che...»

«Guarda, arrivano» lo interruppe M'basa. «Buona fortuna.»

Antonio La Fauci uscì dalla galleria del San Gottardo. Non era stato facile convincere gli uomini della scorta che andava tutto bene. Al momento di risalire sul furgone aveva trovato cinque chiamate senza risposta. Aveva telefonato subito. Va tutto bene, aveva detto, ora passo davanti a voi. E li aveva superati alla piazzola successiva. Loro si erano messi in coda e il viaggio era ripreso.

Appena fuori, spalancò i finestrini. Via l'odore di gas e di chiuso. Inspirò a pieni polmoni l'aria fresca dell'autostrada, che in quel momento gli sembrò quasi profumata. Primaverile. Perché aveva fatto la sua scelta, ormai, aveva cominciato una vita nuova. Sapeva che dopo una certa età è sempre più difficile cambiare. È come se lo sforzo d'imboccare una strada ti esaurisse: a un certo punto, un uomo si è fatto un'idea di se stesso. Buona o cattiva, ma è così. Invece Antonio non voleva rassegnarsi alla sua vita. Sapeva che, interpretando i segnali giusti, avrebbe potuto ancora dire no, dire sì. Scegliere.

Purché andasse tutto bene.

E se quelli là si facevano prendere? Se il primo rapinatore, quello che avevano fregato, fosse venuto a cercarlo?

Scacciò i pensieri cupi. Non fasciarti la testa prima d'averla rotta. L'importante era evitare i rischi e non perdere la calma. Poi sarebbe andato tutto bene.

Prese il cellulare e chiamò gli uomini della scorta.

«Dobbiamo fermarci.»

«Che c'è ancora?»

«Mi hanno rapinato!»

«Cosa?»

«Finché ero nella galleria ho dovuto far finta di niente, perché avevano degli uomini là dentro, ma ora...»

«Che cosa stai dicendo?»

«Mi hanno rapinato, cazzo, lo volete capire? Mi hanno rapinato!»

«Avete bisogno di aiuto?»

«No, agente, abbiamo finito adesso il turno su al Gottardo.»

«Ah, lavorate nella galleria?»

«Certo, però devo dare dei mobili al mio amico qui... è

da stamattina che me li porto in macchina, vede, li ho caricati sul veicolo di servizio...»

Un vasto sorriso – forse un po' tremolante – si disegnò sulla faccia di Mosè Crivelli. Il poliziotto sembrava a suo agio. Nessun problema. Del resto non c'era niente di strano nel fatto che uomini del servizio di sicurezza del Gottardo fossero all'area di servizio di Quinto.

«Mah» disse l'altro poliziotto grattandosi la testa, «noi invece il turno l'abbiamo appena cominciato!»

«Eh...» fece Adamo Crivelli.

Tutto sommato se la stavano cavando bene. M'basa, Kevin e Bonfanti non avevano aperto bocca. Il primo poliziotto salutò con un cenno di mano.

«Buona serata!»

«Altrettanto» biascicò Mosè Crivelli.

E gli agenti si allontanarono.

Ma non fecero in tempo a respirare che uno dei due tornò indietro:

«Non vi ho neanche chiesto se avete bisogno di aiuto!»

«Penso di no» rispose Crivelli. «Ce la caviamo.»

«Io invece penso di sì» disse l'altro poliziotto.

Ed entrambi avevano in mano una pistola.

I due fratelli erano allibiti. I poliziotti li fecero inginocchiare contro la macchina. Mosè tentò di balbettare qualcosa: «Ma noi... noi non abbiamo fatto niente e...»

«Non preoccuparti» intervenne Bonfanti, «loro sono con me.»

«Eh?»

«E ora ci riprendiamo tutto. Dovrai riferire a Füssli che venderemo la roba a qualcun altro.»

«Loro... sono... con te?»

«Non ti ricordi che avevo detto che mi sarebbero servite sette persone per il lavoro? Ecco, queste sono le ultime due. Cinque nella galleria e due d'appoggio.»

«Due, ma come... due d'appoggio?»

«Certo, avevano il compito di guardarci le spalle. E indossavano le divise da poliziotti per intervenire in ogni tipo di situazione. Compreso un tango che stona...»

Ma Crivelli non lo seguiva più. Rimase lì fisso come un pensiero indecente a guardare il vuoto, mentre Kevin e M'basa finivano di trasferire la refurtiva dal veicolo di servizio al furgone. E continuò a stare fermo per un bel pezzo, senza quasi battere le ciglia. Nelle sue pupille si riflettevano i fari delle automobili sull'autostrada, e quelli del furgone che partiva con dentro Bonfanti, M'basa, Kevin e i due poliziotti.

Suo fratello provò a scuoterlo, ma Crivelli non si riscosse. Avrebbe voluto darsi dello stupido, ma non ne aveva la forza. L'urto della realtà l'aveva annichilito. E la realtà era che Bonfanti l'aveva fregato. Eppure avrebbe dovuto saperlo, eppure glielo avevano detto che quel maledetto argentino, quando fa una rapina, prepara sempre un'uscita d'emergenza.

«Ma come...» mormorò dopo qualche minuto. «Ah, merda! Come due cretini, ti rendi conto, ci ha fregati come due fottuti principianti!»

Adamo annuì.

«Che vuoi farci?» disse. «È andata così.»

Perché nel suo intimo, Adamo Crivelli era un filosofo.

7. *Mi sa che verrà la neve*

Bonfanti amava camminare. Quando stava a La Plata faceva lunghe passeggiate nel quartiere, guardava le strade e le case e le famiglie dietro le finestre. Ma nella Svizzera italiana metropoli non ce n'è, e quando cominci a camminare ti ritrovi subito in salita. Così avevano preso l'abitudine, lui e Giovanna, di fare qualche scampagnata nei sentieri sopra la città.

Era una cosa che gli piaceva. Camminare di fianco a Giovanna, senza parlare troppo. Non c'era niente da pensare, niente da capire. Dall'alto vedevano il borgo medievale, i castelli e le valli che correvano verso nord. Lassù c'era il massiccio del San Gottardo, con le vette già spruzzate di neve.

Anche Giovanna era contenta. Non sapeva tutto, non

avrebbe mai saputo tutto. Ma intuiva che lui stava bene, che si stava godendo quei giorni di sole. E le pareva d'indovinare la forma pigra dei suoi pensieri, pur senza conoscerne il contenuto.

Però Giovanna sentiva anche altro. Si accorgeva che lui era teso, vedeva balenare la durezza dietro i suoi occhi, quando lo guardava senza che se ne accorgesse. Comunque a lei piaceva proprio per quello, no? Era una possibilità di spezzare la fila dei giorni. Stare con Rino Bonfanti era un soffio tra capo e collo. Come quando lasci una finestra aperta e arriva una corrente d'aria.

Alla fine qualcuno era arrivato nel centro di comando ad Airolo e aveva dato l'allarme. Piccolo paese, grande scandalo. Per settimane i giornali ticinesi non parlarono d'altro: rapina a mano armata in galleria. Titoli cubitali, riunione speciale del Consiglio di Stato, creazione di un'apposita task force. E con che voluttà pronunciavano quell'espressione – task force, arrotando la erre –, quelle paroline che ridavano l'illusione di un ordine, di uno schema che alla fine avesse la meglio.

Ma non avevano preso nessuno. Il camionista l'avevano torchiato, naturalmente, ma lui era stato bravo e l'avevano lasciato andare. I due Crivelli erano spariti oltre confine e Bonfanti se ne stava rintanato in attesa di vendere la merce.

«Ho un po' freddo» disse Giovanna.

«Ora torniamo.»

Era dicembre, e camminavano sopra l'erba dura, bruciata dal gelo. Il sentiero saliva nel bosco, tra i rami spogli dei castagni, sopra un tappeto di foglie accartocciate. Bonfanti e Giovanna indossavano due giacche a vento colorate.

Cominciarono la discesa. Dopo qualche metro Bonfanti s'irrigidì. Un'altra coppia si stava avvicinando. Il sospetto era connaturato al suo essere, perciò rimase in guardia, pronto a scattare. Ma erano due innocui passeggiatori di mezza età che camminavano aiutandosi con un paio di bastoni da sci. Lei aveva una cuffia di lana e lui un paio di scarponi militari vecchi di una ventina d'anni.

«Salve!»

«Buondì, fa fresco eh?»

«Eh, mi sa che verrà la neve...»

Bonfanti sapeva di non potersi permettere la tranquillità. Sapeva che Füssli e i suoi amici zurighesi ce l'avevano con lui, e che prima o poi sarebbero venuti a stanarlo. Strinse la mano di Giovanna e le chiese:

«Sei stanca?»

«Ho voglia di una cioccolata calda!»

Ma Bonfanti amava quella vita. Le passeggiate in montagna, salutare gli sconosciuti. La Svizzera verde. Non voleva che il tango divorasse tutto, voleva fare il suo mestiere ma voleva anche la sua vita normale di cioccolate bollenti e sentieri nel bosco, segnati con strisce di vernice sugli alberi. Due strisce bianche e una rossa.

«Perché non ci fermiamo al bar, prima di tornare a casa?» propose a Giovanna. «Così magari compro il giornale.»

«E le sigarette...» Giovanna sorrise.

«Non ti si può nascondere niente, vero?»

Aveva fatto una rapina proprio lì, nei luoghi dove trascorreva la sua vita normale. Ma perché? A mente fredda, Bonfanti pensò che era stato un bel rischio. Il sentiero sbucò su una strada asfaltata. Una macchina si fermò a farli passare e Bonfanti andò a guardare gli orari degli autopostali, affissi sull'altro lato della via.

«Se aspettiamo cinque minuti possiamo farci portare fino in città» disse a Giovanna.

«Okay» fece lei, «così arriviamo prima. Ma nell'attesa dovrai scaldarmi!»

Bonfanti si avvicinò a Giovanna e l'abbracciò. Mentre l'accarezzava capì che aveva fatto la rapina perché il tango fosse suo. Ora correva un rischio, è vero, e presto Füssli e gli altri sarebbero venuti a cercarlo. E aveva paura, eccome se aveva paura. Ogni giorno, ogni minuto senza poter abbassare la guardia. Ma Bonfanti era pronto a combattere. E finalmente si sentiva a casa, finalmente aveva capito il ritmo svizzero. Perché all'inizio non è mica facile da scoprire. Anzi, sembra un tintinnío, un'accozzaglia di suoni delicati ma senza passione.

Mentre baciava Giovanna, gli venne quasi da ridere.

Sembrava un'assurdità, ma Bonfanti stava ascoltando le note inconfondibili di un tango made in switzerland.

EMILIANO GUCCI

Ballere e pasticche

«Qui c'è il killer, bambini, e nessuno ferma il killer. Nessuno.»
JERRY LEE LEWIS

«Ora scusate, la commozione ha prevalso.»
SILVIO B. – Montecatini Terme – 26/11/2006

A Montecatini Terme girellavano tutti con l'uccello duro.

È quello che immaginava Augusto Lepori scorrendo l'ennesimo articolo di giornale. Era stato calcolato il consumo di Viagra pro-capite nell'ultimo anno, considerando tutti gli abitanti di sesso maschile. Cifre folli. Due presunti sociologi intervistati sull'argomento parlavano di moda più che di necessità ma Augusto Lepori conosceva bene l'evoluzione della sua terra. L'aveva annusata e interpretata a dovere, da abile istrione del commercio quale era, e comprendeva bene le motivazioni di quel boom farmaceutico.

Del resto, anche lui si era fatto una giovane fidanzata russa. E pur non avendo bisogno di additivi chimici, poteva capirne il successo. I suoi migliori amici avevano tutti delle amanti dell'Est, e qualcuno le pasticchine le prendeva eccome, anche due al giorno. Batté la mano aperta sulla scrivania e scoppiò in una risata sguaiata. Anche il maresciallo aveva la moglie russa, forse ucraina, così come l'amministratore delegato del MonteCatOro, certi campioni del basket, certi avvocati, i delfini della classe politica locale che se la spassavano con ungheresi, moldave, rumene: tra ex comunisti che ripudiano il passato, dovevano trovarsi proprio bene.

Gli scappò ancora una risata rumorosa. Aprì un cassetto e ci fece scivolare quel ritaglio di giornale. Rideva perché ai dati ufficiali, gridati ai quattro venti, ci sarebbe stato da aggiungere quelli del mercato clandestino, che passava giusto tra le sue mani. Allora sì che Montecatini avrebbe ottenuto lo scettro, il primato assoluto, altro che il secondo posto, alle spalle di Roma...

Uno dei suoi tre cellulari si illuminò e vibrò sulla scrivania. Augusto guardò il nome lampeggiare sul display e rispose. Era Rocco La Serpe, uno degli invitati a cena.

«Ciao Agu, sto qua sotto» disse l'amico. Era l'unico a chiamarlo ancora Agu, come ai tempi del liceo. «È troppo presto?»

«Non fare il coglione. Sali, su. Ci ascoltiamo un po' di musica insieme.»

Riagganciarono. Augusto si alzò e si stirò i pantaloni di lino sulle gambe. Passò le mani tra i capelli, folti, lisci, tutti neri. Neppure un capello bianco, e aveva quasi quarant'anni. Era merito del rock'n'roll, pensò, e dal telecomando alzò il volume della musica. Jerry Lee Lewis, The Killer, si mise a suonare più forte, tanto da pensare che il pianoforte avrebbe preso fuoco. Gente così in Russia se la sognavano. Anzi, di gente così non ne nasceva proprio più, in nessuna parte del mondo.

Squillò il telefono fisso e si illuminò la spia rossa accanto al numero due. Michela, la segretaria. Michela, cervellino da gallina ritardata. Augusto schiacciò il tasto del vivavoce.

«Sì» disse severo.

«Dottore, c'è qui il signor La Serpe. Lo faccio salire?»

«Tu cosa dici?»

«Non lo so, signore. Me lo dica lei cosa devo fare.»

«Michela, ma è Rocco, cazzo d'un cane. L'ho visto nel videocitofono. Mi ha pure chiamato al cellulare, prima di venire. È Rocco La Serpe, l'amico mio.»

«Mi scusi, io non sapevo...»

«Vuoi dirmi che non hai mai visto quel signore lì?»

«Non sapevo che dovesse arrivare a quest'ora, signore.»

«Te l'ho detto: stasera vengono tre amici a cena.» Quasi doveva urlare, per sovrastare la voce del Killer. Era una potenza, quel vecchietto là, altro che pastiglie blu. A più di settant'anni si faceva ancora i concerti sotto anfetamina, e le dita gli correvano come nel 1950. «Sono tre persone che conosci bene. Che intendi fare, Michela, vuoi rompermi i coglioni ogni volta che ne arriva uno?»

«Non volevo disturbarla, signore. Mi scusi.»

Doveva prendere una ragazzetta russa, pure come segretaria. Per le faccende domestiche aveva assunto una polacca, brutta come uno scorfano ma efficiente e muta, diligente. Sapeva anche cucinare dignitosamente.

«Fallo salire, su.»

«Se desidera non essere disturbato, quando arrivano gli altri... Posso farli entrare senza chiamarla.»

«Non ci provare, Michela. Non ci provare che ti apro come un barbagianni. Chiamami ogni volta che hai qualcuno davanti, come ti ha insegnato papà, va bene?»

«Come vuole lei, signore.»

«Chiamami pure quando arriva il Pizza Express.»

Riagganciò e fece due mosse di ballo, piuttosto impacciate, sul parquet lucidato dello studio. Rigirò le maniche della camicia fin sopra il gomito. Si esibì in altre due giravolte pesanti. Stava un po' imbolsendo, e non poteva permetterselo. Doveva assolutamente ricominciare con il nuoto. Ma si sentiva bene, d'umore, sereno e leggero. Aveva proprio voglia di rivedere certi suoi amici. Aveva voglia di una pizza, due birre, quattro rutti in compagnia. Non si poteva sempre sgobbare, logorarsi corpo e mente per stare dietro al lavoro, e alle donne.

Sentì bussare, e la porta dello studio aprirsi senza che lui dicesse niente. Si voltò, sospettoso come ogni volta, ma gli bastò un attimo per rilassarsi. Andò incontro a Rocco La Serpe e lo strinse in un abbraccio caloroso.

*

Rodolfo Lepori amava camminare a piedi. Lo faceva in ogni stagione, a qualsiasi ora, figurarsi se rinunciava d'estate, nel primissimo dopocena, tiepido e confortante per la digestione. Il vizio gli era rimasto da quando era giovane, quando percorrere chilometri su chilometri era soprattutto una necessità. Quando non poteva permettersi un'auto. La prima, una seicento scalcinata, l'aveva comprata a trentacinque anni. Adesso ne aveva quasi settanta, e tutto sommato stava meglio ora. Possedeva un'auto, non esagerata ma piuttosto nuova, e anche un garage dove metterla. Quello gliel'aveva finito di pagare suo figlio. Come la casa tutta. Figlio d'oro, ambizioso e intelligente, aveva staccato un assegno e aveva estinto il mutuo dei genitori. Un vero tesoro. Stipendiava anche una donna di servizio, ormai indispensabile, mentre la pensione bastava a Rodolfo per le necessità quotidiane, pane, latte, medicine e qualche timido vizietto.

Quando era un ragazzino viveva in campagna e si occupava dell'azienda di famiglia, un piccolo vivaio di Pescia. Beveva vino schietto, dormiva poche ore per notte e abbordava le ragazze con fiori di produzione propria, belli, coloratissimi, anche se non proprio rari, visto che da quelle parti non c'erano altro che vivai. La vita sembrava stare tutta lì, nelle cose semplici della natura, della famiglia, della serenità come la si sente nella pancia, così, senza pretese. Giusto tra concimi e serre aveva trovato moglie, e per qualche mese erano stati felici. Poi era cambiato tutto. Un incendio aveva messo l'azienda in ginocchio. Certi fiorentini taccagni, probabilmente gli stessi piromani, l'avevano rilevata e riavviata. Nel patto, tra le garanzie del passaggio di proprietà, ci stava l'assunzione di tutta la famiglia Lepori. Così anche Rodolfo era stato assoldato e schiavizzato fino alla vecchiaia, insomma fino all'età della pensione. E per vivere si era dovuto accontentare del paese, di un appartamento in condominio, della frutta senza sangue del supermercato, dei lampioni gialli e del vino in cartone.

Montecatini non era però un brutto posto dove invecchiare. Ci passavano l'autostrada, la ferrovia, e le cose utili per vivere. Lì i sogni non morivano, Rodolfo se n'era accorto subito: si trasformavano e basta. Non era come in altri paesi intorno, che lui li aveva visti, di passaggio, dove tutto era grigio e chiuso, senza speranza. A Montecatini no. Certo, si pagavano molte tasse, ci s'arrabbiava per il casino del centro, per il proliferare di puttane di ogni razza e classe: le ballerine, come le chiamavano lì, anzi le *ballere*. Si discuteva e s'alzava la voce, poi però c'era sempre il momento per stare bene. Si entrava nella sala rosa del Bingo, si incontravano gli amici, con pochi euro si compravano due cartelle e le scintille della vita si rimettevano in moto.

Così, come quasi ogni sera, entrò, e andò dritto verso il suo angolo. Di facce conosciute c'era soltanto quella di Osvaldo Fagni, seduto a un tavolo da solo. Magari gli altri compari sarebbero arrivati più tardi: erano le nove, non tutti si liberavano dalle grinfie della moglie così presto. Rodolfo salutò l'amico con una pacca sulle spalle. Era appena terminata una partita.

«Come va?» domandò Osvaldo Fagni. Sembrava più vecchio, con la barba da fare, molto più imbiancata rispetto ai capelli. La sua camicia era lisa ma i suoi occhi accesi, curiosi come quelli di un bimbo.

«Uguale» rispose Rodolfo, e si sedette accanto. «Tu?»

«Uguale.»

«Il tempo regge.»

«Sì. È una bell'estate.»

«Hai cenato qui?»

«Pollo patate e funghi, identico a quello di ieri.»

Passò la ragazza a vendere le cartelle per il giro successivo. I due amici ne comprarono due a testa. Rodolfo si mise a provare i pennarelli, sul retro del foglio, per sceglierne uno che funzionasse bene. Sembrava un rituale antico.

«Vieni all'ippodromo, dopo?» gli domandò Osvaldo.

«Tu hai già vinto qualcosa?»

«Macché. Non si vince mai, a questo giochino stupido.»

«Perché, alle corse sì?»

Rodolfo aveva quasi smesso di giocare ai cavalli. Non perché non gli piacesse più, anzi, la trovava ancora una tra le esperienze più frizzanti della vita, solo che non poteva permetterselo. Era un giochetto piuttosto dispendioso.

«Potremmo andare in centro, invece che all'ippodromo» disse. «È pieno di gente, ci beviamo qualcosa e guardiamo la passerella. Sono arrivati anche i pullman delle spagnole... Ho voglia di vedere un po' di belle donne giovani, con le gambe scoperte.»

«Ma quelle mica guardano te...»

«E che importanza ha?»

«E poi ci sono anche all'ippodromo, le belle donne.»

L'altoparlante illustrò la ripartizione del montepremi e fece calare il silenzio, poi la voce eterea di un angelo cominciò a declamare i numeri estratti. In pochi minuti, tra borbottii e preghiere, si consumò la prassi di cinquina e Bingo. Rodolfo e Osvaldo non ebbero neppure modo di emozionarsi.

«Sai dove mi piacerebbe andare?» disse Rodolfo all'amico.

«Dove?»

«In un posto senza rumore. A gustare una passerella, come nel centro di Montecatini, ma senza il casino, i chiacchiericci, la musica... Donne belle come in città, ma però nel bosco, dove si sentono gli uccelli notturni, le foglie mosse dal vento...»

«Come invecchi male, amico mio. Ti s'è cotto il cervello, e la cosa brutta è che non te ne accorgi.»

«Sarà che sono cresciuto in campagna, e allora...»

La ragazza era di nuovo al loro tavolo. Veloce, piuttosto nevrotica, impaziente. Comprarono ancora due cartelle a testa, che stavolta costavano il doppio, per un montepremi a sua volta raddoppiato.

«La vedi quella là?» disse Osvaldo ammiccando a un altro tavolo. «È la moglie del Parlanti, il meccanico di piazzetta.»

«Sì, è spesso qui. Non sapevo fosse sua moglie, sembra molto più vecchia di lui...»

«Lo è. Lui lavora come un ciuco, lei viene qua e gli finisce i quattrini. Lo tiene in scacco. Dice di essere malata, piange, ha la depressione, e lui le lascia fare quello che vuole, sennò s'ammazza.»

Rodolfo Lepori si appoggiò bene alla spalliera della sedia. Non era una serata buona, se lo sentiva, né per il gioco né per il resto. Al centro della sala le palline rimbalzavano allegre nel cilindro di vetro. Un soffio leggero le spingeva in un imbuto rovesciato, poi scendevano giù, nella gabbia, apparivano sul monitor e l'angelo ne leggeva il numero. Ancora un minuto e mezzo, una cinquina, un Bingo, e Rodolfo aveva tracciato giusto otto croci sulla cartella.

«Forse sono stato più fortunato io» sentenziò.

«Che vuoi dire?»

«Con mia moglie, intendo, per come sono andate le cose.»

«Non essere troppo cinico, su. Ti prendi qualcosa da bere?»

Uno dei cellulari di Augusto Lepori si illuminò e vibrò, cominciando a passeggiare lungo il tavolo. Era Liliana, una delle *ballere* che lavoravano per l'organizzazione.

«Scusate» disse agli amici. Inghiottì il boccone e rispose. «Ciao bella. Dimmi.»

«Ne tiro su tre.»

«Tre?»

«Sì, ma sono grassi, sposati, ubriachi e ricchi.»

«Tranquilli?»

«Hanno un fiato terribile, ma sembrano buoni.»

«Ma adesso stanno lì con te? Ti sentono?»

«E no, dai!» Rise, in una maniera contagiosa che agli uomini piaceva tanto. «Andiamo su in camera. Ho preso la mia macchina, loro mi seguono con un SUV.»

«Avverti Porfirio» disse Augusto. Porfirio era uno dei portinai che lavoravano nell'albergo dove certe ragazze dell'Est praticavano la professione. «Digli che salga su, e che ti piantoni sull'uscio, e che tenga le orecchie dritte, e che si guadagni lo stipendio.»

«Non mi sembrano pericolosi, davvero, però se vuoi glielo dico...»

«Certo. Digli che te l'ho detto io. È un ordine: che venga su e che stia sulla porta, finché non avete finito.»

«Va bene.»

«Io ci tengo, a te. Poi ti faccio mettere la videocamera nella stanza, lo giuro. Non voglio che ti succeda niente di male.»

«Grazie.»

«Però adesso sto a cena con degli amici. Se hai bisogno di qualcosa chiama Fucile, va bene?»

Riagganciarono. Maurizio Fucile mangiava a fianco di Augusto, e aveva sentito tutto.

«Chi era?» domandò.

«Liliana» rispose Augusto, e tornò all'attacco con forchetta e coltello. «Ne tira su tre.»

«Tre?» fece Rocco La Serpe. «Quella è un tesoro.»

«Gran bella fica» disse Maurizio Fucile. Era l'altro portinaio dell'albergo. Lui addirittura ci viveva, in un appartamento all'ultimo piano. Teneva d'occhio la situazione per conto dei russi, che ci mettevano la materia prima. «Puttana fantastica. Ci sono andato tre volte. Paradiso puro. La migliore, dopo Nadja.»

«Liliana è dolce» disse Augusto. «Nadja è più fredda.»

«Liliana è molto amica di mia moglie» disse Salvo Salvi, il più giovane di tutti, e quello più nuovo nel giro.

«Tua moglie stava meglio a fare quel mestiere lì, piuttosto che la regina, come le fai fare tu» disse Fucile.

«Tu una moglie non ce l'hai, perché accanto a te non si fermano neppure le mosche» ribatté Salvo.

«Hai saputo di suo padre?» disse Augusto, riferito a Liliana, e rivolto soprattutto a Salvo.

«Sì, che tristezza. Il cancro è così, quando decide di correre... E lei neppure è andata al funerale.»

«Va be', che ci andava a fare?» intervenne Fucile, che beveva più di tutti. «A vedere cinque vecchietti piangere, in quello schifo di Paese congelato? Sta meglio qua. Almeno tira su un po' di soldi, e prende il sole.»

«È sfortunata, quella ragazza» disse La Serpe. «Ha perso anche un figlio, prima di venire in Italia.»

«E la tua donna invece dove sta, Augusto?» domandò Fucile.

«Da sua madre, dove vuoi che sia» si affrettò a rispondere il padrone di casa, e si riempì la bocca di pizza. «Le due troie hanno fatto spese per tutto il giorno, con le mie carte di credito.» Adesso si sforzava di esibire un tono più rude, ma era impossibile non cogliere un fondo di tenerezza. «Gli piace farsi vedere, capito? In giro per il centro, griffate dalla testa ai piedi, a sperperare quattrini. Adesso saranno a sfondarsi di aragoste e champagne. Sono fatte così, che ci vuoi fare... Sono persone semplici.»

«È gente che ha sofferto» disse Salvo. «È gente che ha voglia di riscatto.»

«Ecco, il filosofo della mia minchia» disse Fucile.

«Possibile che ogni volta che apro bocca tu debba contestare?» sbottò Salvo.

«E stai calmo, su. Sei giovane, non fare le bizze» e gli tirò una pallina di pasta di pizza.

Un altro dei cellulari di Augusto Lepori vibrò sul tavolo. Lui guardò il display. Era un numero fisso, non conosciuto. Inghiottì, si pulì la bocca nel tovagliolo, bevve due sorsi di birra.

«Scusate. Poi giuro che li spengo, questi aggeggi.»
Rispose.

«Ho visto il suo annuncio sulla rivista» disse una voce maschile, piuttosto squillante. «Io quel disco degli Animals ce l'ho. Giusto quell'edizione là. Vinile perfetto, nuovo di pacca, una chicca.»

«Ah, bene, sì, sono contento. Me lo vendi?»

«Veramente non vorrei. Ci sono affezionato, è un ricordo, un oggetto a cui tengo molto...» Augusto allontanò il telefonino dall'orecchio e rovesciò gli occhi in alto, per far capire agli amici che si trattava di qualcosa di noioso. Bevve ancora birra, fece un rutto, poi riavvicinò il cellulare all'orecchio. La voce stava continuando:

«Però, se sono sicuro che il disco finisce nelle mani di un appassionato, e se la cifra è apprezzabile, allora posso cambiare idea...»

«Quanti soldi vuoi?» bofonchiò Augusto.

«Duecento euro.»

«Ne vale la metà.»

«Non è vero. Ho qua davanti le quotazioni di Record Collector's, e...»

«Non provare a prendermi per il culo che cadi male. Vale la metà, punto e basta, però non me ne importa niente. Lo voglio. Affare fatto. Ti richiamo domani per i dettagli. Grazie.»

Riagganciò.

«Un altro container di pastiglie blu?» domandò Fucile.

«Acqua» disse Augusto, e scosse la testa.

«*Ballere* fresche?» chiese La Serpe.

«Acquissima» ribatté, e bevve ancora birra.

«Un pezzo raro dei Rolling Stones?» tentò Salvo.

«Fuocherello. Ma degli Stones ho tutto, pure le mutande sporche dell'esordio, non dimenticarlo.»

Maurizio Fucile si alzò, svogliato e quasi annoiato.

«Vado a prendere qualche altra bottiglia» disse. «Hai voluto mandare a nanna la serva, ma ci avrebbe fatto comodo...»

Questa volta squillò il cellulare privato di Augusto, l'unico che non aveva il volume abbassato.

«Li spengo, adesso li spengo, giuro, me li mangio, cazzo d'un cane, la gente non può scassare così, ogni santa sera.» Però rispose, piuttosto velocemente, perché a chiamare era Erminio Fossati, detto e memorizzato in rubrica come Il Fossa, un tipo che se chiamava fuori orario aveva sempre un buon motivo.

«Sono all'ippodromo» disse. «È arrivato pure Rodolfo Lepori.»

«Non può essere.» Augusto andò subito in escandescenza. «Non può essere lui, Fossa.»

«È proprio lui, Augusto. È tuo padre. Sta insieme a un amico, quel disperato straccione dell'altra volta...»

«Cristo, allora è proprio stronzo.»

«Che cosa devo fare?»

«Porca la puttana infame sudicia merdosa ladra.»

«Te lo tengo d'occhio, se vuoi. Cerco di stargli appresso. Se vedo che esagera, ti richiamo.»

«Ti ringrazio, Fossa. Sei un amico vero, tu. Grazie. Ti ricompenserò. Sei un amico.»

Riagganciarono. Nessuno osò chiedere ad Augusto di che problema si trattasse, ma La Serpe, che lo conosceva bene, intuì che riguardasse suo padre. Per nessuna altra faccenda al mondo Augusto avrebbe reagito così.

La Serpe gli riempì il bicchiere, poi si alzò e andò a sua volta in direzione del frigorifero.

«Tolgo i dolci» disse. «Meglio se le creme si ammorbidiscono un po'.»

«Raccontami di quando hai conosciuto Chuck Berry» disse Salvo ad Augusto, con la speranza di allentare la tensione. «È vero che gli hai offerto una *ballera*, al Pistoia Blues, e poi lui voleva sposarsela?»

«Certo che è vero» ghignò Augusto, e fissò il vuoto davanti a sé. Bevve ancora, velocemente, e cominciò a spegnere i telefonini, tranne quello privato. «Gliela mandai in albergo, nel pomeriggio, una ragazza dolcissima, e Chuck impazzì per lei. La portò sul palco, le sistemò una sedia dietro gli amplificatori e volle che si sedesse lì, che ci restasse per tutta la durata del concerto. La guardava di continuo, e le mandava i baci, le dedicava le canzoni, sembrava un ragazzino innamorato... Pensa, voleva portarsela in America.»

«Pazzesco.»

«Per me era bellissimo: avevo fatto un regalo a uno dei miei miti, e gli era piaciuto di brutto.»

Sorrise, ma tutti si accorsero che un tarlo gli mordicchiava il cervello, e che ormai la serata prendeva una piega diversa. Quando il giocattolo si rompeva Augusto diventava patetico, e le sue sbronze potevano essere letali, davvero insostenibili.

Il Sesana, l'ippodromo di corse al trotto di Montecatini, era una bacinella di paradiso terrestre. Lì dentro c'era la luce, il cielo sempre sereno, e tutto quello che serviva per stare bene: mangiare, bere, donne, emozioni. Bastava avere qualche soldo nel portafogli, e niente era precluso. Tutto assumeva un tono leggero e a suo modo epico. Lì dentro anche la disperazione era vestita a festa.

Rodolfo Lepori ne aveva visti altri, di luoghi simili, ma nessuno aveva questa brillantezza. Qua i giocatori persi incancreniti, quelli che sacrificavano il pranzo per una scommessa, non venivano. Stavano costipati nelle agenzie ippiche a sputacchiarsi in faccia, pesticciarsi le scarpe sfondate, bere birra in lattina. Al Sesana erano tutti ricchi e senza problemi. Si capiva già dal prezzo del parcheggio, da quello d'ingresso, da com'erano vestire le signorine che strappavano il biglietto, da come squadravano un uomo del calibro di Osvaldo Fagni. Al Sesana era lui la mosca bianca, anzi, la zecca gialla marcia.

I chioschi dei bar erano affollati da donne con scarpe di coccodrillo e gonne corte, che sorseggiavano cocktail colorati. Rodolfo non osava immaginare che razza di miscugli contenessero, e si mise in fila per ordinare due birre. Gli uomini sfogliavano i giornali delle corse, facevano finta di intendersi di cavalli ma si capiva che erano dei fessi, figli di papà baciati dalla fortuna. A loro importava soltanto mostrare l'orologio d'oro, la chiave della Porsche e una bella moglie russa.

Rodolfo questa moda delle russe non la capiva proprio. Certo, erano delle belle ragazze, ma anche le italiane lo erano, anzi, non avevano niente da invidiare a queste gallinelle con la pelle chiara, biondicce e un po' sciape, che parlavano a monosillabi e ridevano con i denti grossi. In giro si diceva che scopassero bene, molto meglio delle italiane, che fossero tutte delle mezze ninfomani. La sua aspirante nuora, Dàrja, gli sembrava però una ragazza a posto. Seria, rispettosa, anche belloccia, sì, e con l'anima semplice, come certe signore d'altri tempi. Forse era questo che piaceva ai giovani d'oggi, delle russe. Rodolfo pensò che se pure scopava bene, tanto meglio per suo figlio Augusto. Pagò la birra anche a Osvaldo, che aveva offerto il passaggio e il parcheggio. Degli altri presunti amici, alla sala del Bingo, neppure una traccia.

Si avvicinarono alla pista. I cavalli stavano sgambando e definendo gli ultimi dettagli. Il numero due, guidato da uno dei driver preferiti di Rodolfo, sfilò davanti ai loro occhi. Aveva un bel passo, una bella muscolatura, lo sguardo furbo. I bookmaker lo davano in forma, anche se non tra i primi favoriti.

«A me piace questo» disse Rodolfo.

«A me piace quella puledra là» rispose l'amico Osvaldo, giusto indicando una russa sui vent'anni. «Però mi gioco il numero dieci. Li hai visti che parziali? Se ripete la prestazione dell'ultima corsa, può vincere facile.»

«Va bene. Io gioco il due, tu il dieci, e poi li giochiamo in accoppiata, metà per uno. Ci stai?»

Si misero in fila agli sportelli per piazzare le loro scommesse. C'era un certo scarto tra il benessere esibito dalla gente e la loro modestia, ma Rodolfo pensò che l'estate alleviasse tutto. Con le maniche corte, gli esseri umani si somigliano di più.

Giocarono trenta euro a testa. Per la prima corsa non era poi poco. Salirono sulle tribune e si sedettero in corrispondenza dell'arrivo. In pochi minuti finirono le birre, guardando qua e là, ognuno perso nei propri pensieri, senza scambiare neppure una parola. Poi la campanella suonò e richiamò i cavalli dietro le ali dell'auto, una Cadillac bianca lucidissima, che accese i lampeggianti e si avviò.

«Bella macchina.»

«Con una sgasata consuma metà della mia pensione.»

I cavalli si accodarono e cominciarono a seguirla, ognuno

con il muso al proprio posto, finché non accelerò, chiuse le ali, li staccò e li lanciò nella corsa. Il volume dell'altoparlante era basso, e la voce dello speaker non impediva ai due amici di commentare la gara. Rodolfo maledì subito il proprio numero due, che non aveva azzeccato la partenza e si era trovato chiuso in corda, con due cavalli davanti e due accoppiati all'esterno, che gli avrebbero reso difficile la risalita.

«Buono, bello» ripeteva invece Osvaldo, che vedeva il proprio numero dieci scalpitare nelle retrovie, pronto a una volata che sarebbe stato bene rimandare al giro successivo. «Buono, bello, buono.»

Il chiacchiericcio della gente adesso era appannato, nell'aria si sentiva il rimescolare delle speranze, una tensione straziante che sembrava rallentare il tempo. Pazzesco, quanto anche i ricchi si attacchino ai loro miseri quattrini. Rodolfo si scoprì incarognito a ciucciarsi la dentiera, come soltanto gli capitava con le corse dei cavalli: il poker, il Bingo, non sortivano lo stesso effetto. I trottatori transitarono davanti alle tribune per il primo passaggio, con le posizioni più o meno stabili. Il favorito era balzato in testa e probabilmente ci sarebbe rimasto fino al traguardo. Sul rettilineo opposto il numero dieci giocato da Osvaldo si allargò al centro pista, in terza ruota, e sferrò un attacco molto deciso.

«Vai bello» disse allora Osvaldo. «Vai ora, vai, bello, vai, vai.»

Ma mentre stava per raggiungere la testa del gruppo il cavallo sbottò di galoppo. Sembrava che avesse otto gambe, ognuna autonoma e scoordinata. Subito lo speaker ne segnalò la squalifica. Osvaldo bestemmiò, ma fu l'unico in tutta la platea: o nessuno aveva puntato sul dieci, o erano tutti degli ipocriti sfacciati.

Rodolfo ancora ci sperava. Scavava con gli occhi una traiettoria utile al suo benedetto numero due, perché riuscisse a svincolarsi e trovare lo spazio per sorpassare gli avversari. Incrociò le dita, strinse la dentiera e trattenne il fiato, forza, su, bello, dai.

Al termine dell'ultima curva il suo cavallo finse di provarci, ma era solo una farsa maldestra. Vinse il favorito, seguito da un outsider che pagava un mucchio di quattrini, e dall'unico cavallo bianco, il quattro. Un sacco di gente gridò e alzò le braccia al cielo. Sembrava che tutti avessero vinto.

«Non mi sono mai piaciuti i cavalli bianchi» disse Rodolfo, accartocciando i biglietti delle sue scommesse.

«Andiamo a bere» disse Osvaldo alzandosi. «Nella prossima corsa c'è un missile che non può perdere.»

«Balle» disse Augusto Lepori. «Il rock è morto nel 1977, a Londra, quando gli ultimi punk sono stati imprigionati dai dischi.» Buttò giù l'ennesimo sorso di whisky scozzese d'annata.

«Pensavo il contrario» disse Salvo. «Pensavo che il punk fosse nato, nel '77, e che se non fosse stato inciso adesso nessuno lo ricorderebbe.»

«Balle. Quando i Sex Pistols hanno firmato per Richard 'Virgin' Branson è stata ammazzata l'essenza del rock, punto e basta.»

«Branson ha nel parcheggio più di duecento aerei e cinque astronavi» disse La Serpe. «Ha comprato pure un'isola ai Caraibi.»

«E con questo?»

«Avrà pure ammazzato il rock, ma noi stiamo qua a spaccarci la schiena, lui se la spassa.»

«Non ho detto che è un coglione, anzi. Magari è un genio, ma il rock è morto sotto di lui.»

«Io avevo capito che erano stati gli Stooges, ad ammazzare il rock.»

«Certe sere sono stati i Beatles, oppure Elvis» disse Fucile, piuttosto insofferente. Fece un tiro di coca, si sgranchì il naso, lo stropicciò con una mano. «L'amico si sta sbronzando» aggiunse, riferito ad Augusto. «Tra un po' sarà tanto depresso da affermare che il rock è stato ucciso a Monghidoro, in una cena tra Gianni Morandi e Little Tony.»

Ridacchiarono un po' tutti, ma non apertamente. Nessuno osava sfidare l'umore del padrone di casa, specie davanti ai suoi whisky d'autore. Si fissava con la morte del rock, era capace di rintracciarla in qualsiasi argomento, e gli sembrava un valido motivo per desiderare anche la propria, di fine, così come quella di tutto il genere umano.

«Il rock in Italia non è mai esistito, per colpa del Vaticano» sentenziò, e provò anche lui a sorridere.

«Forse sarò troppo giovane» disse Salvo. «Ma secondo me il rock vivacchia ancora, magari non dentro il rock, ma altrove...»

«Esprimiti, filosofo delle mie chiappe» disse Fucile.

«Nelle *posse*, per esempio, c'era tutta l'urgenza, lo spirito del rock.»

«Sei scemo?» intervenne La Serpe.

«Fallo parlare, m'interessa» disse Augusto, mentre tra gli ospiti serpeggiava un sano desiderio di togliere il disturbo.

«Il rock è uno spirito, e su questo siamo d'accordo, o no?» disse Salvo. «È un'attitudine, un modo di abbordare la vita, o sbaglio?»

«Non sbagli, anche se è interpretabile. Dire che il rock è spirito non vuol dire nulla... Bisogna che ti spieghi. Continua.»

«Tu per esempio» continuò Salvo in faccia ad Augusto. «Tu sei rock, anche se non fai musica.»

«Questa è una bella leccata al capo...» disse Fucile.

«Però ha ragione» intervenne La Serpe. «Vendere pastiglie blu a Montecatini è piuttosto rock. Anche Celentano sarebbe d'accordo.»

«Il lavoratore è lento» sentenziò Fucile. «Il fancazzista è rock. Celentano è stronzo. Salvo pure.»

«Non prendete in giro» disse il diretto interessato. «Sono sicuro che Augusto sia rock, e che lo sia stato anche prima di occuparsi di pasticche.»

«Ti ringrazio del complimento, ma lo steccato va messo» gli disse il padrone di casa. «Quando si parla di rock si parla solo di musica, sennò il discorso può prendere qualsiasi strada.»

«Però diglielo, al ragazzo, di cosa ti occupavi prima di fare il farmacista» intervenne La Serpe.

«Niente di originale. Trafficavo droga. Un giro bene, ovvio, ma era troppo pericoloso. Quella roba ti frigge il cervello.» Ammiccò a Fucile, che stava giusto preparando la pista della buonanotte. «Vedi le persone trasformarsi, pure gli amici, pure i collaboratori fidati. Non vale la pena. Troppi rischi e troppa concorrenza, c'è da farsi un mazzo della madonna e vivi sempre in ansia. Capita pure di ammazzare le persone per sbaglio, e non è una cosa carina.» Guardava in basso, si rigirava il bicchiere tra le dita. «Bisogna rinnovarsi, stare dietro alle tendenze e capire ciò che fa meglio per noi. Pure per stare sul mercato, intendo, sennò alla lunga si perde credibilità...» Parlava con la verve di un vecchio disco polveroso, che ogni tanto faceva saltare la puntina. «Sennò fai la fine dei Ramones. Non erano più credibili. Quattro vecchietti ripetitivi e patetici, la brutta copia di se stessi, senza più forza, senza motivazioni.»

I sospiri degli ospiti furono interrotti dallo squillo del suo telefono privato, l'unico rimasto acceso. Rispose senza commentare. Era ancora Il Fossa, in diretta dall'ippodromo.

«Tuo padre si rovina» gli disse. «Ha giocato sei corse, e non ha raccolto un soldo. Adesso è rimasto solo, il suo amico è andato via, e lui continua a sperperare. Non azzecca un cavallo, neppure un piazzato, che cosa devo fare?»

«Quante corse mancano?» domandò Augusto con voce depressa.

«Due. Una sta partendo adesso.»

«Cazzo d'un cane» bofonchiò, ma senza enfasi. Bevve ancora, e ancora si riempì il bicchiere.

«Augusto, dimmi che cosa devo fare» ripeté Il Fossa.

«Tu lo sai sempre chi vince, sì?»

«Che vuoi dire?»

«Stai sempre in pappa con le scuderie, o giochi a rimpiattino?»

«Ho un piazzato quasi sicuro per questa corsa, e sull'ultima...»

«L'ultima?»

«L'ultima è truccata, Augusto. L'arrivo è deciso da due settimane, sono tutti d'accordo.»

«Allora abborda mio padre. Dagli una dritta. Che si riprenda, almeno per stasera.»

«Ma come faccio?»

«Fallo per me, Fossa. Sei un amico, tu. Uno dei pochi. Mi hai chiamato per questo, no? Poi domani ci parlo io, promesso. Giuro che Rodolfo Lepori al Sesana non ci rimetterà più piede. Parola di Augusto.»

«Va bene, va bene.»

«Grazie. Sei un amico vero, tu. Fallo per la mia mamma, povera donna.»

Quando Augusto riagganciò, Il Fossa lo aveva già fatto da qualche secondo. Anche gli ospiti se n'erano andati, approfittando della telefonata per fare un cenno e prendere la via della porta. Restava soltanto La Serpe, in piedi sulla soglia.

«Allora grazie di tutto» disse.

«Grazie a voi. Grazie a te, di tutto.»

«Non bere più, che sennò ci stai male. Ci sentiamo domani.»

Uscì, e Augusto restò solo. Si alzò, barcollante, girellò per la stanza, si avvicinò allo stereo e cambiò disco. Mise una compilation della Sun Records, da poco rimasterizzata in CD. Pigiò il play, alzò il volume, tornò a sedersi, si prese la testa tra le mani e pianse, forse per la morte del rock. Lo faceva perlomeno una volta la settimana.

Rodolfo Lepori non riusciva a trattenere l'euforia. Il sorriso gli strappava la bocca. Duemila euro tirati su con le ultime due corse. Si sentiva il padrone del mondo. Il Sesana era il suo regno, Montecatini il posto più bello in cui vivere. Erano le sue compagnie che non andavano, e lui lo sapeva: era bastato sbarazzarsi di quel perdente di Osvaldo Fagni, che subito la sorte aveva girato. Facile come scendere dal letto. Aveva drizzato le antenne ed era arrivata la dritta giusta.

Adesso avrebbe voluto abbracciarlo, quell'uomo: uno sconosciuto che i frequentatori dell'ippodromo conoscevano benissimo, perché stava sempre nel giro che conta, faceva spola con le scuderie, sempre con il cellulare all'orecchio, sempre a intascare bigliettoni.

Rodolfo si avviò all'uscita, sperando ancora di incontrarlo per brindare insieme. Non lo vide e se ne dimenticò presto. Erano rimaste davvero poche persone, perché in pochi avevano azzeccato quell'ultima scommessa impossibile, in pochi dovevano riscuoterla. Camminava sollevato da terra, con l'adrenalina che ancora gli riempiva tutto il corpo. Voleva tutto fuorché tornare a casa e mettersi a dormire accanto al cadavere di sua moglie.

Alla faccia di Osvaldo che lo aveva lasciato a piedi, si avviò sul viale Leonardo Da Vinci. Non cercava una *ballera*, sapeva che in questa zona non battevano più, ma se l'avesse incontrata, forse stasera... Provava a non pensarci, a non precludersi nessuna possibilità. Si mise ad aspettare al passaggio a livello, per poi imboccare via Marruota e andare verso casa. Presto cambiò idea e prese in direzione del centro, poi verso la stazione principale. Teneva a posto la coscienza con l'intenzione di smaltire l'euforia, e si guardava intorno, cercava, frugava con gli occhi vivaci del re delle corse. Vide una ragazza. Sicuramente era una prostituta, probabilmente era dell'Est. Forse non stava neppure cercando di lavorare. Forse era una di quelle che ricevono e visitano a domicilio, magari era appena scesa da una camera d'albergo.

Senza imbarazzi, Rodolfo Lepori puntò dritto verso di lei. Non avrebbe sentito la colpa, né il rimorso. Non stasera. La ragazza era molto giovane e carina, vestita con gusto, probabilmente con cose di marca, sembrava una della televisione. Rodolfo la avvicinò, la salutò e lei rispose. Era russa, o di quei Paesi là. Lo squadrò con attenzione, a domandarsi se uno così poteva permettersi tanto lusso.

«Cento in macchina» disse subito. «Duecento a casa.»

«Andiamo a casa» disse Rodolfo Lepori, e senza esitare sfilò dal portafogli duecento euro.

Gli faceva impressione vedere quanti ne restassero, di quei bigliettoni, costipati dentro la pelle consunta del suo borsello. Non era davvero abituato a questa immagine. Ed era proprio contento di risolvere, con soli duecento euro, tutte le curiosità sulle ragazze dell'Est. Porche, ninfomani, assatanate. «Che si aprano le danze» pensò, ma a lei disse soltanto che era molto bella.

«Anche tu mi piaci» disse lei, un po' sospettosa. Parlava in maniera asciutta, scandendo le parole. «Sei a piedi?»

«Sì.»

«Sali con me, se non ti dispiace.» Indicò una bella auto parcheggiata lì a due passi. «Vivo poco più giù, verso il palazzetto. È un problema se ti lascio là? Dopo non lavoro più, voglio andare a dormire.»

«Nessun problema. Sto abbastanza vicino, e mi piace camminare.»

«Vedrai che non ti penti.»

Salirono in auto. C'era un buon odore, di nuovo, mischiato a deodoranti raffinati. Rodolfo notò che c'era molto spazio per allungare i piedi. La ragazza infilò la chiave nel quadro e sistemò i soldi in un bel portafogli di serpente. Aveva il profilo delicato, occhi acquosi ma impenetrabili. Dalla borsetta tirò fuori un tubetto di plastica, ne tolse il tappo e lo rovesciò sul palmo di una mano. Ne uscirono alcune grandi pasticche blu.

«Vuoi?» domandò a Rodolfo, che si stava allacciando la cintura di sicurezza.

«Che cosa sono?»

Lei glielo disse, chiamandole con il nome che conoscevano tutti, anche se il tubetto era anonimo. Lui aveva sentito parlare di quella roba, ma non aveva mai approfondito. Rimase spiazzato.

«Per tuo uccello bello» aggiunse la ragazza. «Viene duro bene, ci divertiamo di più.»

«Non ne ho bisogno» disse Rodolfo Lepori, che però non era troppo convinto.

Era sicuro di aver lasciato l'argomento a quel punto lì, o meglio: l'ultima volta che si era fatto una scopata, con una coetanea rimorchiata al dancing Full Stop, non aveva avuto nessun problema. Era stata una bella serata, che purtroppo non si era ripetuta. Ma ormai era passato più di un anno.

«Non mi serve» ribatté, sempre meno sicuro.

Lei sorrise. Era dolce e davvero particolare, a suo modo incantevole.

«Ci divertiamo meglio» disse. «Offro io. Tu hai già pagato. Se rimani contento, posso venderti anche altre, a buon prezzo. Metà che alla farmacia.»

Rodolfo guardava quel palmo bianco e liscio, con quelle strane pastiglie blu luccicanti posate al centro. Pensò velocemente alcune cose, per esempio che la ragazza lo considerasse un vecchio. Ne aveva tutte le ragioni: poteva essere sua figlia, forse pure sua nipote. Pensò che non avrebbe avuto problemi d'erezione: in una serata come quella i problemi vanno a bussare altrove, non certo dal re del Sesana. Ma pensò che se poi l'incantesimo si fosse inceppato, ci avrebbe fatto una figura di merda, raddoppiata. Avrebbe buttato via reputazione e quattrini, e soprattutto un'occasione, perché una dea come quella poteva capitare soltanto in certe serate distorte, in certe isole lontane dalla realtà.

Allungò una mano verso quella della ragazza. Non gli piacque il contrasto tra le proprie dita rugose e quelle fatate di lei. La immaginò nuda su un letto, pregustò le scene di quando l'avrebbe amata. Afferrò una pasticca.

«Serve del tempo, prima che faccia effetto, no?» domandò.

«Queste no. Queste sono speciali.»

«Sicura?» disse Rodolfo, e la mise in bocca.

«Sicura. Quando arriviamo a casa sei già duro duro. Prendine due, dai.»

«Non mi faranno male, vero?»

Lei sorrise ancora, e gli infilò un'altra pasticca tra le labbra. Chiuse il tubetto, lo rimise a posto, poi appoggiò la borsa sui sedili posteriori, strusciandosi sulla spalla di Rodolfo, che respirò tutto il suo odore, di giovinezza e candore, e di profumo di fiori che gli ricordava il vivaio.

No, non ci sarebbero stati problemi, pensò. Che fantastica invenzione queste benedette russe... Gli venne in mente una scritta sulle mura dello stadio: «A voi le *ballere*, a noi le *toskane*». Si era sempre trovato concorde con i ragazzi che l'avevano pensata. Forse stasera avrebbe cambiato idea.

Provò a inghiottire le due pastiglie, ma gli ritornavano in bocca. Erano grandi e pastose, cominciavano a rilasciare un sapore acido. Ci provò ancora, ma gli rimbalzarono nel gozzo.

«Non riesco a mandarle giù» disse, e inghiottì ancora, rumorosamente.

«Bevi un sorso» disse lei, e gli passò una bottiglietta d'acqua gasata.

Pochi minuti più tardi, nel bilocale di una sottospecie d'albergo, ogni oggetto e ogni particolare diventò nemico di Rodolfo Lepori. Tutto remava contro di lui: ogni cosa era elegante ma fredda, asettica, come falsa. Lampade, tende e tappeti compresi. Era come se tutto fosse pronto a sgonfiarsi in un attimo, ripiegarsi ed entrare in una grossa valigia, che poteva essere trasportata altrove, o gettata nel mare.

La ragazza si chiamava Nadja. Rodolfo quel nome non se lo sarebbe mai dimenticato. Neppure quel corpo. Mai visto niente di simile, se non nei film. Stava nuda, bianchissima, sdraiata sul letto, con un sorriso ridicolo stampato in volto. Ormai era immobile e svogliata. Lui si era tenuto la camicia indosso, e pure i calzini, e aspettava che succedesse qualcosa, ma non si smuoveva un bel niente. Tutto floscio, spento e prosciugato, davvero avvilente. Un rigurgito amaro gli fece storcere la bocca.

«Mi hai avvelenato» disse. «Mi hai fatto mangiare quello schifo di roba russa.»

«Non fare lo scemo. Non è roba russa. Semmai è americana.»

«Mi hai intossicato, guarda qua. Mai visto uno schifo così...»

«Io sì, tante volte, ma mai è successo con pasticche.»

«Non è vero... Mi prendi in giro, troia.»

«Adesso basta» disse lei, più dura. Si tirò su e con le mani si coprì i piccoli seni da ragazzina. «Voglio dormire. Voglio che vai via, ho già perso troppo tempo.»

Rodolfo non avrebbe mai permesso che quella serata si concludesse così. Serrò le mandibole per bloccare la dentiera, si tolse la camicia e si buttò ancora addosso a Nadja. Sarà stata la decima volta. L'annusò, le dette qualche morso, le strinse forte i capezzoli.

«Fai piano» disse lei. «Piano, ti ho già detto.»

«Mi hai avvelenato, troia.»

«Smetti, mi fai male.»

«Muoviti, forza. È colpa di quelle medicine schifose...»

«È colpa che sei vecchio impotente, e tuo uccello è morto» disse Nadja ridacchiando, e cercando di sottrarsi alla sua presa.

Rodolfo Lepori le dette uno schiaffo. Forte e sonoro, da padre a figlia, su quella guancia candida. In un primo momento ci restò male più di lei, sorpreso e ferito dal proprio gesto. Poi provò una certa soddisfazione.

«Pazzo» disse Nadja, e afferrò subito il telefonino.

«Puttana» gridò Rodolfo. «Dillo ancora che ti ammazzo.»

«Vai fuori, vecchio impotente. Non provare a toccarmi che sei morto.»

Rodolfo le dette un altro ceffone, e poi un altro ancora.

Quella testolina tonda, su quel collo tanto sottile, sembrava che potesse staccarsi e rotolare via.

Nadja fece subito partire una telefonata. Rodolfo se ne accorse, le strappò il cellulare di mano e lo scaraventò su una parete. Si aprì in due pezzi. Ci provava gusto a trattarla così male, e sentiva che anche il proprio corpo cominciava a rispondere. Il sangue tornava in circolo, magari avrebbe riempito i posti giusti e cambiato le carte in tavola.

«Sei finito» disse la ragazza. Era scesa dal letto e cercava di recuperare i vestiti. «Non sai in che casino ti sei messo.»

«Zitta, troia. Ti ho pagato, adesso fai il tuo lavoro.»

«Sei morto. Nessuno tocca Nadja.»

Da chissà dove, tirò fuori una bomboletta spray. La puntò verso la faccia di Rodolfo e sparò. Lui gridò e subito si portò le mani al volto. Puzzava di peperoncino artificiale e bruciava come l'inferno. Caracollò per la stanza. Gli sembrava che gli occhi potessero sciogliersi dentro quelle fiamme. Si appoggiò a una sedia. I sapori di Nadja, delle pasticche e dello spray, mischiati, gli davano il voltastomaco. Tossiva, inveiva, sputacchiava. Stava per svenire.

La ragazza guardò in alto, verso un angolo del soffitto, dove stava nascosta una piccola videocamera. Fece una boccaccia da bambina cattiva e mostrò la lingua. Maledì l'italiano mentecatto che in quel momento non stava facendo il proprio mestiere. Porfirio, il portinaio. Stronzo ciccione. Pensò che domani, quando Aleksjéj avrebbe saputo dell'accaduto, lo avrebbe fatto espellere dall'organizzazione. Forse di più: lo avrebbe spedito in Siberia, o lo avrebbe fatto ritrovare nel torrente Borra, incaprettato a dovere.

Nadja era la cocca di Aleksjéj. Nessuno tocca Nadja.

Si chinò per raccogliere i pezzi del telefonino, mentre Rodolfo Lepori, quasi accecato, alzò in aria la sedia e gliela sbatté con forza sulla testa, una, due, tre volte, e poi ancora.

Maurizio Fucile entrò nell'androne di quel casino d'albergo. Il campanello collegato alla porta trillò, ma era troppo debole per svegliare Porfirio. Stava collassato sul bancone della portineria, con la testa spiaccicata sulle braccia conserte. Russava. Fucile si avvicinò furtivo e batté con violenza la mano aperta sul tavolo, due volte, vicino al suo orecchio. Porfirio si svegliò di soprassalto, scattò allerta e fece per agguantare la pistola, sotto il banco. Quando vide che si trattava di Maurizio Fucile, i suoi occhi rientrarono nelle orbite.

«Merda santa» disse. «M'hai fatto prendere un colpo. Una buona volta ti pianto un pallettone in mezzo alla fronte. Poi sarà troppo tardi per ridere, coglione.»

Adesso però Fucile si sbellicava. Stava piegato in due, si sorreggeva con le mani sulle ginocchia. Era strafatto di alcol e coca. Lo sapeva iddio come aveva fatto a guidare indenne fino a lì. In qualche modo il pilota automatico lo riportava sempre a casa, nelle tre misere stanze messe a disposizione dalla ditta.

«Che faccia che hai fatto» farfugliò, e continuò a sghignazzare.

«Maremma ladra» sentì uscire dalla bocca di Porfirio, originario proprio di quelle zone.

Fucile pensava che si riferisse ancora allo spavento preso.

«Sei saltato come un coniglio» aggiunse.

«Fucile, merda santa, guarda» fece l'altro, e questa volta impugnò la pistola senza esitazioni.

«Ma che fai?» sbottò Fucile.

Porfirio non scollava gli occhi dai monitor, collegati con le videocamere delle stanze più importanti. Anche Fucile si spenzolò dall'altra parte del bancone, per guardare cosa stesse succedendo.

«Minchia» disse.

In una piccola televisione c'era Nadja, la prostituta più amata da Aleksjéj, l'importatore della piovra russa. Stava sdraiata braccia a croce sul proprio letto, ed era messa piuttosto male: non si muoveva, né lei, né nessun'altra cosa nell'inquadratura, e tutto era imbrattato di melma scura.

«Ma come può essere successo» borbottò Fucile.

«Assassino vecchio infame...»

«Ma com'è possibile?»

«Non è uscito» disse Porfirio. «È un vecchietto schifoso, l'ho visto bene, e giuro che non è uscito da qui.»

«Se Nadja è morta, Aleksjéj ci ammazza» e anche Fucile

estrasse la pistola dalla cintola. «Se prima non ci ammazza Augusto...»

«Dai che è vecchio, ed è ancora dentro. Lo becchiamo, maremma ladra. Io prendo l'ascensore.»

«Aleksjéj ci ammazza.»

Con la rapidità concessa dal suo stato fisico e mentale, Fucile imboccò la rampa delle scale. Il cuore gli tamburellava impazzito nelle tempie, e la presa sulla pistola era approssimativa. Fece in tempo a salire soltanto due gradini. Il vecchio, Rodolfo Lepori, scendendo, gli si parò davanti.

«Buonasera» disse, con la faccia sudaticcia e gli occhi arrossati, ma rivestito a puntino.

«Merda santa, è lui» gridò Porfirio, con un piede già dentro l'ascensore.

«Eh?!» fece Fucile agitatissimo.

«È lui, è l'assassino, è lui!»

«No» disse Rodolfo.

Fucile, da nemmeno due metri di distanza, sparò tre colpi in direzione del suo viso. Lo centrò con tutti e tre. Il sangue esplose a fiotti, mischiato a pezzi di cranio e di dentiera. Il corpo di Rodolfo Lepori ciondolò e cadde all'indietro, scomposto sugli scalini. Poi venne una specie di quiete.

«Merda santa, sei pazzo?» disse Porfirio a Fucile, andandogli incontro. «Adesso come lo sistemiamo questo schifo?»

«Se Nadja è morta, Aleksjéj ci ammazza.»

In effetti, quello era l'unico pensiero che contasse davvero qualcosa.

Due ragazze fecero capolino dalle loro stanze, ma subito vennero ricacciate dentro da un grido di Porfirio.

Fucile cadde sulle ginocchia, respirò profondamente, mollò la pistola e tirò fuori dalle tasche l'occorrente per un tiro di coca.

Il cadavere di Rodolfo Lepori stava spaparanzato sulle scale, pancia all'aria, al centro di una pozza di sangue che cominciava a scendere i gradini. Era quasi decapitato, immobile e inoffensivo, ma aveva l'uccello duro e minaccioso che premeva nei calzoni.

*

Domenica mattina Augusto Lepori si svegliò con un disco di pietra dentro la testa. Aveva una forte acidità di stomaco. I postumi di sbronza non gli piacevano per niente, anzi gli davano proprio fastidio, anche a livello emotivo. Lo deprimevano.

Il cuscino era inumidito di saliva alcolica. Doveva aver dormito come un sasso, con la faccia spiaccicata sulla seta a pois. Allungò una gamba sotto le lenzuola, ma già mentre lo faceva si ricordò di aver dormito da solo. Un altro buon motivo per sposarsi presto. Non aveva più l'età giusta per svegliarsi senza una donna. Senza *quella* donna. Senza Dàrja. Si erano conosciuti da poche settimane, era vero, ma la ragazza aveva ragione: che cosa stavano aspettando? Niente. Per quale motivo? Nessuno. Si piacevano. Si cercavano da una vita. Grazie al cielo si erano incontrati. Dovevano sposarsi. Non mancavano né i soldi né la buona volontà. La madre di Dàrja poteva restare nell'appartamentino acquistato dall'ex genero pistoiese. Il padre di Augusto, Rodolfo Lepori, godeva di ottima salute, e per qualche anno poteva continuare a occuparsi di mamma. Per un po' di tempo non ci sarebbero stati rompimenti di coglioni, e loro due avrebbero vissuto da piccioncini.

Augusto si alzò e andò di fretta verso il gabinetto. Sentiva che doveva vomitare e lo fece, nella tazza del cesso. Era da solo in casa, perché per la domestica era giorno di riposo. Bevve un po' d'acqua dal rubinetto, accese lo stereo che teneva in bagno. Era un piccolo impianto per soli CD, ma più che dignitoso, con il *surround* e tutti i comfort. Eddie Cochran. Un risveglio niente male, almeno musicalmente. Sì rasò, fece una doccia, indossò la biancheria pulita. Domenica mattina: visita dai genitori, passeggiata con mamma, pranzo obbligato in famiglia, con o senza Dàrja.

Dalla linea interna chiamò la segretaria, Michela, per assicurarsi che fosse al suo posto. Lei riposava di lunedì.

«Signore, ha telefonato una persona, urgente per lei.»

«Michela, è domenica. Il giorno del Signore. Non voglio saperne, va bene?»

Neppure si fece dire chi l'aveva cercato. Riagganciò, accese il cellulare privato e chiamò Dàrja. Mentre ascoltava il telefono squillare, sentì arrivare i bip di decine di sms e chiamate non risposte. Digrignò i denti, insofferente: se non avesse spento anche quel telefono, i suoi adepti non lo avrebbero lasciato dormire. Pendevano dalle sue labbra. Non facevano altro che rompere i coglioni.

Dàrja spiegò che non aveva proprio intenzione di pranzare con i genitori di Augusto.

Lui ci restò un po' male. Provò a convincerla, ma senza insistere troppo. Poteva capirla. Mica era venuta da Vologda per assistere a certe scene pietose, in casa di quei vecchietti disperati...

«Vai a mangiare da Oreste, amorino mio» le disse. «Portaci anche tua madre. Sicuro che c'è del pesce buono, fresco, che ti piace tanto. Portaci pure una tua amica, se vuoi. Fatti consigliare un buon vino bianco, del nord. Oreste è un mago, di lui ti puoi fidare. Fai mettere tutto sul mio conto, va bene, amorino mio?»

«Ci avevo già pensato, bambolotto.» Aveva preso l'abitudine di chiamarlo così, affettuosamente: *bambolotto*. «Ho prenotato per dodici» continuò. «Non saremo mica troppi, vero?»

Augusto parcheggiò la sua station wagon tedesca davanti alla casa dei genitori. Durante il tragitto, non aveva fatto altro che cancellare messaggi e avvisi di chiamata dai cellulari appena riaccesi. Non li aveva neppure letti. Tutta roba di lavoro, sicuramente, materiale marcio e senza sentimento.

Scelse dal mazzo di chiavi quelle giuste per aprire il portone della palazzina, e poi l'appartamento a piano terra. Non era un brutto posto per fare invecchiare i genitori. L'impresa di pulizie lavorava bene e l'amministratore condominiale stava attento ai dettagli. Entrò.

«Ciriciao» disse già dal corridoio, con la voce un po' in falsetto.

Faceva così fin da quando era piccolo e ritornava da scuola. Adesso nessuno gli rispose.

«Sono io» disse, più che altro a se stesso, mentre si toglieva il giaccone e lo sistemava all'appendiabiti del corridoio.

«Ciriciao» ripeté entrando nella sala sulla destra, dove pensava di trovare sua madre.

Infatti la donna era lì, sulla sua sedia a rotelle, vicino alla portafinestra ma voltata verso l'ingresso. Stava immobile e austera come sempre, il foulard sulle spalle, la piega malsana al posto del sorriso, gli occhi spenti, il plaid sulle gambe e le pantofole di lana anche d'estate.

«Come stai, mamma?»

Vide che c'era il lampadario acceso, nonostante il sole entrasse copioso nella stanza.

«Guarda che sbadato, papà ha lasciato la luce accesa» disse, e la spense.

Sua madre non emetteva nessun suono. Augusto Lepori si avvicinò e la baciò, prima sulla testa, poi su una guancia. Non aveva un buon odore. Non faceva nessun movimento. Stava così da nove anni, da quando un ictus le aveva tolto la parola, l'uso delle gambe, e parzialmente pure quello delle braccia, e del cervello.

«Il tuo bambinone è venuto a trovarti, visto? È proprio domenica, sì. Che bello questo foulard. Nuovo? Ti sta proprio bene.» La baciò ancora, trattenendo il fiato. «Stai meglio, mamma, davvero. Si vede dal colore del viso, sai? E anche dalle mani.» Ne prese una tra le sue, la accarezzò con dolcezza, anche se gli faceva un po' effetto. «Guarda che belle mani lisce che ti sono venute. Più belle di quando avevi trent'anni. Hai visto cosa vuol dire, smettere di lavorare? Sei una regina, tu.» Le ripose la mano in grembo. «Papà dov'è? Il garage è chiuso. È andato a prendere il giornale? Adesso anche noi facciamo una passeggiata, va bene?» Il puzzo però gli sembrò più pungente, più cattivo di sempre. «Ma che cos'è quest'odore, mamma? Mica te la sarai fatta addosso, eh?» Si chinò, annusò, e bastò poco per convincersi. Era proprio orina vecchia stantia. «Che birbantella che sei. Ti piace essere trattata come una bambina, una bambina bizzosa e regina. Vieni che andiamo a cambiarci.»

Impugnò la carrozzella e la guidò nel corridoio. La domenica era l'unico giorno in cui non veniva la badante filippina. Spinse la madre nella camera e si rese conto che qualcosa non andava. La tapparella era ancora abbassata, e il letto era preparato per andare a dormire, con la rovescia stirata e il vasetto per terra, così come la badante lo lasciava ogni sera. Era come se nessuno fosse entrato in quella stanza, quella notte. Augusto fermò la carrozzella nel punto utile per sistemare sua madre sul letto, però la lasciò seduta e cominciò a girellare per la stanza. Non osava pensare che la badante se ne fosse andata, la sera avanti, mentre suo padre stava ancora fuori, all'ippodromo. Non poteva pensare che suo padre non fosse mai rientrato, che sua madre fosse rimasta da sola, su quella poltrona, per tutta la notte, con le mutande bagnate. Non osava ricordare i numeri di tutte le chiamate perse e cancellate nel telefono privato: che diavolo era successo?

«Che diavolo è successo, mamma? Ma papà non è tornato stanotte? E tu non sei andata a dormire?»

Telefonò subito a suo padre. Gli era presa una forte agitazione, quasi gli tremavano le mani nonostante avesse affrontato di peggio, nella vita. Il numero non era raggiungibile. Stava per chiamare la badante, ma mentre ne cercava il nome sulla rubrica un altro cellulare squillò. Era Rocco La Serpe. In un primo momento Augusto pensò di non rispondergli, ma poi cambiò idea.

«Se non è una cosa urgente ci sentiamo più tardi» disse ancora prima di salutare.

«Agu, è successo un casino. Un casino sopra un altro casino.» La voce gli usciva a stento. Doveva essere davvero qualcosa di molto grave: La Serpe non era il tipo da emozionarsi per il rapimento di un pollo. «Ti ho cercato anche stanotte...»

«Fammi capire, Rocco.»

«Devi venire subito qua, Agu.»

«Spiegati, cristo.»

«Nadja è stata ammazzata nel suo letto, nel tuo albergo.»

«Ma cosa dici...»

«La testa spaccata a metà.»

«Ma come ammazzata? Ammazzata proprio morta?»

«Sì, Agu, morta stecchita. C'era sangue dappertutto, le hanno aperto la testa, l'hanno riempita di botte e poi...»

Augusto uscì dalla stanza, come se sua madre potesse capirne i discorsi.

«E poi?» domandò.

«E poi l'hanno scopata, da morta, o comunque... mentre stava morendo.»

«Nadja proprio Nadja?»

«Nadja proprio Nadja» disse La Serpe. «Morta proprio morta.»

«Porco cane lurido bestiale, ma Porfirio dov'era?»

«Dormiva sul bancone. È rientrato Fucile, che tornava da casa tua, ma l'hai visto come stava... Strafatto come un porco, e l'assassino era ancora nell'albergo...»

«Ma allora... allora l'hanno preso, no?» Adesso ad Augusto veniva da ridere. «Allora l'hanno acciuffato, quel maiale, eh? Ah ah!»

Si stava rilassando, sembrava quasi contento. Pensava che Aleksjéj non lo avrebbe mai perdonato, perché Nadja era proprio la sua pupilla, ma perlomeno non lo avrebbe ucciso. In fin dei conti erano stati efficienti, no? Avevano preso l'assassino, e gliel'avrebbero fatta pagare.

«Sì, l'hanno preso» disse La Serpe. «E hanno ammazzato anche lui.»

«Cazzo d'un cane. È italiano?»

«Vieni qua, Agu, ti prego. Vieni subito.»

È bella Montecatini di domenica mattina, anche sapendo che una stupenda *ballera* russa, la prediletta del boss, è stata uccisa da un mentecatto, a sua volta freddato da un caro collega italiano. È bello scorrerci dentro, senza troppa fretta, sapendo che sarà difficile sistemare tutto, e che passata questa bega ne verrà un'altra e poi un'altra ancora, perché la vita è così, nessuno ti regala niente, devi graffiare e mordere per ogni centimetro di terreno e poi in un batter d'occhio ti ritrovi senza unghie e senza denti, con il frigo pieno ma condannato a non consumare...

Fa sempre schifo l'estate quando esplode, ovunque nel mondo ma a Montecatini di più, specie sapendo che papà questa notte non è tornato a casa, e chissà che fine ha fatto. Fanno schifo i colori dei taxi e delle aiuole, i cani che pisciano oro sulle porte dei ricchi, i vecchi che riaccompagnano i nipoti dalla messa, o chiacchierano con i vigili urbani, o fanno la fila dal Giovannini per un rituale vassoio di paste. Questo pensava Augusto Lepori ascoltando Bill Haley & His Comets e guidando verso il suo albergo, la svolta della sua vita, la roccaforte di pasticche e prostitute.

Quando arrivò, tutto era pulito e tirato a lucido, pronto per una nuova giornata di orgasmi e buoni affari. Porfirio era un ometto grassottello e bonaccione, ligio al dovere. Sarebbe stato un vero peccato doversene liberare. Stava già al proprio posto, sulla sua seggiolina nera, la faccia bianca di chi ha passato una brutta nottata, le unghie tra i denti marroni di nicotina. Si alzò, andò incontro ad Augusto, lo abbracciò come avrebbe fatto con un fratello.

« Insomma? » domandò Augusto.

Porfirio si distaccò, lo guardò in faccia, fece per dire qualcosa ma non gli uscì un bel niente. Lo abbracciò ancora e lo strinse forte.

« E staccati, su » disse Augusto. « Mi sembri un frocio rincoglionito. Dove stanno i cadaveri? »

In quel momento li raggiunse anche Rocco La Serpe. Tra lui e Augusto ci fu soltanto una stretta di mano, una pacca sulle spalle, un ciao striminzito.

« È un gran casino » disse La Serpe, che stranamente non riusciva a guardare l'amico negli occhi.

Augusto se ne accorse, e la cosa lo fece agitare ancora di più.

«Allora, cosa vogliamo fare?» domandò. Adesso aveva fretta, bisogno di risposte. «Sistemiamo i morti prima che puzzino, o no?»

I suoi compari non spiccicavano parola. Porfirio continuava a mordersi le unghie. La Serpe aveva addirittura gli occhi lucidi.

«Cristo» sbottò Augusto. «Avete una cera... neppure fosse morta vostra madre.»

«Vieni» disse di colpo La Serpe, e lo prese sottobraccio.

Entrarono tutti e tre nella stanza del male, un piccolo magazzino tra garage e sottoscala: La Serpe in testa, seguito da Augusto, Porfirio in coda che richiuse a chiave la porta. I due cadaveri stavano lì davanti a loro, appoggiati su bancali di legno e coperti da lenzuoli che un tempo erano stati bianchi, tra cassette d'acqua, scope, rotoli di carta, dipinti rubati, barattoli di pastiglie blu mascherati da scatolette di fagioli. Nella stanza c'era un gran disordine ma volavano soltanto due mosche, le uniche a fare rumore.

Augusto si chinò e con delicatezza scoprì il volto di Nadja. La fissò a lungo, senza scomporsi. Era davvero rovinata, sia come forma che come colori. Pensò di quella donna le stesse cose che aveva sempre pensato: povera dolcezza, troppo ambiziosa e fragile per questo schifo di mondo. Pensò alla sua futura moglie, Dàrja, giovane e bella quasi quanto lei. Pensò al futuro che avrebbe potuto garantirle. Pensò di nuovo che Aleksjéj non avrebbe perdonato, che lo aspettava un periodo di fuoco, che forse sarebbe stato bene mollare tutto e cercarsi un posto da impiegato, che questa vita non era proprio adatta a lui.

Poi la ricoprì. Si voltò dall'altra parte e tolse il lenzuolo dal cadavere dell'uomo, scoprendolo quasi per intero, e allora il tempo si fermò davvero.

Augusto non ebbe mai un dubbio, nonostante la faccia del morto non fosse riconoscibile. Era proprio suo padre. Lo vide e lo sentì dentro il petto, dentro la pancia. L'onda nera della morte lo pietrificò e si mangiò tutti i suoi pensieri, per almeno un minuto.

Dopo si alzò in piedi, fece due passi indietro e si avvicinò ai due amici. No, non era proprio possibile. Fu scosso da un forte tremito, vacillò, pensò di svenire. La Serpe lo sorresse per un gomito. Lui strinse i denti e premette i pugni nelle tasche, continuando a fissare il cadavere di suo padre. Non poteva essere, ma era. Immaginò tutta la maledetta sequenza perché in qualche modo se l'era già preparata, in testa, da quando aveva scoperto che quella notte papà non era rientrato in casa. Da quando La Serpe, al telefono, aveva detto che era successo un casino sopra un altro casino. Da quando era arrivato all'albergo e aveva guardato Porfirio mordersi le mani. Rivide il film: ippodromo, serata vittoriosa, prostituta russa, pastiglie blu, qualcosa che va storto, follia, omicidio. Doppio omicidio. Sentì subito crescere la colpa: se non avesse ordinato al Fossa di avvicinare suo padre, all'ippodromo, il vecchio non avrebbe vinto un centesimo, e adesso starebbero tutti vivi e vegeti. Ricordò pure la sua prima volta al Sesana: giornata di sole, ma con il cappellino di lana legato sotto il mento, una mano in quella di mamma, l'altra in quella di papà. Era più di un quarto di secolo fa, erano tutti giovani, forti, poveri ma belli. Gli scappò una lacrima, se l'asciugò, si guardò le scarpe. Si concentrò per ricordarsi chi era e cosa rappresentava, lì dentro, in questo momento. Doveva recuperare il bandolo.

Poteva domandare agli scagnozzi se avessero controllato i documenti, se quell'uomo fosse davvero suo padre, e se avessero rivisto i filmati, se fossero sicuri che Rodolfo Lepori fosse il vero assassino di Nadja. Poteva indagare su un sacco di dettagli, ma contavano poco. Papà stava morto stecchito nella stanza del male, con la testa a brandelli e il bastoncino ancora duro che premeva nei calzoni. Ma lui era sempre il capo, e da tale doveva agire.

«Questo nuovo stock di pastiglie è una bomba» sentenziò, e fece ancora un passo indietro.

La Serpe sospirò.

«Puoi gridarlo» disse. «Sono potentissime, anche se pare che entrino in circolo un po' in ritardo...»

«Non mi sembra un problema grave.»

«Neppure a me.»

«E poi l'effetto è più che duraturo, mi pare.»

«Certo.» Gli dette un'altra pacca sulle spalle. «Dicevo così, Agu, giusto per fare due chiacchiere.»

Augusto si voltò verso Porfirio e lo afferrò per un braccio.

«Falli sparire» gli disse.

«Come?»

«I morti, dico. Falli sparire. Subito.»

«Merda santa, anche tuo padre?»

«Certo. Volevi usarlo come appendiabiti?»

«No, che c'entra, solo che...»

«Ho già segnalato la scomparsa ai carabinieri, per telefono. Quando esco di qua passo dal maresciallo amico mio, e faccio la denuncia.»

«Va bene.»

«Scioglili nell'acido, lui e la puttana. Li porti nella vasca del bagno turco, e li sciogli.» Inghiottì di nuovo, rumorosamente. Era tornato a pensare e agire soltanto per il bene dell'organizzazione, e per se stesso. Non c'erano padri né madri né cristi che contassero, specie da morti. «Fai sparire anche i documenti, i vestiti, i nastri delle videocamere, tutto» continuò. «Fai sparire anche le persone che li hanno visti, se necessario.»

«D'accordo.»

«Aleksjéj è già al corrente?»

«Di questo devi parlare con Fucile.»

«È stato lui a sparare a mio padre, vero?»

Porfirio e La Serpe si guardarono. Rimasero in silenzio ma fu come rispondere di sì, e sottoscriverlo dieci volte.

«Fatelo venire qua» disse Augusto, durissimo. «Subito.»

Porfirio sputò un pezzo d'unghia per terra, e guardò in faccia La Serpe.

La Serpe impugnò la pistola.

«Va bene» disse. «Ci penso io.»

*

Augusto Lepori uccise a freddo i due amici portinai, Fucile e Porfirio, lì nella piccola stanza del male, senza chiedergli né fargli dire più niente. Gli bastarono due colpi di pistola. Inizialmente aveva previsto di risparmiare Porfirio, ma pensò che il boccone gli sarebbe rimasto di traverso e ci avrebbe rimuginato a lungo. Con l'aiuto di La Serpe trascinò i quattro cadaveri nelle sale del bagno turco, li ammucchiò in una vasca e li sciolse con l'acido. Mentre portavano a termine l'operazione, Augusto pensò di freddare anche quest'ultimo compare e ricominciare tutto daccapo, con una nuova squadra. Non ci riuscì, e proprio in quei momenti sentì che la loro amicizia era schietta, rock, di fibra forte: avrebbe resistito a questo e altri grattacapi.

Due giorni dopo il cadavere di Augusto Lepori venne ritrovato incaprettato a dovere, nel suo studio, dalla donna di servizio polacca. La notizia scomparve dai giornali e dalle chiacchiere della gente nel giro di quarantotto ore.

MARINO MAGLIANI

L'ossario

La prima volta che ho sentito il nome dei Ponce è stato una ventina di anni fa. Avevano appena comprato Villa Crosa, la villetta accanto alla mia proprietà. Pedro Ponce si presentò attraverso la buganvillea e mi disse giusto un paio di cose. Che erano argentini e che Ponce si scrive con la c, ma si legge Ponse. Telefonai alla questura e dal questore in persona mi feci spiegare per bene chi erano costoro. Puliti, seppi, mai un problema con la legge, né qui, né in Argentina.

Lei, Donna Flavia, casalinga, studi interrotti in biologia, aveva conservato una passione per le farfalle e gli insetti tropicali. Lui, Pedro Ponce, imprenditore, in Argentina aveva posseduto un paio di supermercati e un panificio. Serio, lavoratore e gancio per gli affari, aveva deciso di vendere tutto prima che la crisi post Alfonsín lo rovinasse. Con il capitale realizzato, aveva comprato un panificio oltre pozzanghera, a Porto Maurizio, vivendo in affitto fino a quando non aveva trovato Villa Crosa e si era stabilito lì con la moglie nel giro di pochi mesi.

«Caro Ponce, se mi avesse chiesto un parere le avrei consigliato di non comprarla Villa Crosa» gli dissi appena cominciai a prendere un po' confidenza. «Le vede quelle venature? Sa dove scendono?»

«Dove?» chiese allarmato.

«Fino alle fondamenta. Ogni anno si aprono di quattro dita» risposi, osservando la faccia che faceva.

Naturalmente avevo esagerato, perché un po' di antipatia per i Ponce l'avevo avuta da subito, non so nemmeno io per quale motivo, forse era solo il mio cattivo carattere.

Villa Crosa era gialla con le persiane verdi, poi Ponce ci

mise le mani e diventò *blanco y azul. Como la bandera de Argentina*, disse. Una volta sistemata la casa, Donna Flavia chiamò una ditta e si fece costruire una piccola serra-vivaio per le sue farfalle e i suoi insetti.

Temendo un abuso edilizio, io sbirciavo dalla bugavillea, controllavo le distanze misurandole a occhio dalle mie finestre e mi consultavo con il mio avvocato per capire se la serra-vivaio era stata costruita a norma di legge.

Tutto a posto, niente a cui appigliarsi.

Quanto a me, non ho mai coltivato passioni: i libri, le collezioni di francobolli, monete e quadri che abbondano nelle mie sale sono avvolti nella polvere, eredità preziosa e polverosa di mio nonno materno sciù Bertun. Lui sì che aveva la mania delle piante rare nel parco, era stato anche amico dei Calvino di Sanremo. Ma da quando nella casa comando io, i tre ettari che circondano il palazzo sono diventati una selva impraticabile. L'unica cosa che mi affascina di questo posto sono le segrete, le celle nei sotterranei dove nei secoli la mia gente ha rinchiuso i criminali del territorio. Ci scendo ogni giorno e sto lì, come se avessi sull'orecchio una conchiglia; sto in mezzo agli scheletri e alle catene, nella calma umida e buia del tempo, a sentire il rumore del mare che giunge da qualche sfiatatura comunicante con il porto di Porto Maurizio.

Un giorno ho scoperto che, tagliando un po' di rampicanti, dall'inferriata di una cella che confina con la proprietà dei Ponce potevo tenere d'occhio le caviglie di Donna Flavia. Quando la vedevo uscire dalla villa, con la tuta che usano gli apicoltori, sapevo che si dirigeva nella serra-vivaio, e la immaginavo in un brusio di vespe e zanzare, tra scompartimenti pieni di voli di farfalle. Oppure la spiavo quando usciva mezza nuda per andare a prendere il sole, e allora mi masturbavo.

Ruben Ponce nacque a Villa Crosa e, quando compì sei anni, il padre gli regalò un cane che chiamarono Rope. A chiamarlo così era stato in realtà Pedro Ponce, con quella mania che aveva delle parole mezze al contrario. Cane in castigliano si dice perro.

Rope veniva da un paesino dell'entroterra e il suo primo padrone non gli aveva mai dato un nome perché non sapeva se l'avrebbe tenuto. Il padre e la madre di Rope erano due apprezzati segugi: verso la fine di giugno venivano rinchiusi assieme una mezz'ora e nascevano dai quattro ai sei cuccioli. Il padrone, badando agli atteggiamenti e alle caratteristiche, aveva tempo un mese per sceglierne uno. Tengo questo calmo o quell'altro con la stella del traditore? In realtà, scegliere il cucciolo migliore era difficile, e non di rado tra i cuccioli scartati e poi venduti si veniva a sapere che era uscito un campione.

Rope era un cucciolo scartato e Ponce l'aveva comprato un giorno che era andato a consegnare il pane con il furgoncino. Per caso, parlando con la bottegaia di un paese, aveva detto che il figlio compiva sei anni e non sapeva cosa regalargli. Poco dopo tornava a casa con il cagnolino sul sedile posteriore.

In un primo momento il cacciatore con il quale la bottegaia l'aveva messo in contatto non voleva venderglielo. Per nessun prezzo. Diceva che era sprecato un cane così se non lo si portava a caccia. Alla fine però l'aveva venduto per, mi pare, duecentomila lire, e così quel giorno Ponce padre era entrato dal cancello con un cagnetto che zampettava sulla ghiaia del viale.

Incuriosito, mi ero avvicinato alla muraglia di buganvillea e avevo sentito Donna Flavia alzarsi la maschera da apicoltore e dire:

«*Ahi, papito* (così chiamava il marito)*, ahora habrá que darle un nombre, che!*»

Usavano sempre il termine *che* (lo scrivono che ma si pronuncia semplicemente ce), un po' come fanno tutti gli argentini.

Discussero a lungo su come chiamare il cane.

Ponce cominciò con: «Tucumán, ecco, sei scuro come la provincia di Tucumán e ti chiameremo Tucumán».
Lei storse il naso.
«Chaco! Allora lo chiameremo Chaco» che è un'altra provincia argentina.
Ma a Donna Flavia non piaceva neanche Chaco.
Depennarono pure «Paraguay, guai del Paraguay!» e alla fine si decisero per Rope, ossia cane al contrario.
«Rope?» feci io quando Ponce mi comunicò il nome.
«Certo, Rope. Le hanno mai raccontato una barzelletta al contrario, vuole che gliela racconti?»
«Sentiamo» risposi con poco entusiasmo.
«Eh no, se vuole sentire una barzelletta partendo dalla fine, lei prima deve ridere...»
Mi fregava sempre, Ponce, forse è per questo che non mi era simpatico, e più passava il tempo, meno lo sopportavo.
Dai Ponce prendevo il pane (temo che mi abbia sempre fregato pure sul peso). Non avevo nemmeno bisogno di scendere in negozio, che era al fondo di una scorciatoia, tra le villette. Il pane me lo portava Ruben all'una e alla fine della settimana pagavo il conto.
Certe volte, dopo pranzo, capitava che Ruben suonasse al mio cancello per farsi aiutare con i compiti di scuola. Allora ci mettevamo in veranda e, finita la lezione, prendevo il binocolo e gli spiegavo le cose che si vedono da qui: i cipressi del monte Calvario, la città vecchia sul Parrasio, i palazzi che aveva posseduto la mia famiglia, e quell'angolo di mare in lontananza. Ruben era un bambino rispettoso, un po' io-io come suo padre, ma come il padre un gran lavoratore e uno studente infaticabile.

La sera, d'estate, quando Ruben era a dormire e le rane nelle cisterne della collina si svegliavano, quatto quatto uscivo dalle segrete e mi avvicinavo alla buganvillea, a origliare i Ponce seduti sotto la palma, che era un po' il loro posto preferito. Stavano ore a guardare la notte illuminata e tremante, nel brusio degli insetti.

Tanti insetti come da quando erano venuti i Ponce ad abitare il colle non si erano mai visti né sentiti.

I Ponce si parlavano in castigliano, uno sopra l'altro, e una volta avevo sentito lei fare a lui il mio nome e ridere. Poco dopo, li avevo sentiti gemere, uno sopra l'altro.

Di giorno la palma era il posto preferito di Rope. Scavava in cerca di talpe, inseguiva gatti, orinava lungo la buganvillea e non la smetteva di abbaiare.

«Basta! Zitto!» urlavano dalle ville vicine.

Penso che nessuno abbia mai avuto in buona Rope, così come non avevano in buona i Ponce.

Il notaio poi minacciava quotidianamente: «Lasciate che entri una volta nel nostro giardino...»

Il parco della villa del notaio era sorvegliato da una coppia di cani colossi. A Ponce lo facevo presente: «Sono cani che non aspettano altro, glielo si legge negli occhi...»

«*Perro malparido*» lo rimproverava Ponce.

Aveva preso l'abitudine, ogni sera, al ritorno dal lavoro, di avvicinarsi alla siepe e chiedermi: «Abbiamo disturbato?»

«Chi, Rope? Ebbè, un pochettino ha angosciato, ma sono cani...» rispondevo.

Allora lo sentivo sospirare e lo spiavo mentre andava a sedersi sull'amaca, che era legata al tronco della palma e a un travetto della rete di confine. Il busto leggermente in avanti, i gomiti sulle ginocchia, Pedro Ponce guardava il suo pezzetto di mare.

Certe volte parlavamo addirittura del più e del meno, da buoni vicini verrebbe da dire (ma esistono i buoni vicini?). Dopo un po' la moglie usciva dalla serra-vivaio con la sua tuta da apicoltore e diceva: «*Che*, vi porto il mate?»

Io rispondevo di no secco.

Il mate è un'erba cotta che Ponce beveva da una cannuccia metallica in un bicchiere di legno. Disgustosa per me, ma Ponce ne andava matto. Si sedeva sull'amaca, succhiava il suo mate e si canterellava un tango. Come ogni emigrante, si lasciava andare ai ricordi della sua terra, che doveva immaginare là, tra i costoni, sul mare, dove all'alba appariva la Corsica.

«Di', Ponce» gli chiedevo, «cosa vedevi da casa tua, laggiù, vedevi la Pampa?»

Me l'aveva già spiegato centinaia di volte che era del nord, che la Pampa distava da casa sua mille e passa chilometri e che nella sua regione c'erano solo selve, grandi selve e montagne. Però mi piaceva far finta di dimenticarlo e chiedergli regolarmente queste cose, se si vedeva la Pampa, se si sentivano i grilli e le rane popolavano le cisterne, e poi spiare tra la buganvillea la faccia pietosa che faceva.

Ponce non sembrava una persona malvagia. Sembrava piuttosto uno spaccone, uno di quelli che vogliono sempre parlare di sé e non ti stanno mai ad ascoltare. Da anni vivevamo uno accanto all'altro e non m'aveva mai lasciato dire chi ero, da che famiglia venivo, e cos'era l'ossario dove trascorrevo volentieri le ore. Mentre io di lui sapevo quasi tutto, anche quante ne faceva a Donna Flavia.

Se intavolavo discorsi, per raccontare, che so, cosa c'era una volta al posto di queste ville, o delle fontane alle quali da bambini, io, il notaio e il colonnello in pensione, ci dissetavamo, o di quando salivano quelli della Foce e li aspettavamo dietro Villa Peri per prenderli a sassate, ecco che lui, Ponce, mi interrompeva subito e attaccava con il Chaco, con Santa Fe, con Tucumán e la frutta enorme che cresceva laggiù: certe angurie che solo a toccarle con la punta del coltello si aprivano, diceva. Mi innervosiva sentire attraverso i rampicanti l'imitazione dell'anguria che si rompe in due e fa: chhhhh... Cattivo carattere, lo so, prima provoco e poi mi innervosisco.

Da buon argentino, Ponce andava matto anche per i barbecue, *asado* chiamano gli argentini la grigliata. Tagliava la carne a strisce, a *tiras* diceva lui, e la lasciava grondare sulla brace impestando di fumo il colle. Mi invitava spesso ai suoi *asados*, ma solo per parlarmi tutta la sera a bocca piena di frutta gigante e di fiumi sudamericani palpitanti di anguille.

Mentre noi masticavamo e bevevamo vino mendozino al ritmo dei *tangos* di Carlos Gardel, oltre la recinzione sentivo il notaio dire alla moglie: «Che gente carnivora gli argentini!»

Più che al pane, che sarebbe stato un fatto naturale, dato il lavoro che facevano, la gente del colle associava i Ponce alle grigliate, che eccitavano pure Rope, con i conseguenti assordanti ululati.

Tutti quanti si lamentavano, ma io, in mezzo a quella cagnara, in fondo ci godevo, e mi mettevo a fischiare, sibili che dovevano sentirli fin giù alla Foce. Era un po' come cercarmele, perché i vicini, appena sapevano che partecipavo alla grigliata, commentavano: «Toh, c'è anche la schiena dritta!»

Allora, dopo aver mangiato, mi alzavo e dicevo forte nella notte, perché sentissero tutti:

«Ponce, credimi, con le budella di uno ci puoi impiccare l'altro».

Donna Flavia mi pregava subito di abbassare la voce. Loro, dopotutto, avevano un negozio, e a non perdere i clienti ci tenevano. Ma Ponce, che si trovava perfettamente d'accordo con me, mi bisbigliava:

«Davvero, *que pueblo de gentuza infeliz!*»

«E parla forte!» gli dicevo. «Hai forse vergogna di gridarlo ai quattro venti che siamo gente *infeliz*? Da' retta a me, se potessero ti appiccherebbero il fuoco alla panetteria.»

In effetti, poco a poco, a causa dei battibecchi per via di Rope e di altre seccature, una buona parte del vicinato non solo smise di andare al panificio di Ponce, ma gli tolse anche il saluto.

A me le difficoltà che i Ponce avevano con i vicini, inutile che lo nasconda, un po' facevano piacere. Figuriamoci poi quando venni a sapere che una ditta genovese di lì a breve avrebbe impiantato accanto al loro panificio uno di quei supermercati che tolgono i tre quarti dei clienti ai negozi vicini.

«I supermercati oggigiorno sono convenienti» dissi a Ponce, perché sapesse che la notizia s'era sparsa fin quassù.

Già immaginavo che si difendesse, sostenendo che il supermercato i genovesi non l'avevano ancora costruito e che il Comune avrebbe negato la licenza. Invece, con mia sorpresa, si arrese subito.

«Sì, queste sono davvero batoste» ammise.

Fu quella sera che mi parlò per la prima volta del suo progetto di tornare in Argentina. La dittatura non c'era più, la crisi appena appena, un po' di soldi li aveva fatti... Ma che restasse tra noi, disse.

«Sono una tomba, Ponce» lo rassicurai.

Lo feci parlare, e così seppi che la cifra che aveva messo da parte in quegli anni era abbastanza consistente. Con quei soldi, una volta venduto il panificio, nel Chaco avrebbero vissuto di rendita.

Per non dargli quella soddisfazione, buttai lì:

«Dunque, quindici anni in Europa... sono calcoli che mi faccio a mente... qualcosa quando sei arrivato avevi, qualcosa dal negozio può darsi che ci ricavi ancora, te ne torni nel Chaco patto».

«Come patto?»

«Sì, patto in Liguria lo diciamo quando uno ha pareggiato.»

Si mise a ridere:

«Ma scherzi? Io ho sfruttato *el momento más florido* che abbia attraversato la Liguria durante il secolo...»

«Può darsi. Ma se vendi adesso ti danno due dita negli occhi. Dovevi vendere prima che ti piazzassero accanto il supermercato.»

Se gli dicevo così, non aveva argomenti con cui ribattere e taceva.

Tante cose che mi tornano in mente, ora. Ad esempio di quella sera in cui Ponce, una settimana dopo avermi confidato il progetto della rimpatriata, mi fece segno di avvicinarmi alla buganvillea. Aveva un altro segreto, disse.

«Parla, lo sai che sono una tomba» lo rassicurai ancora.

«Indovina quanto ho già mandato in Argentina?»

Tira e molla, mi confidò che aveva un ottantamila dollari

in banca, spediti al fratello che li aveva cambiati in nero. Una cifra pari a circa centoventi milioni di lire, al cambio di allora.

«Tanti soldi non ci credo, però una trentina di milioni potresti averli mandati sul serio» commentai, per minimizzare. «E la villa?» chiesi.

Era già in contatto con certe persone interessate a comprargli in blocco panificio e Villa Crosa, disse. Pare avesse sottomano un pollo milanese.

«Un pollo? Ma in Argentina, poi, cosa fai, ci hai pensato? A vivere di rendita, se uno non è predisposto, ti tiri una botta in testa. E poi una volta che ti sei mangiato quei pochi soldi, sei di nuovo daccapo, e ti tocca ripassare la pozzanghera e metterti a far pagnotte in Liguria...»

Rispose con risatine di compassione, dicendo che allora non avevo capito niente. In Argentina avrebbe impiantato qualcosa di grosso, tanto più che là «*la economía levanta un montón*», sosteneva.

Parlava sempre di campi, di un fratello che possedeva «*trecientas hectarias de campo*», mentre in Patagonia chi possedeva terra aveva almeno *miles y miles de hectaria*. Quindi cosa avrebbe fatto lui? Avrebbe comprato «*un montón de hectarias*», a farle rendere ci avrebbe piazzato una pattuglia di gauchos, e via, si sarebbe riempito di pesos. Non era forse una fantastica idea? D'altra parte, mi ripeteva, quanto costava mai all'ettaro la terra in Patagonia? Ma niente, poco o niente.

Vai ben poco lontano, gli dicevo tra me. Sì, forse Ruben un po' di strada poteva farla, con i suoi quindici anni, ormai, e quel talento da *pibe* che tutti gli riconoscevano quando giocava a pallone dai frati Giuseppini. Ma per Ponce era tardi: ormai lui era come Rope, un cane sul viale del tramonto. Macché Patagonia, Ponce, dicevo, noi ci avviamo spediti al canile.

*

Passavo ore nel mio mondo sotterraneo, a guardare le ossa: le prendevo in mano, le annusavo. Mio nonno sciù Bertun mi aveva spiegato che non si sapeva con esattezza se erano ossa di canaglie imprigionate nelle segrete o di nostri antenati. C'era stata una frana, causata dal terremoto nel 1887, e una delle celle sottostanti la cappella, adibita a tomba di famiglia, s'era riversata con il suo contenuto di ossa nobili, pietre e marmi, sui resti delle canaglie giacobine e guelfe, ammucchiate là dentro dalla storia. Sognavo un giorno di possederci Donna Flavia, su quelle ossa.

Dall'inferriata entravano voli di zanzare, maledetti insetti usciti dalla serra-vivaio che deponevano le uova nelle celle e si riproducevano fino all'arrivo dell'inverno, quando il freddo le sterminava.

D'estate, se mi veniva voglia di fare un bagno al mare, aprivo il cancello in fondo alle segrete che dava nei rovi di una mia terrazza, e scendevo in città, seguendo una serie di scorciatoie che non percorreva più nessuno.

Andavo giù, in un'ombra di cachi e edera, costeggiando muretti che un tempo dividevano i territori Savoia da quelli della Repubblica genovese, finché non mi trovavo nel traffico. In piazza Ricci attraversavo via Cascione e imboccavo la galleria che sbucava a un centinaio di metri dal molo lungo di Porto Maurizio.

Le mie giornate solitarie erano passate per anni così, in una specie di calma biliosa che a me faceva stare bene, prima che arrivassero gli argentini.

Il tempo scorreva, a Ruben avevano comprato il motorino, studiava da geometra e l'estate andava a guadagnarsi qualcosa negli alberghi di Diano. Lo sentivo partire con il motorino, e Rope corrergli dietro sulla ghiaia.

Ponce, si sa è la vita dei panettieri, dormiva il mattino e la notte impastava.

Donna Flavia usciva a tutte le ore in giardino canticchiando un tango, con la tuta da insettologa o con la cesta della biancheria da stendere.

«Tanghi niente oggi?» le dicevo quando non cantava.

Lei rideva.

Nell'ora in cui girava mezza spoglia in giardino, ero sempre sulla terrazza, con la vestaglia di mio nonno sciù Bertun che mi dava quel non so che di grandezza e decadenza assieme. Guardavo il colle, setacciavo le scorciatoie col binocolo, e inmancabilmente trovavo Rope che sconfinava nelle proprietà degli altri.

Il vizio di disturbare non l'aveva perso, anzi, col tempo, se da una parte il suo micidiale uau uau aveva perso qualche decibel, dall'altra aveva acquistato in acuti. Non era più quel uau uau aggressivo, ma un verso dai toni lirici che si estendeva per ogni dove. Così Rope, prima di sera, s'era fatto maledire da tutti, aveva sollevato vespai, inseguito farfalle, e la gente non aspettava altro che rientrasse Ponce per segnalargli cos'aveva combinato: «M'è entrato nel pollaio e m'ha assassinato il semenzaio di insalata, scompisciato nei fiori, rincorso il gatto...»

Io invece, canaglia, subito a dirgli a voce alta:

«Bugiardi che sono, Ponce... Ma se Rope non ha fiatato tutto il giorno!»

Forse fu per malinconia, più che per parlarmi ancora del Chaco e per informarmi sulla questione del ritorno in Argentina, che Ponce quella sera mi invitò a una grigliata.

L'ultima volta avevamo rischiato il linciaggio. Era stata la notte in cui avevano giocato Argentina e Italia. Ponce e la moglie si erano aggrappati alle maglie della rete di confine, strattonando e urlando *Argentina! Argentina!* come se fossero appesi alla rete dello stadio. Al notaio, al colonnello in pensione e al sindacalista che viveva poco più in su, in una villa sempre all'opaco, sentire i Ponce esultare per la sconfitta dell'Italia, e me che non protestavo, era parsa provocazione. Uno degli amici che avevano invitato per la partita aveva minacciato di scavalcare la recinzione.

Erano passati quattro anni da quella notte, di lì a poco ci sarebbe stato un altro mondiale, e i Ponce non se n'erano ancora andati.

L'*asado* fu come sempre in giardino. Donna Flavia ci riempì il piatto di carne grigliata un paio di volte, le bottiglie di vino mendozino sul tavolo erano parecchie. Ponce mi fece vedere delle fotografie della Patagonia, e poi un documento scritto in castigliano, Republica argentina, *oficina* non so che, con la cifra 82 contrassegnata da una h che stava per *hectaria*. Feci poche domande, e neppure commenti. Il vino mendozino ci aveva tramortiti.

La serata era terminata, me ne accorgevo quando si stava da troppo in silenzio a farci divorare dalle zanzare. Mi congedai, ringraziando: «Dopo aver ben mangiato e bevuto, io mi ritiro *manso* a casa mia».

Manso per gli argentini significa: tranquillo, loro lo dicevano spesso e, senza accorgermene, io avevo finito per adottare molti modi di dire.

«*Pajaro que tomó voló*» rispose Ponce. Che sta per: uccello che ha bevuto vola via.

Quella volta però avevo esagerato, non trovavo neanche il viottolo per uscire, tant'è che Donna Flavia mi dovette accompagnare al cancello.

Ponce era rimasto al tavolo, immobile, nella penombra della lampada sotto la palma, a guardare le foto della Patagonia.

«È piegato anche lui, che vino potente questo mendozino! Come ve lo fate arrivare?» chiesi a Donna Flavia.

Lei sorrideva, con la sua faccia da zanzara.

Barcollavo, ed ero sicuro che se non m'avesse guidato, al posto del mio vicolo avrei imboccato la scalinata buia che scende sull'Aurelia. Anche se devo ammettere che un paio di volte feci solo finta di sbilanciarmi, per vedere se lei mi avrebbe sorretto, e prontamente lo fece. Allora, per calarmi fino in fondo nella parte dell'ubriaco, il che mi costava poca fatica, le cinsi la vita e mi misi a cantare, i soliti canti in dialetto che sanno di festa e di vino e svegliano nella notte fonda i cani. La stringevo a me e cantavo come per farmi coraggio. La faccia tirata che attendeva un ceffone, costeggiavo il muro del mio cancello, nel gonfiore dell'edera e del muschio bagnato che attira nuvole di maledette zanzare.

Il mattino avevo vergogna e paura anche a uscire nel parco.

Pensai: però, se viene lui a farti una scenata, tu eri ubriaco e non sai niente. Del resto, non era la pura verità? Io non lo sapevo mica cos'era successo contro quel muro di muschio.

Per farmi un'idea di come stavano le cose, telefonai in negozio. Lo facevo ogni tanto, quando mi mancava qualcosa. Rispose lui.

«Ponce, sono io» gli dissi. «Quando sali ti dispiace portarmi un mezzo chilo di quei panetti neri?»

«Altro?» fece lui.

«Lì per lì non mi pare.»

Buttò giù il telefono, e io rimasi con il dubbio: era nero come il pane o solo molto occupato? Fatto sta che all'una arrivò con il pane nero, lo mise dentro il cancello, appeso al ferretto perché non l'addentasse Rope, e mi suonò il campanello. Dalla finestra gli feci uno di quei sorrisi, come dire: ah, ieri, tutto quel vino mendozino!

Rispose al sorriso, ma di fretta, come faceva spesso d'altra parte.

Ero più tranquillo, se qualcosa c'era stato, lei non gli aveva riferito niente. Bene. Potevo liberarmi di quelle stupide ansie, e tornare a frequentarli, e a odiarli un po'. È così, l'ho sempre pensato: il buon accordo trascina all'odio, l'ordine ha bisogno di essere sconvolto. E con i Ponce a me veniva spontaneo.

Ma il pensiero di Donna Flavia non mi lasciava. M'ero fatto i miei calcoli. D'estate Ruben faticava negli alberghi o pensava alla spiaggia, passavano a prenderlo gli amici e spariva. Finita la pennichella pomeridiana, Ponce schizzava in bottega sul suo furgoncino e lei restava da sola. Cominciai ad aspettare ogni segnale, il suono dei clacson che chiamavano Ruben, le zampate di Rope sulla ghiaia che inseguivano Ponce fino al cancello, il rumore del furgoncino giù per i tornanti. Restavo nudo, disteso sul letto. Da oltre la buganvillea mi giungevano le note dei *tangos* di Gardel. Lo vedi?, è lei che ti provoca, mi dicevo. In realtà non ero per niente pratico di queste cose e l'incertezza, la paura, mi bloccavano sul letto, mi seccavano la gola. Se mi alzavo a sbirciare dalla tendina, la vedevo in giardino, mezza nuda, con la sua faccia da zanzara, sulla sdraio a fumare sigarette fini che poi faceva sparire perché Ponce non tollerava si fumasse in casa sua. A me quel gesto di disobbedienza, non lo so, sarà da stupidi, ma mi caricava, mi faceva sognare, e sperare in chissà cosa.

Finché, un pomeriggio, non mi feci ben forza, aspettai i segnali, clacson, ghiaia ecc., presi un libro e scesi nel parco. Le dissi attraverso la buganvillea:

«Allora grigliate basta? Bisogna aspettare il prossimo mondiale?»

Lei ridacchiò maliziosa.

«Non toccherebbe a lei, adesso?»

«Ha ragione... Ma che caldo!»

«Eh sì... Cosa fa di bello?»

«Niente, con questa canicola non si può fare niente... Scenderò a leggere al fresco, nell'ossario, *manso manso*.»

Per farla breve, dopo una mezz'ora, forse neanche, era da me.

Mentre le mostravo le segrete e le sale, i quadri d'autore e i mobili che cadono divorati dai tarli, le chiesi di togliermi una curiosità: cos'era successo quella famosa notte del vino mendozino?

«Facciamo i furbi?» disse.

L'ultimo quadro che le mostrai era in camera da letto e là la feci a pezzi.

Così, da quel giorno, e per tutta l'estate, aspettavo i segnali, nudo sul letto, le finestre spalancate, le tendine gonfie di brezza marina, il clacson, i copertoni sulla ghiaia ecc. Quando il furgoncino del panettiere non era ancora al secondo tornante, io avevo già Donna Flavia sopra. Le avevo dato le chiavi del cancello, arrivava come se fosse a casa sua. Si toglieva la tuta da apicultore e la poca roba che aveva addosso e, sotto o sopra di me, mi parlava per un bel po' in castigliano.

«Cagna!» la insultavo alla fine, sudato.

Devo dire, e l'ho fatto presente durante le indagini, che la prima volta che le dissi cagna lei la prese male, ma poi ci si abituò, tant'è che se alla fine non la chiamavo cagna si stupiva.

Me la trovavo davanti, nuda, a tutte le ore, anche di notte, mentre Ponce impastava in panaderia. Allora chiudevamo le finestre e ci facevamo a pezzi sul letto che fu di mio nonno sciù Bertun.

Però non mi piaceva più come all'inizio. Un conto è la passione e la foia, ma questa era diventata routine bella e buona, tran tran di insulti in castigliano e lotte mute con gemiti e lavate finali nel bagno di mio nonno sciù Bertun.

Lasciai passare l'estate, e poi fui costretto a dirle che così non poteva andare avanti, che perdevo chili (non mi vedeva nudo?). A malincuore, ma ero costretto a chiederle indietro le chiavi del cancello.

Balzò dal letto offesa. Si vestì senza neanche lavarsi, sbatté le chiavi sul comodino e uscì. Rimasi immobile, e la sentii tacchettare per i corridoi antichi.

Non l'avrei più rivista per un mese. Quando troppo quando niente, dicevo tra me. Intanto era di nuovo il periodo dei mondiali, e naturalmente furono serate di carne alla brace, con Ponce in pantaloncini e *camiseta blanca y azul*, piegato dal vino mendozino prima ancora del calcio d'inizio. Andò che l'Italia tornò a perdere proprio contro gli argentini, e Ponce e la cagna esultarono, aggrappati alla mia rete. Anche Rope si disperò felice tutta la notte. Era vecchiotto ormai, povero Rope. «Questo per te, ottimo Rope, sarà l'ultimo mondiale ho paura» gli dissi, gettandogli un osso.

Arrivò l'autunno, ed era un vero peccato non approfittarne, perché Ponce non si concedeva nemmeno più la pennichella pomeridiana. Finito di pranzare si faceva inseguire da Rope sulla ghiaia e schizzava giù al panificio col suo furgoncino, che io controllavo con il binocolo dalla finestra. Anche Ruben stava fuori tutta la settimana, studiava scienze politiche a Genova.

Donna Flavia si presentò un pomeriggio di novembre.

Avevo la bocca cattiva, lo ricordo come fosse ora. Mi chiese se bevevo per lei.

«E per chi sennò, cagna!» le dissi.

Quell'inverno lo trascorsi praticamente a letto. Prendevo un sacco di vitamine, ma ero sempre stanco, sprofondato in un sensuale torpore. Le avevo consegnato di nuovo le chiavi, sentivo cigolare il cancello e me la vedevo arrivare in camera. Muta, si spogliava, s'infilava sotto le coperte (un inverno freddo in Liguria, specie da me che per risparmiare accendo la stufa solo in cucina) e ci facevamo a pezzi.

A volte, non so perché, mi veniva voglia di metterle le mani addosso e di dargliele di santa ragione, poi, non trovando un motivo, rimandavo.

Giunse il tempo in cui dal letto avevamo cominciato a togliere una coperta, e poi l'altra. Oltre i vetri, il cambio della stagione si avvertiva dalla presenza di nuovi uccelli. Spariti i tordi e le gazze, il cielo di Porto Maurizio era dei rondoni.

Noi continuavamo a farci a pezzi tutti i pomeriggi.

La sera di San Giovanni, Ponce le disse che usciva da solo, mise in moto il furgoncino e schizzò via sulla ghiaia. Lei venne da me vestita da insettologa, si spogliò in fretta e, nudi sul letto, al buio, guardammo lo spettacolo dei fuochi d'artificio in mare al largo di Oneglia.

«Un altr'anno di questi tempi sarete già in Patagonia!» le dissi.

La sentii ridere silenziosa, con la sua faccia da zanzara. Si scusò.

«Ma quando ve ne andate di preciso, si può sapere? Ponce parla di mesi, c'è da crederci? Dice che il negozio ormai è venduto e che gli stessi che comprerebbero il panificio vorrebbero anche Villa Crosa, tutto in blocco dice...»

«Ah, se lo dice lui...»

Venni a sapere che in parte era vero, qui avrebbero potuto vendere dall'oggi al domani, ma era laggiù, in Patagonia, che il fratello doveva aver investito male. Ponce con me non si confidava, però qualcosa avevo intuito, perché quando squillava il telefono in casa loro e mi mettevo a origliare dietro la tendina, sentivo Ponce gridare in quella sua lingua piena di *che* e dal tono capivo che le cose in Patagonia andavano come una nave in un bosco.

Quando mi vedeva in giardino, se ne usciva con una di quelle sue frasi fatte tipo: «È incredibile».

«Cosa?»

«È incredibile come in Argentina appena hai messo su un certo capitale le banche te lo facciano fruttare.»

Mentiva, per disperazione.

Prima dell'inverno vennero le lunghe piogge. Senza una ragione (presentivo qualcosa?) avevo ripreso a stare in ansia, a pensare che Ponce sospettasse qualcosa. Una volta sentii che mi chiamava dal giardino ed ebbi di nuovo paura che ci avesse scoperto. Non risposi.

Quand'ero stretto a lei nel sudore delle lenzuola pensavo al passato, agli anni in cui avrei potuto averla, sarebbe bastato far così col dito per possederla, ma non l'avevo fatto. Un giorno glielo volli chiedere, se era vero o era solo una mia impressione. Timidamente, fece di sì con la testa.

Non so cosa ci trovasse in me, tuttavia ero sicuro che le avessi tolto un'altra volta le chiavi e mi fossi negato, le sarebbe venuto un esaurimento nervoso.

Mi sbagliavo.

Faceva di nuovo freddo e quell'anno i limoni del notaio erano già mezzi gelati. Ogni tanto uscivo di casa e andavo per le mie terre di ulivi bruciati dai roghi. Tagliavo qualche tronco che s'era salvato e mi procuravo provviste di legna. Lei si lamentava che con la poca legna che raccoglievo riscaldavo solo la cucina, mentre il resto della casa restava freddo come il marmo.

«Allora non venire più» le dissi. «Non venire più e ridammi le chiavi.»

Rispose che non la conoscevo ancora. Si rivestì, sbatté le chiavi sul comodino e se ne andò. Per la seconda volta non la rividi per parecchio tempo.

Era l'anno in cui Ruben aveva interrotto l'università ed era andato soldato, bersagliere non so più dove. Questo significava comunque che i Ponce non sarebbero ancora partiti.

Non avrei voluto farlo, e mi maledicevo da solo, ma le telefonavo, alla cagna, se sapevo che era sola. Non rispondeva. Allora lasciavo il cancello socchiuso: per quando si deciderà, pensavo. E infatti, un giorno che faceva di nuovo bello, uno di quei pomeriggi pieni di rondoni, mentre me ne stavo nudo sul letto me la ritrovai in camera.

Ebbi l'impressione che fosse tornata solo perché smettessi di cercarla al telefono, o per il timore che facessi scenate dalla finestra. D'altra parte, che non l'avrebbe passata più liscia se di colpo in bianco avesse ridato un taglio al nostro rapporto come aveva già fatto due volte, ora me lo leggeva negli occhi. Forse anche lei un po' mi odiava: mi guardava fisso mentre le scattavo addosso e mi odiava. Sicuramente mi odiava quando la tormentavo dicendole: «Te l'immagini se il Ponce o tuo figlio ci trovassero qui nudi come vermi?»

Ultimamente, nuda non si metteva nemmeno. Abbassava la tuta da insettologa e si sdraiava. Poi sentivo l'acqua del bidet e, senza neanche rientrare in camera a salutarmi, i suoi passi che si allontanavano.

Di tanto in tanto si presentavano certi visitatori a vedere Villa Crosa, che era in vendita presso un'agenzia di Porto Maurizio. Così, tutte le scuse per non venire da me erano buone. Mi telefonava dicendo che doveva pulire, che l'indomani arrivava gente, e poi che tornavano quelli della settimana prima a dare una risposta. A volte, però, non si presentava nessuno (la spiavo dietro le tendine e non mi scappava niente).

Per parte mia, intralciavo apposta l'acquisto di qualche ben intenzionato, un po' perché non volevo che lei se ne andasse e un po' per far dispetto a Ponce. Quando venivano a vedere la villa e mi chiedevano: «Sarebbe poi disposto a sfoltire questa buganvillea che toglie il sole e accampa i topi?», io rispondevo secco: «La buganvillea, caro lei, non si tocca. In caso avesse in mente di comprare, è avvisato».

Nessuno comprava con un vicino simile. In realtà, una coppia che se ne fregava della buganvillea c'era stata, ma avevo sistemato anche loro. La moglie, una bionda agitata, s'era messa in un angolo del giardino e già calcolava dove avrebbe fatto costruire una piscina. Il marito, un manager pelatino, guardando giù dove scorre il torrente, mi aveva chiesto con il suo marcato accento piemontese:

«È navigabile con la canoa il torrente?»

«Tua sorella è navigabile» avevo risposto.

Naturalmente, neanche quelli avevano comprato, e la sera Donna Flavia ne aveva parlato a Ponce.

«Tano, non farmi mai più di questi scherzi o chiamo davvero qualche vigile del Comune e ti faccio *cortar* la buganvillea» mi aveva minacciato lui. E aveva aggiunto: «*Verguenza!*» Che sta per vergogna, così come cortare significa tagliare, mentre Tano gli argentini lo dicono a noi italiani.

Io avevo alzato le spalle. «E chiamali» ero sbottato, «falli venire i vigili, denuncia, denuncia pure, mangiamoci dei dollari con gli avvocati!»

Eravamo ai ferri corti, e chi ci perdeva alla fine ero io, perché l'indomani la cagna non si faceva viva.

Un giorno passai all'azione. Mi assicurai che Ponce fosse al negozio e la chiamai. Le dissi più o meno: «O vieni entro due minuti da quando butto giù il telefono o il numero che faccio dopo è quello della *panadería*».

Non feci in tempo a svestirmi e stendermi sul letto che ce

l'avevo già sopra. Queste minacce, questo suo precipitarsi da me mi eccitavano, me la facevano sentire puttanescamente mia, anche se spifferare tutto a Ponce era un meschino ricatto al quale pensavo di non dover giungere mai.

Ma i pomeriggi con la cagna si diradavano sempre di più.

A complicare le cose, e a ridurre le visite a una capatina infrasettimanale, ci si mise anche la banda degli argentini, detta poi banda degli zaini.

Arrivarono un giorno di ottobre che pioveva come il cielo la mandava. Aprii la finestra verso il mare e vidi tre uomini che salivano su per la scalinata del colle con lo zaino in spalla e l'ombrello. Presi il binocolo e notai che si erano fermati a domandare qualcosa al postino. Dopo un po' chiesero di nuovo informazioni alla signora De Rusconi. Le mostrarono un foglietto e la De Rusconi fece segno quassù. Le possibilità erano poche: o andavano dal notaio, o dal colonnello, o dal sindacalista, oppure dai Ponce o da me. Rappresentanti non sembravano, testimoni di Geova nemmeno.

Arrivati al cancello dei Ponce, si tolsero gli zaini dalle spalle, suonarono e aspettarono.

Che fossero argentini lo venni a sapere da Donna Flavia qualche giorno dopo. Tutti e tre argentini, tra cui un nipote, figlio di un fratello di Ponce.

«Sono venuti a *pasear* per l'Europa» mi spiegò lei.

«In che senso passeggiare? Sono qui per lavoro, si fermano tanto?» mi informai prevedendo tempi lunghi.

L'arrivo degli argentini fu un'altra delle sue scuse per non venirmi a trovare. Siccome pioveva, se ne stavano tappati in casa, mettevano canzoni politiche contro la dittatura a tutto volume e la smettevano solo quando si presentava Ponce con il suo furgoncino. A volte scendevano con lui in città.

Allora mi precipitavo a telefonarle, ma lei, immaginando che potessi essere io, si negava.

«Cagna!» le gridavo dalla finestra verso merenda, cioè verso il mare, perché mi sentissero tutti.

Un mattino si presentò al cancello di Villa Crosa il furgone di un impresario edile. Una pattuglia di manovali, carpentieri e falegnami scaricò attrezzi e materiali e iniziò a costruire una piccola e strana serra accanto alla serra già esistente. Dissi subito al capomastro di mettere in evidenza il cartello con il nome dell'impresa, la licenza di edificabilità e il nome dell'ingegnere che aveva firmato il progetto, con il calcolo del cemento armato. Il giorno dopo lessi i dati sul cartello e incaricai il mio avvocato di verificare che non avvenissero abusi.

A posto, come sempre.

Per tutto il tempo in cui ci furono i muratori, gli argentini non uscirono di casa. I colpi di martello dei manovali attutivano il frastuono delle canzoni politiche latinoamericane. Solo in seguito, quando l'impresa ebbe terminato i lavori, ripresero di nuovo a scendere in città, sempre più spesso, quasi ogni giorno.

Tornavano tardi, su per le scorciatoie. Io li aspettavo con il binocolo puntato e di una cosa non mi potevo capacitare: ogni giorno scendevano con gli zaini in spalla vuoti e la sera salivano carichi.

Informazioni da lei non c'era verso di averne.

Per sapere a cosa servisse la nuova serra e quanto si sarebbero fermati ancora gli argentini, una sera feci finta di niente e aspettai che rientrasse Ponce sul solito furgoncino, la faccia sporca di farina. Lasciai che posteggiasse e gli andai incontro.

«Ponce, meno male che ti vedo. Domani dovresti portarmi un chilo e mezzo di paste secche. Sai, vengono a trovarmi certi parenti da Novara... Ma vedo che anche tu hai ospiti, e che hai deciso di allargarti...»

«Ah, *el vivero*. Donna Flavia s'è messa ad allevare la zanzara *chaqueña*.»

«Te l'hanno portata gli ospiti? Non ce ne sono già abbastanza di zanzare?»

Ponce disse che erano zanzare pericolosissime, molto velenose, e che il giorno che se ne fosse andato dal colle le avrebbe liberate.

Aggiunse che scherzava.

«E gli ospiti chi sono?» chiesi.

«Uno è mio nipote, ma sono tutti e tre ragazzi di buona famiglia, gente che laggiù ha dei campi.»

«Avranno dei campi» dissi, «ma molto in carne a me non sembrano... Stanno qui ancora tanto?»

Rispose che sarebbero partiti a giorni e la faccenda morì lì.

Le informazioni di Ponce, però, si rivelarono sballate. Il tempo passava, Donna Flavia trascorreva i pomeriggi nel nuovo *vivero*, come l'aveva chiamato Ponce, e gli argentini non se ne andavano. Ogni giorno scendevano in città con gli zaini vuoti e risalivano carichi. Due, tra i quali il nipote di Ponce, erano davvero lunghi e magri, quasi denutriti. Il terzo, invece, che chiamavano El Cordobés, era piuttosto ben messo, una faccia tutta barba e il difetto di farsi aspettare, tant'è che quando i due erano già giunti a metà scorciatoia erano sempre costretti ad aspettarlo.

«*Dale*, Cordobés!» gridavano, e dovevano ripeterlo sette o otto volte prima che comparisse, raggiungendoli di corsa. Poi, assieme, in fila indiana, si dirigevano verso le prime case di Porto Maurizio.

Che El Cordobés fosse un mandrillo me ne accorsi il giorno in cui ci incontrammo per le terrazze, lui di là della rete, io di qua.

«*Buenos días, está laburando la tierra?*»

E io: «No, guardando. *Manso*». E poi: «*Cordobés, te gusta Puerto Mauricio?*»

«*A donde hay concha me gusta, Tano, me gusta bajar al presepe.*»

«Ah!»

Concha, me l'aveva insegnato Donna Flavia, significa fica, per il resto, non avendo ben capito, mi ero limitato a dire Ah! Ma dopo un po' mi fu chiaro cosa intendeva. Misi la faccia tra la buganvillea per guardarlo da vicino. Avrei voluto confrontarlo con un altro cordobés per vedere se erano tutti così, spalle larghe, barba caprina e sguardo torvo.

Quella notte, con l'idea fissa che Donna Flavia salisse addosso al cordobés e che lui le scendesse al presepe, mi ubriacai e scesi nel parco. Afferrai un pietrone e lo gettai a pochi metri dal *vivero*. Mi ferii anche in un canneto. Poi, mi appostai tra l'edera e aspettai che al mattino lei uscisse a gettare l'immondizia. La trascinai di forza da me e la presi per terra nell'erbaccio. «Alla garibaldina» le dissi.

Andò avanti così per un po' di tempo. Poi, una notte di pioggerellina, ci fu la svolta. Si fermarono davanti al cancello di Villa Crosa un paio di volanti della polizia. Il notaio da sopra, il colonnello in pensione e il sindacalista di lato, tutti allungavano il collo dalle loro siepi. E finalmente saltò fuori la verità: i poliziotti perquisirono la villa e si portarono via un furgone pieno di refurtiva. L'indomani gli argentini erano tutti sul «Secolo» con tanto di foto.

Per i furti usavano una tecnica vecchissima. Entravano in un negozio, il nipote di Ponce, che masticava meglio degli altri l'italiano, intratteneva la commessa, mentre il cordobés, grandi spalle e sguardo severo, stava dietro con lo zaino in spalla ma aperto. Intanto l'altro, che con le mani doveva essere una specie di mandrake, appena la commessa si girava per prendere qualcosa, infilava di tutto nello zaino.

«Te lo dicevo io che non mi piacevano» dissi a Ruben, che aveva finito il servizio militare e, indeciso se riprendere l'università o entrare in Finanza, s'era rimesso a fare il cameriere negli alberghi a Diano.

Quanto a me, continuavo ad aspettare sua madre: ora le manca l'osso, mi dicevo. Lei però non si faceva viva. Controllavo attraverso le tendine se andava in città, se qualcuno la veniva a trovare. Niente. Se ne stava in casa oppure nel *vivero*, con i suoi maledetti insetti.

Chi aveva sofferto di più per la faccenda degli argentini era comunque Pedro Ponce. Economicamente, poi, era stata una batosta. In città le cose le vengono a sapere anche i marciapiedi, e ancora adesso non puoi entrare in un negozio con la barba lunga e lo zainetto in spalla che ti additano e ti tacciano subito di argentino.

Il nome Ponce sul «Secolo» era apparso, poco importa se era quello del nipote: c'era la foto di Villa Crosa, dove la banda aveva la base, e le telecamere della tv locale, piazzate fuori dal cancello, avevano ripreso il camioncino della polizia carico di refurtiva. Per Ponce ce n'era d'avanzo. Fosse potuto partire quel giorno stesso, l'avrebbe fatto.

Invece passarono altri mesi. Il tempo era un'altra volta una bellezza. Il pomeriggio avevo ripreso le solite passeggiate in regione Lagoni, dalle parti dell'autostrada, per intenderci. Mio nonno sciù Bertun aveva incluso nell'eredità un ettaro di ulivi arsi che non valevano la tassa di successione, ma in Comune pare avessero modificato il piano regolatore e più di un costruttore era venuto a propormi affari. La vendita di quel terreno veniva giusto a taglio, il liquido cominciava a scarseggiare, e dopo il terreno avrei cominciato a far fuori anche queste biblioteche che sembrano sacrestie, e i quadri d'autore. Tutto mi vendo, pensavo, e l'avevo confidato a Donna Flavia. Ma, come ho detto al giudice, è stata anche questa volta una questione di tempo.

Un pomeriggio lei aveva varcato il cancello. L'avevo posseduta regolarmente, giorno sì e giorno no, per quasi tutta l'estate. Ma che ci fosse qualcosa di strano l'avrei dovuto intuire fin da quel primo giorno, quando mi ero alzato dal letto e, anziché in bagno, l'avevo sorpresa che girava per gli stanzoni del piano di sopra. Un po' alla volta, questo girare per la casa dopo esserci fatti a pezzi, era diventata un'abitudine. Io me ne stavo *manso* e sudato sul letto e la sentivo camminare per i corridoi, sopra la mia testa, sul parquet antico, e aprire armadi. Un giorno volli capire cosa succedeva. Mi alzai, andai in punta di piedi al piano superiore e la trovai in biblioteca. Aveva la scopa in mano e faceva le pulizie. Disse che in quella sporcizia non si poteva più stare.

«Ma non puoi occupartene prima di metterci a letto?» le dissi io.

Anzi, che lo prendesse pure come un dovere, una mezz'ora di pulizie, una bella doccia e poi la ripagavo con gli interessi... Lei si mise a ridere, con la sua faccia da zanzara. Le dissi anche che assomigliava sempre più a una zanzara, e avevamo riso assieme. Prima che andasse via, le avevo dato una bella palpata al seno.

Chi l'avrebbe mai detto che non avrei mai più avuto occasione di farlo?

E stavolta per davvero, mai più.

Per tre giorni non si fece vedere, neanche attraverso i vetri, e il quarto giorno – eravamo alla fine di novembre – i Ponce lasciarono Villa Crosa.

Le malelingue, i notai, i colonnelli in pensione e i sindacalisti che non li avevano mai potuti vedere, dicevano che erano stati costretti ad aspettare la fine della stagione negli alberghi e i soldi che aveva guadagnato Ruben per pagarsi i biglietti dell'aereo, mentre con la vendita di Villa Crosa avevano saldato i debiti con le banche. Il panificio non l'aveva voluto nessuno, pare fosse stato assorbito dal supermercato.

Non mi avevano neanche salutato.

Un pomeriggio – io ero a vedere i miei terreni con il geometra del Comune – era venuto un grosso furgone, aveva caricato quel che valeva la pena, e il mattino dopo i Ponce erano partiti in taxi, schizzando via sulla ghiaietta come per tanti anni avevano fatto con il furgoncino.

Mi chiesi come mai tanta fretta, e perché Ponce non mi avesse nemmeno detto, anzi fatto pesare per l'ultima volta, come chi ha vinto la battaglia finale, che se ne tornava oltre pozzanghera, a controllare i *salariados*, i *gauchos* nei suoi campi, gli ettari a perdita d'occhio e la sua sconfinata Patagonia ricca di minerali e di bestiame. Tutto suo. Che poi non fosse vero, che importava? A quel punto poteva anche farmelo credere, tanto non l'avrei più potuto smentire. Perché rinunciare a vincere quella piccola guerra con me? Era evidente che la nostra era stata una guerra, combattuta a suon di *tangos*, *asado* e vino mendozino, tra sorrisi e odi, come ogni buon vicino di casa. A contendersi cosa, poi, chi lo sa. Donna Flavia, anche se quei pomeriggi passati a farci a pezzi mi erano entrati nel sangue, non era la vera posta in gioco.

Che sbaglio non aver riflettuto sull'insieme di stranezze di quell'addio! Ma allora, più che uno strano comportamento non m'era parso, e c'era poi quella storia della vendita del terreno in regione Lagoni, che mi assorbiva più di ogni altra cosa.

Accusai il colpo tardi, una decina d'ore dopo che se n'erano andati, quando probabilmente il taxi li aveva già scaricati all'aeroporto. Mi precipitai al telefono e feci il 113. Mi presentai: «Sono il nipote di Sciù Bertun, venite immediatamente, c'è stato un furto, bloccate gli aeroporti...»

Le collezioni di francobolli rari, le spille preziose... anche sui marenghi quella cagna aveva messo le mani. Per non parlare delle tele dell'olandese di Haarlem, che avevo sigillato nei comò sotto le camicie e che la cagna, o chi per lei o con lei, era riuscita a scovare.

I furti dovevano essere avvenuti poco per volta, goccia a goccia, ogni volta che la sentivo sgattaiolare fuori dal bagno e infilarsi al piano di sopra in uno stanzone, una serie di francobolli oggi, un pugno di marenghi il giorno dopo, un quadro ben impacchettato il giorno dopo ancora, e io, bestia, mai a controllare, mai a insospettirmi. Chiuso nella mia vanagloria, e nella mia foia, soddisfatto di farla in barba a Ponce. Bestia.

Verso i primi di dicembre, il giudice mi ha convocato una seconda volta. Le notizie sono delle più brutte (ma che importa ormai). Pare che i Ponce abbiano viaggiato da Nizza a Barcellona e da lì siano partiti definitivamente per Buenos Aires con un volo delle Aerolineas Argentinas. A Buenos Aires, all'aeroporto di Ezeiza, li aspettava l'Interpol, che però non li ha potuti trattenere in quanto «puliti».

Ho detto ma che importa ormai, perché c'è dell'altro... Quella cagna mi ha fregato molto più della roba. Mi ha avvelenato. E adesso, dal mio posto nell'ossario, posso solo chiedermi: che ne sarà di questa casa, di questo colle?

Già, il veleno. È successo esattamente il giorno dopo la loro partenza. La sera, sopra il pozzo e il canneto paludoso si sentiva un ronzio strano, e si vedevano zanzare che inseguivano farfalle, merli che scappavano. Persino le rane tacevano.

Ero sulla terrazza e tentai la fuga anch'io. Mi chiusi in sala, ma le zanzare erano già entrate in casa. In un attimo una squadriglia di quei maledetti insetti mi assalì, non li sentii nemmeno pungermi. Lì per lì non pensai alle storie terribili che Ponce mi aveva raccontato sulla zanzara *chaqueña*. Ma nella notte la febbre mi salì a quaranta, e allora quelle storie di colpo mi tornarono in mente.

Corsi in biblioteca, tremante, mi misi una coperta addosso e lessi: consultai libri, cercai affannosamente notizie. La zanzara *chaqueña* esisteva davvero, in gergo la chiamavano *el mosquito criollo*, la zanzara creola. Ed era vero che Donna Flavia aveva fatto costruire il *vivero* per allevarle, e per liberarle quando fossero andati via. Con qualche congegno maledetto doveva aver fatto in modo che le zanzare creole, una decina d'ore dopo la partenza del taxi, sciamassero in libertà. Era la loro vendetta annunciata. E io che avevo creduto fosse una delle tante chiacchiere di Ponce!

Lessi tutta la notte, sfinito. La mattina mi ingegnai a trovare rimedi, cure. Quando arrivò la polizia, le zanzare creole erano già in azione. Forse avrebbero invaso il colle, o forse, chissà, sarebbero morte divorate dai rondoni.

Andai all'ospedale, la febbre non passava, e mi diagnosticarono una rarissima forma di Dengue, molto contagiosa.

Mi misero in quarantena, il giudice che seguiva le indagini mi parlava attraverso una vetrata. Ma quando mi disse che anche altre persone del colle potevano essere state infettate un po' non mi dispiacque. Questo odio per la gente del colle era uno dei legami perversi che in fondo mi univano ai Ponce.

È passato l'inverno e non sono ancora morto. Tra gli abitanti del colle solo la moglie del sindacalista, quello con la villa all'opaco, è rimasta contagiata ed è morta.

Ho chiesto a tutti di non venirmi più a trovare, di starmi distanti, di non disturbarmi più. Per la spesa telefono al supermercato e un commesso viene a lasciarmi le buste di plastica dentro al cancello.

Qualche giorno fa a Villa Crosa è tornato Rope, evidentemente era stato abbandonato in qualche paesino dell'entroterra. Un segugio del suo calibro ci avrebbe messo poco a tornare sulle tracce di casa, ma Rope è vecchio e chissà che giro ha fatto prima di arrivare qui. È già tanto se non ti sei fatto schiacciare da qualche macchina, gli dico ogni tanto. L'ho preso a vivere con me, e lo lascio libero nel parco.

Passo molte ore delle mie giornate nelle segrete, a fantasticare sulla particolare acidità dell'aria che ha conservato gli scheletri. Credo che un giorno mi ci porterò abbastanza provviste in modo da non uscire più, ma non voglio neanche più continuare a riempire queste carte e rievocare questa orribile storia. La più grande nausea per un cinico è di provare pietà per se stesso.

Sto qui, rinchiuso tra le ossa che tra un po' ospiteranno anche le mie, oppure sdraiato a letto nelle coperte sudate. A volte mi sembra di essere già morto da sempre, da prima della guerra, ma prima d'un bel pezzo, quando gettavo già occhiate da mandrillo alle gambe delle serve e il nonno sciù Bertun girava spavaldo per i corridoi lucenti con la camicia nera. Sto qui, e un giorno, come per i miei antenati, spero che neanche di me si possa sapere se si tratta di ossa nobili o di ossa di canaglia.

IJmuiden, dicembre 2006

GIANLUCA MOROZZI

Il ghiaccio sottile

A mezzanotte e un quarto tuo figlio sta volando nell'aria, vola, sbalzato di sella. Comincia a cadere, cade, si schianta sull'asfalto, a dieci metri esatti dal suo motorino.

Quando le ossa di tuo figlio si spezzano all'impatto, tu sei dall'altra parte di Ravenna, seduto sul divano, ignaro di tutto. Nel caldo salotto della tua casa nuova, la tv accesa giusto per farti compagnia e le bollette ammonticchiate sulle ginocchia. Tua moglie è andata a dormire dopo il film, i tuoi figli ancora devono rientrare.

Alessio, il più grande, è dalla fidanzata come ogni sera. Non ha amici, non ha svaghi, lui, ha solo la sua Francesca. Fin dal giorno in cui ha preso la patente, Alessio cena in casa, aiuta a sparecchiare, poi dà un bacio a sua madre, saluta, salta sulla sua Smart azzurra e se ne va a Sant'Alberto a guardare la televisione dalla Francesca. Stanno insieme dalla prima superiore, lui e la Francesca, si sposeranno, prima o poi, ti daranno qualche nipotino. Non ti dà una preoccupazione che sia una, quel tuo figlio più grande.

Sebastiano, il piccolino, ha dieci anni in meno di suo fratello. Lo avete messo al mondo tardi. Tua moglie Teresa è più giovane di te, ma tu, di Seba, potresti anche essere il nonno.

Sebastiano non ha mai avuto una fidanzata per più di una settimana. Sua madre lo prende in giro, affettuosamente, si intende. Gli dice Questa non è mica la stessa della settimana scorsa!, ma non si preoccupa, ha sedici anni, Sebastiano, fa bene a divertirsi. È sempre in giro, ha un sacco di amici e un sacco di ragazze. Anche adesso, per quanto ne sai tu, sta scorrazzando per le strade di Ravenna in sella al suo amato motorino. Dai un'occhiata fuori, vedi che ha cominciato a piovere. Ti auguri che Seba abbia il buon senso di rientrare in fretta, prima di bagnarsi come il classico pulcino.

Esamini la bolletta del telefono, scuoti la testa. Domani a pranzo dovrai fare un discorso ai ragazzi, un discorsetto chiaro e preciso sull'utilizzo del telefono e di internet. Che non si può andare avanti così, a tremare ogni volta che arriva la bolletta solo perché non riescono a capire, per esempio, che non si deve mai chiamare un cellulare da un telefono fisso. Sui costi dovuti a internet, be', cercherai di glissare un po' per non mortificare Teresa.

Un giorno che era sola in casa, tua moglie ha aperto la porta a uno sconosciuto. Credeva che fosse l'uomo del gas, si è giustificata, che dovesse leggere il contatore. Per questo lo ha fatto entrare. Credeva fosse l'uomo del gas.

Quello, appena ha avuto un piede oltre la soglia, ha iniziato a stordirla blaterando a raffica. A chiedere dettagli sulla vostra connessione a internet, a illustrare i vantaggi del passaggio a un altro gestore, a riempirla di dépliant informativi, tutto con una parlantina sciolta che l'aveva mandata in confusione, povera donna. Dieci minuti e quello era seduto al tavolo di cucina a farsi firmare un contratto da tua moglie, inebetita da quella combinazione di invadenza e lingua sciolta.

I tuoi figli l'avevano presa un po' in giro, dopo, ma lei era così mortificata, poveretta, che vi siete tutti autoconvinti del grande risparmio e della convenienza del passaggio al nuovo gestore. Ora stai esaminando la bolletta e non lo vedi proprio, questo gran risparmio, ma glisserai su questo punto. Non ti va di far passare tua moglie per una sprovveduta. Certi venditori saprebbero affittare l'acqua ai pesci, e tra l'altro, ti pare di aver letto, a volte irretiscono i clienti con delle tecniche simili all'ipnosi. Non è mica colpa di tua moglie, e del resto lo usi anche tu, no, internet? Da quando hai scoperto quel sito di araldica che è diventato la tua passione, sei sempre davanti al computer di Alessio a stampare documenti e a cercare le ascendenze della tua famiglia. Sei convinto di avere qualche goccia di sangue blu, di discendere dal ramo secco di una dinastia dell'alta Romagna. E allora fai correre le dita sui tasti del computer.

Chi l'avrebbe mai detto, pensi con una punta di autocompiacimento, che quelle mani abituate a portare secchi di cemento avrebbero digitato parole chiave sui motori di ricerca? Ogni tanto le guardi, quelle dita da bue che ti ritrovi. Hai paura di spezzare i tasti del computer di Alessio, di schiacciarli per eccesso di forza.

Va bene, pensi, pagheremo anche questa bolletta e faremo degli altri sacrifici. Che tanto è tutta la vita che facciamo sacrifici, per sposarci, per l'affitto del vecchio appartamento, per i figli, per la macchina.

Ti guardi intorno.

La tua nuova casa è stata il premio a tutte le rinunce. Quando finirete di pagare il mutuo sarà vostra, finalmente.

È così bella la vostra casa, così spaziosa. Avete vissuto tutta la vita in un buco in affitto, schiacciati gli uni sugli altri, e adesso avete una scala dal seminterrato alla sala e un'altra scala che porta al piano superiore. Valeva la pena, pensi, valeva la pena fare tanti sforzi e continuare a farne, per avere questi tre piani di proprietà vostri e solo vostri. E poi, dalla finestra puoi vedere il porto di Ravenna che tanto ti piace guardare.

A mezzanotte e quarantacinque stai per alzarti dal divano e raggiungere tua moglie nel letto, quando di colpo squilla il telefono. Non il cellulare, che tieni sempre acceso. Il fisso, quello nel corridoio.

Non ti allarmi, lì per lì.

Alessio, pensi, è Alessio che rimane a dormire dalla Francesca. Certo, poteva chiamarti al cellulare, a quest'ora, anziché rischiare di svegliare sua madre. Ti alzi. Vai a rispondere.

Non è Alessio.

È uno sconosciuto. Farfuglia cose che lì per lì non capisci.

Mentre cerchi di capire cosa sta succedendo, nel flusso di parole distingui il nome di tuo figlio. Non Alessio.

Sebastiano.
E ti si ghiaccia il sangue.

Mentre la città dorme e tu guidi come un pazzo verso l'ospedale, tua moglie stringe la borsa e continua a chiederti altri dettagli. Ma cos'ha detto il poliziotto?, Ma lo aveva il casco?, Ma è cosciente?, e tu non puoi far altro che ripetere le stesse cose, le poche che sai, Che Seba ha avuto un incidente col motorino, che è in rianimazione, e basta.

Parcheggi in divieto di sosta davanti all'ospedale, scendi senza chiudere la macchina. Vi precipitate dentro il pronto soccorso, afferri per un braccio il primo infermiere che passa, gli chiedi di tuo figlio. L'infermiere entra in un ufficio, parla con qualcuno, esce, vi dà indicazioni per il reparto rianimazione.

Aspettate un ascensore in assoluto silenzio. Entrate in ascensore. Schiacciate un pulsante. L'ascensore sale con dentro voi due, muti a pugni stretti.

Pochi minuti dopo siete in piedi davanti a un medico. Tutti e due avete addosso il pigiama sotto la tuta che vi siete infilati in fretta.

Il medico vi illustra la probabile dinamica dell'incidente. Vi dice che vostro figlio è stato – presumibilmente – travolto da un'auto all'interno della rotonda Irlanda, che l'auto – presumibilmente – si è immessa nella rotonda Irlanda senza rispettare la precedenza, che l'investitore è scappato senza prestare soccorso. A chiamare l'ambulanza, dice, è stato un anziano che rientrava a casa e che al momento è il solo testimone dell'accaduto. E dopo elenca i traumi che ha subito vostro figlio.

Tua moglie comincia a singhiozzare sempre più forte e a urlare Oddio, oddio, e tu ti sorprendi a guardare la bocca del medico mentre forma le parole. Ti aspetti che dopo ogni mazzata aggiunga *Ma per fortuna*.

Dice che la spina dorsale di Sebastiano è gravemente lesionata, e tu aspetti che aggiunga Ma per fortuna non rischia di non camminare più.

Dice che le costole potrebbero aver perforato i polmoni, e aspetti che dica Ma per fortuna non è successo.

Non dice niente di tutto questo.

Dice che vostro figlio è in coma. Che se anche dovesse svegliarsi non camminerà mai più. Che bisognerà verificare i danni ai polmoni.

Sei in piedi nel corridoio dell'ospedale di Ravenna, nel cuore della notte, col pigiama sotto la tuta. Nella tasca del pigiama, lì dove l'hai ficcata allo squillo del telefono, c'è ancora la bolletta che mezz'ora fa era la tua preoccupazione principale.

Mezz'ora dopo vi raggiunge Alessio, direttamente da Sant'Alberto. Irrompe in ospedale come impazzito, è fuori di sé. Urla che vuole assolutamente vedere suo fratello, urla a un infermiere di portare un bicchier d'acqua per sua madre, non lo vede che sta male?, e mentre Alessio strilla, nei corridoi dell'ospedale, tu riesci a pensare soltanto a una cosa.

Che tuo figlio non camminerà più.

E che stai pagando il mutuo di una casa che ha due rampe di scale.

Uscite dall'ospedale che è mattina. Quando torni alla tua macchina, ci trovi una multa per divieto di sosta.

Sfili la multa dal tergicristallo, la metti in tasca senza dire una parola.

Il testimone è un pensionato di nome Umberto Magli. Abita a duecento metri dalla rotonda Irlanda, è stato il primo ad arrivare sul luogo dell'incidente e a chiamare l'ambulanza.

Il signor Magli sarebbe prontissimo ad arricchire con la sua testimonianza la denuncia contro ignoti. Dice con veemenza: Quel porco che ha investito il ragazzino ed è scappato come un delinquente non la deve mica passar liscia, in galera, deve andare.

Sarebbe prontissimo, appunto. Ma purtroppo vien fuori che non è proprio un testimone, diciamo così. È un mezzo testimone, il signor Magli. Al momento dell'incidente era a duecento metri di distanza con la chiave di casa infilata nel portone, non ha visto l'accaduto coi suoi occhi. Può solo fornire dei particolari per aiutare a ricostruire gli eventi.

Ero appena uscito dal bar, dice il signor Magli, dal bar a casa mia ci saranno cento, centocinquanta metri. Sarà stata mezzanotte, mezzanotte e cinque, pioveva, per strada non c'era un'anima. Sono lì che cerco le chiavi del mio portone, quando sento un gran stridore di gomme in fondo alla via Ravegnana. Non dalla parte della rotonda, dall'altra parte. In direzione della rotonda, in pratica, ma ancora alle mie spalle. Mi son spiegato?

Be', mi volto, e vedo i fari di 'sta Golf nera che arrivano a una velocità da pazzi.

A quell'ora non c'era in giro proprio nessuno, ma andar così veloci in una strada di città, insomma, è proprio una cosa da deficienti. Capisco uno stradone, capisco un'autostrada, ma andare così veloci in via Ravegnana, insomma, con la strada bagnata, poi...

Be', allora, 'sta Golf nera mi passa di fianco che va come una scheggia. Mi schizza addosso un po' d'acqua, così le tiro due cancheri. Dico Vai Nuvolari che arrivi primo! e poi qualche altra cosa che non è mica tanto educato riferire.

La targa? Magari! Si figuri se mi ricordo la targa.

Io mi ero schiacciato contro la casa per non farmi schizzare, quello andava come una saetta, la targa l'avrò vista per mezzo secondo... guardi, sono abbastanza sicuro che fosse targata Ravenna, ma qui mi fermo. So che era una Golf, e che era nera.

Il guidatore? Eh, no, non ho visto il guidatore. Capisce,

io ero sul marciapiede a destra, ho scorto giusto un attimo il passeggero, dei gran capelli biondi, una ragazza, ma al volo, eh? Non le so dire i lineamenti né niente...

Il guidatore, quello, non l'ho visto neanche di striscio.

Be', insomma, la Golf è sparita in fondo alla strada, dove c'è la rotonda. Chi arriva dalla via Ravegnana deve dare la precedenza a chi sta girando dentro la rotonda, c'è un cartello grande così, dare precedenza, lo vede anche un cieco. Allora dentro di me mi aspettavo di sentire il rumore di una frenata, visto che andava così veloce, di sentire la macchina che rallentava. Cioè, non è che ci stavo pensando, io stavo cercando di infilare la chiave nel portone, mica ci pensavo più alla Golf, ma...

Ubriaco?

Ma no, ma no, che ubriaco. Due bicchieri al bar con gli amici, come tutte le sere. Figurarsi. Non trovavo la chiave, tutto lì, capita. Uno ha tante chiavi tutte uguali nel mazzo, e la chiave della bicicletta, e la chiave della cantina, e quella del garage, a volte si confonde. Era buio, pioveva, non trovavo la chiave. Macché ubriaco.

Be', dicevo. Dentro di me, senza rendermene conto, mi aspettavo di sentire il motore andar giù di giri prima di entrare in rotonda. E invece, ci ho pensato poi, il rumore non è mai cambiato. Per me, glielo dico io, o quel disgraziato non ha visto il cartello di precedenza o se lo ha visto se n'è infischiato allegramente. È entrato in rotonda a tutta velocità senza dar la precedenza, ha preso in pieno il motorino e poi è scappato.

Eh no, ve l'ho detto, al momento dell'investimento non ero proprio lì sul posto. Ho sentito un gran botto, e ho capito subito cos'era successo. Allora sono andato a vedere, e ho trovato il motorino rovesciato in mezzo alla strada. Con quel povero ragazzo tutto storto sull'asfalto, che non si lamentava e respirava appena.

Mi raccomando, prendetelo quel disgraziato. Era drogato di sicuro. Uno normale non corre mica in quel modo in una strada di città.

Prendetelo, quel disgraziato.

*

Ce l'hai tutta in testa, la testimonianza di Umberto Magli. Hai stampata nel cervello l'immagine della Golf nera, della ragazza bionda sul sedile del passeggero. E un grande punto interrogativo al volante della Golf.

Vorresti dargli un volto, a quello che ha investito tuo figlio. Vorresti avere un oggetto d'odio preciso, concreto.

Tua moglie piange e basta, sostanzialmente. Alessio è rabbioso e tarantolato. Fa avanti e indietro fra l'ospedale e la centrale di polizia, urla Non è possibile che non si trovi quel bastardo!

Dice così urlando come un pazzo, poi cerca in qualche modo di confortare sua madre.

Tu stai seduto al tavolo di cucina. Ti torci le dita e guardi fuori dalla finestra della tua nuova casa, guardi il porto senza dire niente.

Non hai ancora pagato la multa. Sta in bella vista tra le altre bollette, attaccate con un magnete al frigorifero.

Il terzo giorno Alessio si precipita come una furia in camera di suo fratello. Rovista dappertutto, esce con una pila di CD in mano.

Cos'è che fai?, gli chiedi, e lui dice Vado da Seba, gli faccio sentire la musica che gli piaceva, dicono che quando uno è in coma può sentire la musica, gli fa bene al cervello. Tua moglie dice È vero, l'ho letto anch'io, c'era una ragazza che era in coma, le hanno fatto sentire i Pooh e si è svegliata subito.

Alessio esce di casa col suo mucchio di CD. Tu lo guardi dalla finestra mentre scende in strada, apre la Smart, butta i CD sul sedile del passeggero e parte in direzione dell'ospedale.

Ti viene da pensare che non è mica tanto robusta, la Smart. Che in caso di incidente, tuo figlio maggiore è appena più protetto di Sebastiano sul motorino. Che magari dovresti comprargli una macchina più grande.

Poi realizzi che i tuoi soldi, quelli che ti avanzeranno dopo aver pagato le rate del mutuo, potrebbero servire per le cure di Seba. Per anni. Decenni. Che hai lavorato come un mulo tutta la vita, che hai trasformato le tue mani in due presse, la tua schiena in un ruvido sasso, e non hai i soldi per comprare un'auto sicura a tuo figlio.

Ogni notte dormi pochi e agitati minuti, e in quei pochi minuti sogni che una chiave gira nella toppa e Sebastiano entra in casa sorridendo. Allora ti rendi conto che ti sei immaginato tutta la storia dell'incidente e dell'ospedale, che Seba sta benissimo e, anzi, ha trovato un buon lavoro, tanto buono che lascerà la scuola e ci penserà lui a portare i soldi in casa. Tanto buono che pagherà lui le rate del mutuo, d'ora in poi.

E un giorno ti dicono che i peggiori timori dei medici si sono avverati. Le costole spezzate hanno danneggiato i polmoni, e se anche Seba dovesse svegliarsi dal coma non potrebbe più respirare autonomamente.

E un altro giorno, mentre sei lì che immagini la vita di tuo figlio sedicenne paralizzato e in un polmone d'acciaio, viene fuori che l'assicurazione avanza alcuni dubbi sulla dinamica dei fatti.

Ti dicono che, paradossalmente, il motorino ha subito pochissimi danni, solo dei graffi da un lato, e che tutto sommato, no?, nessuno ha visto *veramente* un'auto investire vostro figlio. Il signor Magli, in fondo, ha solo esposto delle supposizioni sulla dinamica dei fatti, ma in realtà non ha visto assolutamente nulla. Chi può dire con certezza che la Golf abbia travolto il motorino? Vostro figlio potrebbe essere caduto da solo mentre affrontava la rotonda Irlanda sull'asfalto bagnato, magari a velocità un po' sostenuta, sotto una fitta pioggia. E il signor Magli, ricordiamolo, era uscito da un bar dopo una sera passata a bere, in condizioni tali da non riuscire a trovare neppure le chiavi di casa...

...insomma, ti dicono, se Sebastiano dovesse passare il resto della sua vita in un polmone d'acciaio l'assicurazione non pagherebbe un bel niente. Le cure sarebbero tutte a vostre spese.

Guardi il porto dalla finestra. Vedi solo le gru, e il profilo di metallo dell'Enichem.

Adesso quello che pensi lo sai solo tu. Quello che pensi quando stai alla finestra a fissare il porto non può capirlo nessuno, né tua moglie, né Alessio. Anzi, spesso quel che pensi è indecifrabile persino a te stesso. Neppure tu sapresti dare una forma al borborigma che c'è nella tua testa, sotto un limpido e piatto lastrone di ghiaccio.

L'attesa sta alterando pezzo per pezzo i vostri cervelli. Tua moglie, per non perdere la mente in qualche oscura dimensione, cerca di tenerla il più possibile ancorata a terra. Ogni giorno compra un nuovo oggetto, spremiagrumi, tritacarne, piastre per capelli che non servono a nessuno. Poi un aspirapolvere per l'auto, un'impastatrice automatica, un fornetto per riscaldare il pane. Gli elettrodomestici sono la sua droga, una dose al giorno la tiene occupata per ore con istruzioni e manuali d'uso.

Dice: Nino, ti piace questa termocoperta? Era in offerta all'Ipercoop, mi sono alzata stamattina alle sei per andare a fare la fila fuori. Sai quanta gente la voleva? Ma io sono arrivata per prima, e ora non avremo più freddo.

Non avremo più freddo, non avremo più freddo. Lo ripete ossessivamente.

Dice: E pensa, Nino, se solo ci fossi andata qualche giorno prima il prezzo sarebbe stato salvato!

La guardi perplesso, borbotti Salvato?

Lei dice: Ho detto *scontato*.

Dici: Hai detto *salvato*.

Lei dice: Nino, ma sei diventato sordo o non sai più l'italiano? Scontato, scontato, vuol dire che se compravo la termocoperta qualche giorno prima la pagavo di meno. C'era la promozione.

Va bene, va bene, tagli corto. Tua moglie torna in cucina a provare il vostro nuovo frullatore, tu ti abbandoni sul divano. Scarichi il peso del tuo corpo e del tuo malessere sui cuscini nuovi dell'Ikea, accendi la televisione.

Alla televisione c'è un uomo di mezz'età che piange. In sottofondo, una voce melanconica e cantilenante legge una lettera.

È la lettera di un figlio. Di un figlio che deve tutto al padre, perché ora fa il ballerino in televisione, nella trasmissione di Maria. La chiama solo così, per nome.

Se è riuscito ad arrivare fino a questo punto, dice, è per merito di suo padre. Che l'ha sostenuto anche nei momenti più duri, soprattutto dopo la morte dell'adorata mamma.

Il figlio compare in studio. Tutti applaudono.

Il figlio dedica al padre un passo a due con la compagna Daisy. Danzano sulle note di *Serenere* di Tiziano Ferro.

Mentre guardi quella coppia di ragazzi che balla felice, la tua mente vaga in territori lontani.

Quello che ha investito tuo figlio, pensi, era in compagnia di una ragazza. Questo, più di ogni altra cosa, ti fa diventare pazzo.

Non sai bene perché, ma l'idea di un ubriaco, l'idea di un solitario disperato che sfida la vita e la sorte, di uno che non ha niente da perdere, senti che in qualche modo sarebbe più accettabile. Ma non un ragazzetto con la mano di una biondina nei pantaloni, no. Uno stronzetto impasticcato con una troia di fianco, no, non lo puoi sopportare. Quel pensiero, Nino, ti fonde il sangue nelle vene.

La canzone di Tiziano Ferro finisce. La coppia smette di ballare. Il padre va in pista ad abbracciare suo figlio con le lacrime agli occhi, tra le ovazioni deliranti del pubblico.

*

La sera, tua moglie infila la spina della termocoperta nella presa ed entra nel letto accanto a te. Tu sei girato sul fianco a immaginare lineamenti e volti, un volto alla guida della Golf, un volto sul sedile del passeggero.

Poi dici, con voce neutra e piatta: Teresa, tu che cosa speri?

Lei dice: Cosa dici, Nino?

Tu dici: Tu speri che muoia o che viva in un polmone d'acciaio?

Lei sobbalza scandalizzata, geme: Ma cosa dici? Neanche per scherzo, Nino! Neanche per scherzo!

Tu dici: Perché io non lo so, che cosa spero.

Al dodicesimo giorno non hai ancora pagato i trentacinque euro della contravvenzione per divieto di sosta. La multa è ancora lì al suo posto, vistosissima, dietro il magnete del frigorifero.

Tua moglie alterna momenti di pianto e abulia a fasi in cui si attacca disperatamente alle cose concrete. Viene da te con il bollettino della contravvenzione in mano, dice: Nino, valla a pagare prima che scada!

Tu dici: Non ci penso neanche.

Lei dice: Ma come? C'è scritto che se non paghi entro quindici giorni ti arriverà raddoppiata!

Tu ripeti, più lentamente: Non ci penso neanche lontanamente a pagare questa multa.

Lei dice: Ma Nino, sei impazzito? Sono trentacinque euro, dai, ti pare il momento per queste mattane? Dai, vacci domattina quando apre la posta!

Tu dici: No.

Lei scuote la testa e dice: Nino, per carità, ma cosa ti prende adesso? Vuoi che mandi a pagarla Alessio?

Tu dici: Non voglio che vada a pagarla Alessio. È una multa ingiusta, e io non butto via trentacinque euro per una multa ingiusta.

Lei dice: Ma quale multa ingiusta, Nino, eri in divieto di sosta, hai messo la macchina in divieto di sosta...

Tu dici: Ho messo la macchina in divieto di sosta davanti al pronto soccorso, e sai benissimo perché. Se questi che fanno le contravvenzioni alle tre di notte non capiscono che un poveraccio col figlio in coma non pensa ai divieti di sosta, allora non si meritano i miei soldi. Magari credono che uno vada al pronto soccorso così, per divertirsi. Io non la pago. E quando mi arriverà raddoppiata, non la pagherò neppure raddoppiata.

Lei geme: Nino, ma così continuerà ad aumentare... non fai prima a pagare trentacinque euro adesso?

Tu sei a un millimetro, proprio a un millimetro dall'esplosione. In qualche modo riesci a dire: Voglio vedere fino a che punto riescono a chiedermi dei soldi per quella multa! Voglio vedere fin dove arrivano, se mi vengono a pignorare i mobili! Se lo fanno, io vado in televisione. Mi senti? Io vado in televisione e lo dico, lo dico a tutti, che mi stanno pignorando i mobili perché ho parcheggiato in divieto di sosta la notte che mio figlio è stato investito! Lo dico che mi hanno fatto la multa alle tre di notte mentre cercavo di sapere se mio figlio era morto o era vivo! Lo faccio, sai? Se in questo Paese l'unico modo per avere giustizia è strillare in televisione, io vado a strillare in televisione! Credi che non lo sappia fare? Certo che lo so fare.

Ma Nino..., dice lei.

Tu ti alzi, esci sbattendo la porta.

Fai un giro in macchina, come sempre quando vuoi calmarti. Giri per la tua città con una pressa che ti schiaccia le tempie, un rumore sordo dietro gli occhi che non ti lascia pensare.

Vai ad affogare i rumori nel vino. In via di Roma c'era un bar dove ti piaceva fermarti, una volta, il bar di Otello. Ci andavi nelle pause pranzo del cantiere, a metà degli anni Sessanta, tu e i tuoi colleghi tutti sporchi di calce e sudore.

Ad addentare panini al prosciutto, buttar giù un bicchiere di vino e parlare della Nazionale.

Avete continuato ad andarci anche dopo la chiusura del cantiere, tu e i ragazzi, a guardare le partite insieme, a giocare a carte. Ci hai visto Italia-Germania quattro a tre, ci hai visto la vittoria ai mondiali di Spagna, le discese di Tomba e i trionfi di Schumacher. Poi Otello se l'è preso un bruttissimo male, i figli han venduto il bar, e tu in quel posto così caro non ci sei andato più.

Fino a oggi pomeriggio.

Del tuo bar, quando entri, non riconosci nulla.

Al posto dei tavolacci in legno ci sono dei tavolini rossi, alti e rotondi. Intorno ai tavoli c'è una corona di sedie deformi e violette. Nulla è rimasto delle panche tarlate, delle coppe vinte dall'imbattibile squadra di calcio del bar, dei prosciutti appesi al gancio, dei formaggi in vetrina. Non è rimasto nulla delle foto alle pareti, delle facce paonazze e sorridenti di chi ha bevuto vino a fiumi. C'eri anche tu in quelle foto. Anche tu sorridevi. Eri giovane.

Adesso ci sono quadretti futuristi, e locandine dei dj set del venerdì e del sabato. Il banco è colmo di tartine, patatine, cous cous.

Tu sei perso tra le luci e i colori delle pareti, dei tavoli, dei lampadari. Sei il più vecchio, lì dentro. Solo, in mezzo a gruppi di ragazzi con le felpe griffate e ragazze con le scarpe a punta e le borse Louis Vuitton.

Anche a tua moglie piacevano, quelle borse. Eravate entrati in un negozio per comprarne una, un giorno. Avevate guardato il prezzo. Eravate usciti in silenzio, mortificati, senza dirvi una parola.

Ti siedi su uno di quegli altissimi sgabelli. Nessuno viene a prenderti l'ordinazione, nessuno sembra fare caso a te, ma nello stesso tempo ti senti osservato. Lì dentro, in quel bar, tu stoni.

Finalmente la ragazza al bancone si accorge di te, ti dice qualcosa che non senti. Fai segno di non aver capito.

Lei dice, col tono di chi sta parlando con un sordo: Non prendiamo ordinazioni ai tavoli.

Ti alzi, innervosito. Dici, brusco: Un bicchiere di vino.

Che vino?, chiede.

Quello che avete, borbotti. E poi passi parecchi minuti ad ascoltare la ragazza che ti elenca rapidissima tutti i suoi vini pregiati, finché, sfinito, non le imponi bruscamente un comune Sangiovese. Lei te ne versa un bicchiere con l'aria di chi ha perso del tempo con un povero bifolco.

Torni a sederti, osservi la fauna festante dei ragazzi intorno a te.

Sui loro tavoli ci sono bibite verdi, arancione e rosa, strani intrugli dei quali ignoravi l'esistenza. I calici sono decorati con cannucce, ombrellini, limoni, frutta rossa.

Cerchi di afferrare qualche discorso. La tua attenzione ricade su un ragazzetto di circa vent'anni, in compagnia di una mora dal generoso decolleté.

Il ragazzo sta dicendo, serissimo: È stato il tunisino, sicuro, chi vuoi che sia stato? Spacciava pure, chi vuoi che sia stato? È stato lui, sicuro.

La ragazza mora sembra poco interessata a quei discorsi. Sorseggia la sua bibita fucsia con l'ombrellino dentro, dice Boh, che ne so chi è stato?, e il suo tono sottintende E cosa mi importa, soprattutto?

Il ragazzo insiste, dice: Io dico che è stato quel tunisino di merda, ma è colpa nostra, eh? È questo stato di merda che fa entrare tutti 'sti marocchini stupratori che ci prendono le donne e le fanno diventare uguali alle loro!

La ragazza sbuffa, dice: Che palle con 'sti discorsi, dai, smettila.

Si sbilancia in avanti per dargli un finto schiaffo, e sbilanciandosi si rovescia la bibita nella scollatura. Ridacchia, cerca di asciugarsi con un fazzolettino.

Il ragazzo non ride. È molto serio e compreso nel ruolo. Dice cose tipo Con 'sti marocchini dovremmo fare come ad

Auschwitz, e la ragazza continua a ignorarlo e a ridere ubriaca. Quando si alza per andare in bagno, il ragazzo le dà una pacca sul sedere e dice: Va là, che se ci fosse Benito qui tirerebbe tutta un'altra aria! Tu staresti in casa a prepararmi la cena, altro che star qui a ubriacarti e far la troia.

La ragazza va in bagno senza smettere di ridere.

Tu guardi il ragazzo.

Lo guardi fisso.

Mentre lo guardi, i tuoi pensieri sono solo tuoi.

Quello che pensi mentre guardi quel ragazzo, quello che pensi lo sai soltanto tu.

Il ragazzo si volta. Nota che lo stai osservando.

Cazzo guardi?, dice, Sei frocio o che cosa? Guarda da un'altra parte!

Rimani in silenzio. Il vino t'invade il cervello, le mani, la gola. Ti vergogni, e vorresti picchiarlo. Avvampi, e vorresti gridare.

Scoli l'ultimo sorso di vino, paghi ed esci da quel bar maledetto.

Stai per tornare verso la tua macchina. Ti fermi di botto.

In un vicolo laterale vicino al bar, un vicoletto scarsamente illuminato, c'è parcheggiata una Golf nera.

La osservi per un po', un anziano immobile in una strada di Ravenna, a pochi metri da un bar pieno di giovani schiamazzanti.

Entri nel vicolo. Giri intorno alla Golf, come per cercare qualche indizio. I segni di un incidente, ad esempio. I graffi provocati dall'impatto con un motorino. Con le ossa di tuo figlio.

Non trovi nessun segno, ma non vuol dire, ti dici. Sono passati molti giorni dall'incidente, in fondo. Abbastanza perché un aborto d'essere umano con la coscienza sporca, la coscienza di uno che investe un ragazzino e lo lascia lì per strada come un cane, perché uno così se li faccia cancellare, quei graffi sulla macchina. Non vuol dire niente, decidi. Non vuol dire niente.

Davanti al muso della Golf c'è un portone rientrante, e poco più in là un bidone della spazzatura. Senza ragionare troppo, ti nascondi nella rientranza del portone. Infili le mani in tasca, e aspetti.

Speri, dentro di te.

Speri che la Golf nera sia di quel ragazzo, quello del bar. Speri che l'oggetto d'odio del momento e l'oggetto d'odio degli ultimi giorni possano convergere in una sola persona. Almeno in teoria.

In fondo potrebbe essere stato lui, no? Non potrebbe essere stato lui? Non ce l'ha la faccia, l'atteggiamento, i modi di un deficiente che corre come un pazzo con la sua bella Golf nera e non si ferma a soccorrere un ragazzo che ha investito? Una sera con una bionda, un'altra sera con una mora, certo, figurarsi. Chissà quante ne trova, lui, di ragazzine affascinate dai proclami dei nostalgici di Auschwitz.

Aspetti più di un'ora nel buio, nascosto nel portone. E alla fine eccolo, all'imboccatura del vicolo. Lui. Proprio il ragazzo che aspettavi. Da solo.

Punta una chiave davanti a sé, preme un pulsante.

Apre a distanza la portiera della Golf.

Hai un vecchio cuore che scava come una trivella nell'asfalto, due mani che una vita di lavoro ha trasformato in morse.

Prendi un profondo respiro. Una rabbia che non credevi di saper provare ti scoppia in testa, quando il ragazzo passa davanti al portone. Lo vedi mentre prende il portafogli, lo apre, cerca qualcosa nello scomparto delle banconote. Magari un preservativo, chissà. Magari ha in mente un proseguimento particolare della serata. Non lo sai, e non lo saprai mai.

Perché quello è il momento di uscir fuori dal buio.

*

Sbuchi dal nulla e colpisci duro, spietato, prima che il ragazzo possa girare la testa. Dopo il primo colpo, il primo sangue, su di te cala una nebbia rossastra.

Il primo colpo è ossa contro altre ossa. Il tuo pugno contro la sua tempia, un sordo thud! e un singulto di dolore e sorpresa. Dopo, c'è solo la nebbia rossastra. Dopo, tu non sei più tu.

Il ragazzo cade di lato, sbilanciato dal pugno. I suoi vestiti da ottocento euro si sporcano di guano di piccione, il suo portafogli atterra sulla strada.

Se potessi vederti adesso, Nino, ti faresti paura. Per tutto il tempo del pestaggio brutale che segue, per tutto il tempo, tu non hai la minima espressione. Sei da qualche parte. Da qualche altra parte.

Non sei tu che prendi a calci il ragazzo, che d'istinto si rannicchia per proteggersi dai colpi. È lontanissimo da quello del bar, quello che diceva Io farei, Se fosse per me, Saprei io come fare. È solo un sacco di carne terrorizzata, adesso. Un sacco che trema e gira come una trottola con le ginocchia al petto e la testa in mezzo ai gomiti, ruota in un'assurda breakdance. Ruota e colpisce il portafogli col ginocchio, lo manda a incastrarsi sotto una ruota della Golf.

A un certo punto il ragazzo ha uno schizzo di adrenalina. Riesce a saltare in piedi come un pupazzo a molla, mulina le gambe come un coniglio dei cartoni animati che si appresta a scappare.

Non scappa.

Lo afferri per i capelli, lo butti giù di nuovo con la tua forza da bue. Il coniglio terrorizzato si raggruma contro il muro del vicolo, un muro che proprio tu hai tirato su, tanti anni fa, prima di andare da Otello a festeggiare un lavoro ben fatto. Lo colpisci un'altra volta e un'altra volta e un'altra volta ancora, mentre quello è così dolorante e spaventato che non riesce neppure a gridare. Il suo ultimo atto di terrorizzata ribellione è un miserabile calcetto alla cieca, un calcetto che non ti sfiora neppure di striscio, un calcetto che infrange l'aria. A differenza del tuo terzultimo calcio, alla bocca dello stomaco.

Il penultimo è in faccia, e quel muretto che un tempo hai impastato di calce ora s'impasta di sangue. L'ultimo è in testa.

Poi, qualcosa ti strappa via dalla nebbia rossastra. È il tuo cuore che pulsa impazzito, è il tuo respiro affannoso, è il dolore che ti riporta nel mondo.

Torni in te, sei di nuovo tu, adesso. Un uomo con la forza di un toro, col cuore e i polmoni di un vecchio. Rimani lì, gli occhi spalancati, immobile in quel vicolo buio. Davanti al corpo floscio e senza forza del ragazzo, ad aspettare che ti scoppi il cuore.

Ma il tuo battito, poco alla volta, rallenta. Il respiro, poco alla volta, ritorna normale. Ti tocca vivere ancora, Nino. Ti tocca stare qui.

Guardi la sagoma nera immobile nel buio, ai piedi del muro che tu stesso hai costruito. Non riesci a capire se respira ancora o no.

Ci vorrebbe pochissimo a finire il lavoro. Ci vorrebbe davvero, davvero pochissimo.

Non finisci il lavoro. Non dai il colpo di grazia. Sei tu di nuovo, adesso.

Il tuo cuore ti ha dato tregua, i tuoi polmoni funzionano ancora. Ti allontani, barcollando leggermente. Torni verso la macchina.

Sai che qualcuno potrebbe averti visto, la ragazza ubriaca nel bar, qualche curioso alla finestra, ma non t'importa niente.

A casa non prendi sonno, naturalmente, carico come sei di adrenalina e di rimorsi. Stai sdraiato a pancia in su nel tuo letto a guardare il buio, pieno di dubbi.

Non sai se il ragazzo è vivo o morto. Non sai se hai colpito la persona giusta o un comune fascistello da bar. Non sai dare un nome alla bestia che si è impadronita di te, prima che il cuore e i polmoni ti riportassero indietro.

Pensi che in questo momento, probabilmente, un altro padre preoccupato sta aspettando che suo figlio torni a casa. Guardi il buio e ti sembra di vederlo, quel padre alla finestra. Che guarda l'orologio, mentre sua moglie gli dice Prova di nuovo al cellulare.

Gli dai un volto, a quel padre. Il padre di quel fighettino che va nei bar a sparare sentenze e a insultare gli anziani, e più vai avanti a visualizzarlo più senti salire una rabbia che non conosci. A un certo punto, alle quattro e quarantacinque del mattino, ti viene da pensare Se lo avessero educato meglio non avrei dovuto fare quel che ho fatto, e un po' ti spaventa, un pensiero così.

Sei sveglio nel buio accanto a tua moglie, e neanche tua moglie, lo sai, sta dormendo. Conosci bene il suo respiro. Non la vedi, nel buio, ma il suo respiro ti dice chiaramente che è sveglia come te.

Siete svegli tutti e due, tu e Teresa, sdraiati nello stesso letto. Tu sai che lei finge di dormire, lei sa che tu fingi di dormire.

Nel buio vedete il viso di un ragazzo dalle carni martoriate. Tua moglie vede vostro figlio, tu vedi uno sconosciuto di cui non sai neppure il nome. Afflosciato ai piedi di un muro, imbrattato dal suo sangue, in un abito da ottocento euro.

All'alba apre l'edicola, tu sei lì davanti ad aspettare che apra. Compri «Il Resto del Carlino», vai a leggerlo un po' appartato, nel vicino giardinetto. Come se qualche investigatore ti stesse spiando a distanza, monitorando le tue reazioni alla lettura del giornale.

Volti le pagine nervoso. Ci metti un po' a trovare l'articolo che ti interessa, spiazzato dal titolo RAPINA NEL SANGUE. Lo leggi quattro volte prima di essere sicuro che quella presunta, violenta rapina a un ragazzo nel centro di Ravenna ti riguardi. Tu che non hai seguito le evoluzioni del portafogli sull'asfalto, trasfigurato com'eri, tu che non sai che il portafogli del ragazzo è ancora incastrato sotto la ruota della Golf, aggrotti la fronte perplesso.

Il ragazzo è stato trovato senza portafogli, gravemente ferito ma ancora vivo. Ferito, leggi di nuovo, ma vivo. In prognosi riservata, sì, ma vivo. Non ha ancora ripreso conoscenza, dice l'articolo. Non ci sono indizi sull'aggressore. Tra le righe, c'è una velata allusione a certe bande di immigrati che da qualche tempo infestano la vostra bella città.

Sei nel giardinetto dietro l'edicola, che leggi «Il Resto del Carlino» la mattina presto come un anziano qualunque.

Pensi che nessuno al mondo sospetterebbe un tranquillo pensionato per una rapina finita nel sangue.

Pensi che il ragazzo non ti ha neppure visto con chiarezza, preso di sorpresa nel buio. Che non potrebbe mai identificarti, se dovesse riprendere conoscenza.

E pensi che hai comunque bisogno di darti qualche certezza, per calmare i tuoi sensi di colpa. Devi sentire che ciò che hai fatto ha un senso.

Interroghi la statistica. Lo sai benissimo che la statistica è contro di te, che con tutta probabilità hai colpito un innocente, ma c'è una possibilità su mille, una su diecimila, forse, che tu abbia punito il pirata che ha investito Sebastiano. È una speranza piccola, ma c'è.

Arrivi fino a viale Europa. Ti metti sul marciapiede, guardi le auto passare, e conti le Golf nere. Poi, molte ore dopo, torni a casa soddisfatto.

Ne hai contate quattro. Solo quattro.

Non ci sono poi tante Golf nere a Ravenna, cerchi di convincerti. Potresti aver colpito la persona giusta.

Potresti.

Una mattina, tua moglie entra in casa raggiante. Ha gli occhi luminosi, le mani piene di dépliant.

Nino!, dice trillando, Nino, ho avuto un'idea meravigliosa per aiutare Sebastiano!

Quale idea?, chiedi, incuriosito, e lei dice: Andiamo a chiedere la grazia a Padre Pio! Ho prenotato il pullman, ci uniamo a una comitiva. C'erano ancora due posti liberi, che fortuna, eh? Secondo me è un segno del destino.

Guardi stupito tua moglie.

Tu che hai sempre diffidato dei santi nazionalpopolari da rotocalco femminile, cerchi con calma di obiettare. Opponi razionalissime riserve, cozzi contro un muro.

Dici: Ma Teresa, ma stai scherzando? Ma se non ci abbiamo mai creduto, noi, a quelle cose lì...?

Ma tua moglie non è più la persona che credevi di conoscere, adesso.

Teresa dice: Ma cosa c'entra, cosa c'entra, Nino, Padre Pio ha fatto la grazia a tanta gente, ha fatto tanti miracoli, perché non dovrebbe aiutare Sebastiano che è così buono?

Dice: Cosa ci costa provare, Nino? Perché devi essere così testardo?

Sta quasi piagnucolando, tua moglie Teresa, quando Alessio entra in casa come una palla di cannone. Sta cercando il libro delle barzellette di Totti, dice. A Seba piace tanto, vuole andare in ospedale a leggergli le barzellette di Totti.

Allora, l'ago della bilancia diventa Alessio. Tua moglie si aggrappa a lui per convincerti, gli parla di Padre Pio, dei miracoli di Padre Pio, lo supplica di convincerti ad andare con lei da Padre Pio. Gli tiene le mani, quasi piagnucola.

Ogni tanto vi scambiate delle rapide occhiate, tu e Alessio, senza che tua moglie veda. Sai benissimo che lui la pensa come te. E sapete tutti e due che finirai per dire sì.

Sul tavolo c'è «Il Resto del Carlino» aperto alle pagine di cronaca, le indagini sulla violenta rapina nel centro di Ravenna. Non ci sono indizi né sospettati. Le condizioni del ragazzo sono leggermente migliorate ma ancora non ha ripreso conoscenza. Nessuno ha spostato la Golf, nessuno ha trovato il portafogli incastrato sotto la ruota.

Sai che non dirai mai a Teresa quello che hai fatto, no.

Ma un giorno, forse, potresti dirlo ad Alessio.
Ad Alessio, a lui potresti dirlo.
Un giorno.
Forse.

Per andare a chiedere la grazia a Padre Pio, tu e tua moglie vi alzate che è buio. Salite in macchina, attraversate le strade spettrali di una Ravenna ancora in sonno.

Parcheggi alla stazione delle corriere, poco distante dalla comitiva in attesa del pullman. Li guardi: una probabile coppia madre e figlia, una presumibile coppia di giovani sposi, e un folto gruppo di anziani. Qualcuno sbadiglia per la levataccia, qualcuno rabbrividisce per l'umidità, qualcuno non sente né il sonno né il freddo e ha lo sguardo illuminato dalla fede.

Stai per scendere per unirti a loro. Esiti.

Be?, ti incalza Teresa, Andiamo?

Ci pensi un po' su, poi dici: No, no. Io, no.

Tua moglie dice: Come?

Tu dici: No, davvero, ho cambiato idea. Io proprio, no, non me la sento.

Tua moglie ti guarda come se l'avessi accoltellata. Dice: Nino, ma stai scherzando? Abbiamo prenotato i posti, dai, non cominciare...

Dici: Senti, lo so che hai prenotato i posti, ma inventa qualcosa, di' che mi sono ammalato, qualcosa. Davvero, non me la sento.

Il pullman sbuca in lontananza pronto a caricare madre e figlia, giovani sposi, anziani infreddoliti, anziani illuminati dalla fede. Teresa di colpo diventa di ferro e acciaio.

Dice: Senti, Nino, non ho tempo né voglia di discutere per le tue mattane. Io vado a chiedere la grazia per nostro figlio. Se pensi che non sia importante o che non serva a niente, sai che ti dico? Io ci vado anche da sola. Tu fai quel che vuoi.

Vi fissate in silenzio, tu e tua moglie, dentro la vostra macchina, mentre il pullman si arresta accanto alla comitiva. Poi Teresa alza le spalle, si stringe la borsa al petto, apre lo sportello.

Resti in macchina, la guardi salire sul pullman. Rimani lì finché non è sparito in lontananza.

Non torni a casa.

Giri per le strade vuote, trovi un bar aperto, prendi un caffè e aspetti che sia ora di andare a trovare Sebastiano. Ascolti i rumori della città che torna in vita.

Quando le luci sono ormai alte, esci dal bar e sali in auto. Ti immetti nel traffico del mattino, arranchi con calma verso l'ospedale.

Sei lì che caracolli dietro un camioncino, quando una palla di fuoco compare nel retrovisore.

In fondo alla strada, annunciata da uno stridore di gomme, una Golf nera schizza velocissima verso di te. Sorpassa nevrotica a destra, s'insinua tra due auto, sorpassa a sinistra, sfiora specchietti, s'incunea, si incolla alla tua targa. Aspetta di avere un millimetro per sorpassarti.

Ti irrigidisci sul volante. Guardi meglio nel retrovisore.

Alla guida della Golf c'è un uomo abbronzato, sui trentacinque anni, l'aria da assicuratore o rappresentante di commercio. Ben curato ma truce, contratto. Accanto a lui c'è una ragazza.

Bionda.

Ora sei di ghiaccio, freddo, impenetrabile, calmo.

Lasci che la Golf ti sorpassi.

E dopo, d'istinto, la insegui.

Non sei abituato a correre al volante, ma hai l'adrenalina in corpo, adesso. Semini il camioncino, le macchine lente. La

Golf nera passa velocissima attraverso una rotonda. La attraversi anche tu, nella sua scia.

In fondo alla strada c'è un'altra rotonda che la Golf si prepara a tagliare senza pietà. La carreggiata si restringe, nell'ultimo tratto di strada. Sulla destra ci sono degli operai che trivellano l'asfalto, sulla sinistra dei grandi alberi che coprono il cielo.

La Golf arriva velocissima all'ingresso della rotonda. Tu arrivi velocissimo dietro la Golf.

Qualcosa sbuca da dietro gli alberi.

Un furgoncino si materializza di colpo dentro la rotonda, invisibile fino a un attimo prima. La Golf inchioda, la sua targa di botto è vicinissima.

Non ti aspettavi questa brusca frenata. Non sei abituato a correre tanto, e i tuoi riflessi sono quelli di un vecchio.

Pochi istanti dopo l'impatto sei fuori, in strada. L'autista della Golf esce dall'auto bestemmiando, gli occhi che scoppiano di rabbia e indignazione. Viene verso di te a grandi passi, l'espressione di chi vuole uccidere.

Sei calmo. Controlli in fretta i danni, prima che il pazzo infuriato ti sia addosso.

La tua auto è ridotta decisamente peggio della Golf che hai tamponato, ma il pazzo ti arriva addosso con gli occhi da cocainomane. Urla: Sei cieco, cazzo? Sei cieco?

Tu alzi le mani, balbetti: Mi scusi, mi scusi, è colpa mia, ma quello nemmeno ti sente. Ti arriva a un millimetro dal viso con l'espressione di chi vuole aprirti in due, ti alita in faccia un caffè schifoso e strilla: Ma perché a voi vecchi vi fanno guidare? Ma guarda! Guarda cos'hai fatto!

Si mette le mani nei capelli, quasi in lacrime davanti a un parafango ammaccato e un faretto rotto. Grida Guarda, guarda cos'hai fatto!, sbraita così forte che gli operai smettono di lavorare e si voltano per seguire la scena.

Tu non stai guardando né il cocainomane né gli operai. Tu stai guardando verso il muso della Golf, per cercare i segni di un altro incidente. I segni non ancora cancellati, magari, dell'impatto con un motorino.

E guardando in avanti, punti gli occhi all'interno della Golf. Verso la ragazza bionda, che non si è mossa dal sedile del passeggero.

La ragazza sta ignorando del tutto la scena che si svolge in strada, il suo uomo sul punto di picchiare un vecchio per un faretto, cioè. Sta componendo messaggini sul suo cellulare color pesca.

Non è propriamente bionda, noti. Ha i capelli castani, castano chiaro. Il tuo testimone ha detto che la ragazza era bionda, ma l'ha vista di notte, mezzo ubriaco, con la pioggia e la macchina che andava in fretta...

... e mentre sei lì che decidi se classificare come bionda quella ragazza così innamorata del suo cellulare, il cocainomane ti mette le mani addosso per davvero. Ti spintona, urla: Ma cosa cazzo guardi? Guarda qua, piuttosto, guarda il danno che hai fatto, vecchio coglione!

Grida così tanto da far intervenire gli operai del cantiere. Gli operai prendono le tue difese, gli urlano di star calmo, che non è mica bello prendersela con gli anziani. Gli autisti che vi sfrecciano accanto rallentano per guardarvi incuriositi. La ragazza continua a giocare con il suo cellulare.

Il cocainomane guarda te, poi guarda gli operai. Guarda te, poi di nuovo gli operai. È come se stesse facendo una valutazione: strangolare un vecchio davanti a testimoni per un tamponamento arrecherebbe danno alla sua immagine di stimato professionista?

Alla fine il cocainomane ritrova un minimo di calma. Compilate la constatazione amichevole sul cofano della Golf, tu ti assumi le colpe dell'incidente, e poi lasciate che se la sbrighino le assicurazioni.

Te ne vai da quella rotonda con il modulo amichevole sul sedile del passeggero.

Su quel modulo hai un indirizzo.

E un nome.

*

Ti sembra di incrociare cento altre Golf, mentre guidi verso l'ospedale. Le vedi uscire da cancelli, svoltare in vicoletti, fermarsi agli stop. Le vedi dappertutto, quelle lucide sagome nere.

Incastri la tua macchina ammaccata e scricchiolante nel parcheggio già pieno dell'ospedale. Ti conviene farla rottamare, pensi entrando in ascensore. Non vale neanche la pena di farla aggiustare, vecchia e scassata com'è.

Esci dall'ascensore, fai pochi passi in corridoio fino alla camera di tuo figlio. Guardi Sebastiano da una certa distanza, un ibrido di plastica, macchine e carne martoriata.

Sei lì vicino a lui, ma la tua testa sta da un'altra parte. Al modulo di constatazione amichevole. Al nome del cocainomane abbronzato, al suo indirizzo.

Sai tutto di lui, ora. Ce lo hai in mano.

Cosa farai, adesso?

Se varchi questa linea, non torni più indietro. Non c'è più statistica, non c'è più illusione di giustizia. Hai quasi ucciso un ragazzo, uno che forse era il pirata che ha investito tuo figlio, ma forse era un innocente che straparlava ubriaco in un bar.

Se vai da quel pazzo abbronzato che ti avrebbe ammazzato a calci in mezzo alla strada, ti avrebbe ammazzato per un fanalino rotto, se vai da lui, non hai dubbi. Stavolta arriverai in fondo. Hai troppa rabbia, adesso, troppa pressione, per non far uscire la cosa cattiva che hai dentro.

Sai già cosa gli dirai, cosa farai.

Lo vuoi in ginocchio davanti a te, tremante e terrorizzato, a implorarti di non ucciderlo.

Tu sarai dietro di lui, freddo e calmo come il ghiaccio, con la lama di un coltello sulla sua gola. Con una voce che non sembrerà la tua lo costringerai a confessare, lo costringerai ad ammettere che, sì, è stato lui, quella notte, lui che correva drogato fino agli occhi con una troia a fianco, una troia schifosa, una grandissima troia schifosa, non ha visto il motorino, non ha pensato neppure un secondo di soccorrere quel ragazzino a terra.

Lo ascolterai in silenzio, immobile, freddissimo, il coltello stretto tra le dita.

Sai che li userai, quell'indirizzo e quel nome.

Ne sei certo.

Mentre pensi a tutti questi scenari, un'infermiera entra nella stanza. Le conosci tutte, le infermiere. Ormai sono quasi amiche di tua moglie, di Alessio, in parte anche tue. Vi scambiate qualche parola davanti all'ibrido di carne, plastica e ferro che è diventato Sebastiano.

Buongiorno, Nino!, dice l'infermiera, Non pensavo mica di trovarla qui. Credevo che foste già partiti.

Eh, dici, Mia moglie è partita ma io all'ultimo ci ho ripensato... preferivo stare qui con Sebastiano.

(ti viene un dubbio)

Ma scusi, domandi, Glielo ha detto mia moglie che dovevamo partire?

No, dice lei, È stato suo figlio, poco fa.

(si sente assurdamente in dovere di aggiungere:)

Suo figlio *Alessio*.

(come se fosse il caso di precisare di quale figlio si sta parlando)

Ah, dici, È venuto Alessio?

Eh, sì, dice, È venuto stamattina e mi ha detto I miei genitori oggi non ci sono, sono partiti per la Puglia. Sarà andato via da due minuti, se arrivava un attimo prima lo incontrava.

(poi aggiunge:)

Era con una ragazza.

(La Francesca. È venuto con la Francesca a trovare suo fratello)

Qualcuno chiama l'infermiera dal corridoio. L'infermiera si scusa, esce dalla stanza, ti lascia da solo.

Ti affacci alla finestra e lo vedi, Alessio. Lo vedi più in

basso che esce dall'ospedale, mano nella mano con la Francesca. Sorridi.

La conosci poco, la Francesca, e ti dispiace. È una ragazza timida, sempre sulle sue. Quelle poche volte che è venuta a casa vostra sembrava a disagio.

Stanno così bene insieme, lei e tuo figlio.

Sarà il caso di avvertire Alessio che sei rimasto a Ravenna, che non hai seguito tua moglie in questa follia superstiziosa di Padre Pio. Intanto ti accontenti di guardarlo non visto, incollato al vetro della finestra, a pochi centimetri dal letto di Seba. Dall'alto, vedi la Francesca che gli passa un piccolo oggetto e Alessio che fa sì con la testa.

Non vedi bene, da questa distanza, ma il piccolo oggetto sembra un mazzo di chiavi.

Dovresti passare più tempo con Alessio, pensi. Dovresti conoscere meglio la Francesca.

Non ti rimane molto altro per cui vivere.

Guardi Alessio e la Francesca che entrano nel parcheggio. Non hai visto la Smart azzurra di tuo figlio, realizzi. Il parcheggio era affollato, certo. O magari sono venuti con l'auto della Francesca.

Chissà che macchina ha la Francesca?, ti chiedi.

Di colpo, lo scopri.

Quando Alessio e Francesca, in un angolo remoto del parcheggio, si fermano accanto a una Golf nera.

Ora un animale dalle freddissime zanne ti morde la nuca e lo stomaco.

Alessio apre la Golf dal lato del guidatore, con le chiavi che la Francesca gli ha appena passato. Francesca, la bionda fidanzatina di tuo figlio, si siede al posto del passeggero.

Francesca che non ha voglia di guidare, si vede, stamattina. Francesca che lascia guidare Alessio.
Chissà quante volte ha lasciato guidare Alessio, prima di oggi.
Chissà.
Quante.
Volte.
Immobile, incollato alla finestra, li guardi scomparire in fondo alla strada.

Tra poche ore tua moglie si inginocchierà davanti a una statua di Padre Pio coperta di biglietti, letterine, ex voto. Con grafia tremolante scriverà qualcosa su un foglietto, chiederà la grazia per un figlio e attaccherà il foglietto alla statua con una puntina da disegno.

Tu osservi due mosche oltre il vetro della finestra. Pensi alla statistica, a certi scenari possibili. Improbabili, forse. Ma possibili.

Poi, il ghiaccio si deposita spesso e massiccio sui tuoi pensieri. Nessuno può più entrare nel lago ghiacciato dei tuoi pensieri, e neanche il diavolo, ora come ora, ci vorrebbe in qualche modo entrare.

Sotto tutto quel ghiaccio, i tuoi pensieri sono solo tuoi.

DIVIER NELLI

Quando scende la notte

1

Lunedì 12 novembre 1990, ore 23.04

«Cosa vuoi da noi?»

«Chi sei?» chiese l'altro. Erano di fronte a lui, saldamente legati alle sedie con corde e nastro isolante. La stanza in penombra alimentava la loro paura.

«Perché ce l'hai con noi?»

«Mi chiedi perché?» Sorrise. Per rispondere poteva concedersi tutto il tempo che voleva. Era stata dura arrivare fino a quel momento, ma adesso che c'era riuscito aveva intenzione di prendersela comoda.

Chissà perché se li era immaginati diversi. Aveva pensato centinaia, migliaia di volte a quale potesse essere il loro aspetto. Di certo non grandi e grossi e con la faccia dura, da cattivi, ma neppure così. Erano uomini di mezz'età con la pancetta. Tipi qualunque, insomma. Persone che potevi incontrare per strada oppure avere come vicini di casa e con cui scambiavi il buongiorno e la buonasera. Forse era anche questo a renderglieli ancora più mostruosi. Sì, quello era il termine esatto. Mostruosi.

L'uomo che aveva aperto bocca per primo, con gli occhi a palla e la testa pelata, gli ricordava uno zio di sua madre che aveva visto cinque o sei volte al massimo, e che da piccolo gli portava le caramelle. Quanto all'altro, era di pelo rosso, lentigginoso, e aveva le labbra sottili.

Sapeva molte cose sul loro conto. Conosceva i nomi, ma per lui erano Testa Pelata e il Rosso. Nulla di più. Il primo era divorziato ma non aveva figli. Il secondo non si era mai sposato. Ovviamente, se avessero avuto una famiglia, non avrebbe fatto alcuna differenza.

Si mise a passeggiare per la stanza. Sapeva di renderli ancora più nervosi e questo gli piaceva.

«Cosa vuoi fare?» disse ancora Testa Pelata.

«Chi sei?» chiese l'altro. Dario fece finta di non sentire. Andò ancora avanti e indietro per qualche minuto, come perso in chissà quale pensiero, poi si fermò. Con calma, prese il borsone nero che aveva lasciato a terra fin dal giorno prima, quando era tornato a controllare che tutto fosse a posto, e lo mise sul tavolo accanto alla pistola. L'aprì dando le spalle ai prigionieri e frugò al suo interno, pregustando la loro reazione. Quando si voltò, aveva un angolo della bocca sollevato in un mezzo sorriso. Quei due ci misero un po' a capire, poi presero a guardare con terrore l'oggetto che teneva in mano. Allora anche l'altro angolo della bocca si sollevò, le labbra si dischiusero e comparve un vero sorriso.

2

La casa era fuori mano, nascosta, lontana da altre abitazioni. Era piccola e aveva le pareti di pietra. Per raggiungerla bisognava lasciare la provinciale e arrampicarsi sul monte, affrontando una serie di tornanti. A un certo punto si doveva svoltare in un sentiero ripido dove una macchina passava a malapena, e dopo percorrere un paio di chilometri in mezzo ai boschi. Il contadino che gliela aveva affittata non aveva fatto molte domande, visto che gli aveva pagato un intero anno in anticipo. Ma dove portare quei due era stato il problema più facile da risolvere. Prima aveva dovuto trovarli. E quello si era trasformato nell'unico scopo della sua vita. Era diventato il suo tormento, notte o giorno che fosse: trovarli.

Perché proprio adesso ripensava a quel giorno? Rievocava ogni dettaglio, anche il più insignificante. Era aprile inoltrato e faceva già un gran caldo. Stava pranzando in tinello con i suoi genitori. La finestra era spalancata, l'aria perfettamente immobile come se la Terra avesse smesso di girare.

L'esame di maturità si avvicinava. Più stava sui libri e cercava di concentrarsi, meno gli sembrava d'imparare. Sentiva dire dai grandi che era un problema comune a molti studenti. *Vedrai, Dario, alla fine ripenserai alle tue angosce e ti renderai conto di quanto fossero esagerate.* Ma questo non lo calmava per niente.

«Smettila di torturare quegli spaghetti» aveva detto suo padre.

«Non sto facendo nulla.»

«Ho detto falla finita!»

Sua madre si era alzata per togliergli il piatto ancora mezzo pieno.

«Lascialo stare, Franco. Mangerà quando ne avrà voglia.»

«Se li avesse avuti mio padre in tempo di guerra, quegli spaghetti! Ha la fortuna di trovare il piatto pieno tutti i giorni... Dovrebbe avere voti più alti.»

«Avrà una buona ammissione. Lo dicono i professori.» Sua mamma lo difendeva sempre. Dario era rimasto immobile, lo sguardo fisso davanti a sé. A che sarebbe servito rispondere?

«Alla sua età lavoravo come un mulo. Mio padre mi levò dalla scuola in seconda media.»

«Erano altri tempi, Franco, lo sai bene anche te.»

«Stronzate! I giovani di oggi non sanno cosa sia la fatica. E questo è un male.»

Poi cos'era successo? Suo padre aveva preso il giornale. Aveva l'abitudine di sfogliarlo tra una portata e l'altra, fumando una sigaretta. Era stato proprio mentre sua madre tornava dalla cucina con un vassoio di braciole impanate e fritte che aveva detto:

«Bravi... Così bisogna fare...»

«Che cosa, Franco?»

«Senti qua... *AGGREDITI DUE OMOSESSUALI IN PINETA. Avere un po' d'intimità, al buio e nel fitto della vegetazione, lonta-*

ni da occhi indiscreti. Queste, almeno, le intenzioni di due omosessuali, prima di essere picchiati e spediti all'ospedale.

È accaduto l'altra notte, all'interno del parco compreso tra via Marco Polo e via Zara, da sempre, al calare della sera, luogo di ritrovo per gay. »

Leggeva lentamente; ogni tanto s'interrompeva per tirare una boccata.

«*Erano da poco passate le due, quando L.Z. di 24 anni e A.V. di 38, residenti rispettivamente a Massa e a Camaiore, che si erano appena appartati tra gli alberi, sono stati raggiunti da due individui col volto coperto da passamontagna e armati di bastoni. Prima sono arrivati gli insulti, poi è stata la volta delle botte. Una gragnola di legnate e calci. Prima di dileguarsi, i malviventi hanno rotto entrambe le mani di A.V, calpestandogliele. L.Z., nonostante le gravi condizioni, è riuscito a strisciare fino alla strada, a fermare un auto di passaggio e a chiedere aiuto. I due uomini sono adesso ricoverati all'ospedale Tabarracci per le numerose lesioni e fratture riportate, con una prognosi di oltre trenta giorni. Con quella dell'altra notte...*»

Aveva chiuso il giornale senza finire l'articolo, si era girato e lo aveva gettato sulla poltrona. A quel punto, lui aveva detto:

«Ognuno dovrebbe essere libero di vivere come vuole».

«Ma che cazzo dici? Che razza di stronzo abbiamo cresciuto, Laura?» Suo padre aveva schiacciato la sigaretta nel posacenere. Il fumo si sfilacciava salendo lentamente verso il soffitto.

«Adesso si mette pure a difendere i finocchi...»

«Non fanno del male a nessuno.»

«Chiudi la bocca, capito?»

«Sono persone come noi e...»

«Zitto! Non sai quello che dici! Ce li abbiamo proprio qua dietro, ce li abbiamo... Che schifo!» Abitavano a due passi da quella pineta. La notte si fermavano le macchine lungo il viale, e ombre umane s'infilavano tra gli alberi.

«Cosa credi che facciano quei maiali? Eh? Te lo dico io! Se lo piantano a vicenda nel culo a martellate!»

«Franco! Non parlare così!» Sua madre era sinceramente scandalizzata.

«E come dovrei parlare, Laura? S'inculano. Non è forse questo che fanno?»

«C'è modo e modo di dirlo.»

«C'è un modo solo, cazzo! E se qualcuno si preoccupa di dare una lezione a quei finocchi, bisognerebbe dargli una medaglia. Così la prossima volta ci pensano due volte, prima di tornare in pineta. La polizia dovrebbe manganellare i due froci che sono stati legnati, invece di rompersi le palle a cercare chi li ha picchiati...» Poi se n'era uscito con quell'altra frase, alla quale lui si era aggrappato come un credente alla fede.

«... anche se sono sicuro che fanno solo finta di occuparsene, ovviamente...»

3

Gli fece passare l'attrezzo sotto al naso, perché lo vedessero meglio. Era un tirapugni.

«Vuoi dei soldi?» disse Testa Pelata.

«Se si tratta di soldi non c'è problema...» disse l'altro, il Rosso. Dario si passava il tirapugni da una mano all'altra.

«Sono quattro anelli d'acciaio saldati fra loro. Ci infili dentro le dita e i tuoi pugni diventano micidiali. Bello, no?»

Il Rosso si dimenò sulla sedia. Che si muovesse quanto voleva! E anche l'altro. Tanto non avevano alcuna possibilità di scappare.

«Senti... non ti conosciamo. Se per qualche motivo ce l'hai con noi...»

La voce gli tremava.

«... se ne può parlare da persone civili...»

Si era immaginato spesso quella scena. Aveva preso in considerazione tutte le possibili varianti. Adesso, pensò compiaciuto, il suo compare mi dice che si può trovare un accordo.

E Testa Pelata:

«... si può trovare un accordo...»

Mi dice anche che si può sistemare la questione economica.

«... se è una questione di soldi...»

Infilò le dita della destra nel tirapugni e chiuse la mano.

«... sistemiamo tutto in poco tempo...»

All'improvviso scattò in avanti. Piegò il torace come un pugile e sferrò un cazzotto nello stomaco del Rosso. Non ci mise tutta la forza che aveva, non era ancora il momento, a questo ci sarebbe arrivato per gradi, però fu un gran colpo lo stesso, tanto da spostarlo indietro con tutta la sedia. Il Rosso boccheggiò per qualche istante, poi prese a respirare affannosamente. Un solo colpo e aveva già gli occhi di fuori.

«Perché?» fece l'altro. «Che ti abbiamo fatto?»

4

Tornò con la memoria a quel giorno d'aprile.

«Se tutti ragionassero come te, tra qualche anno i finocchi e i travestiti andrebbero in giro per Viareggio alla luce del sole, al mercato o in passeggiata... Magari mano nella mano!»

«E allora? Che fastidio ti darebbe?»

«Sono contro natura!»

«Dal momento che esiste l'omosessualità, come fa a essere contro natura?»

«E tu mi dici che cazzo hai nella testa?»

«Franco, per favore...» Ma ormai nessuno dei due ascoltava le parole di Laura.

«Perché ti scaldi tanto, papà?»

«Perché sì!»

«Sono persone come le altre.»

«Sono degli invertiti.»

«Allora anche Achille e Alessandro Magno erano degli invertiti.»

«È questo che studi a scuola? Bella roba!»

«Voglio solo farti capire che non c'è nulla di così terribile a essere...»

«Ti sei bevuto il cervello!»

«Non posso avere le mie idee? In fondo quei due si erano nascosti tra gli alberi, di notte, al buio. Mica erano davanti a un asilo in pieno giorno. E poi in pineta ci vanno anche le coppiette.»

«Basta!» Suo padre aveva sbattuto il pugno sul tavolo, facendo tintinnare la bottiglia di vino rosso e la caraffa dell'acqua.

«E questo che ti insegnano al classico? A difendere le checche? Mi spacco la schiena tutto l'anno per pagarti la scuola e... Ma se un giorno scoprissi di avere un figlio finocchio, sono sicuro che ti rimangeresti tutto.»

«E se fossi gay? Che faresti?» Si era aspettato il primo manrovescio della sua vita. Il padre non lo aveva mai picchiato, neppure quando da piccolo ne combinava qualcuna delle sue.

«Non diciamo cazzate! Dal mio uccello non possono nascere dei froci!»

«Ora basta, Franco! Finiamo di mangiare, altrimenti la carne si fredda.»

Suo padre lo aveva guardato a lungo, dritto negli occhi, come se stesse cercando di capire chissà cosa. Poi aveva allungato un braccio, ma non per mollargli il manrovescio. Aveva afferrato il vassoio che la moglie gli porgeva, si era messo nel piatto un paio di braciole ben cotte e aveva iniziato a tagliarle con rabbia, come se avesse sotto uno di quei «maledetti finocchi».

5

Ore 23.45

Li colpì ancora e ancora, sempre nello stomaco, prima l'uno, poi l'altro. Quando ne ebbe abbastanza, si sfilò il tirapugni.

I due uomini erano già ridotti male, respiravano a fatica.

Tornò al borsone, rimise dentro il tirapugni e rimase immobile, le mani poggiate sul tavolo. Era calmo. Sferrare quei colpi non era stato per niente faticoso. Aveva il pieno controllo di sé. Aveva imparato a dominare la tensione, altrimenti sarebbe già impazzito. I tempi in cui aveva paura sembravano lontani anni luce. In quegli anni di caccia, si era ritrovato spesso a ripensare, per esempio, all'ansia o a quel subdolo timore che aveva provato durante la preparazione all'esame.

Quei giorni prima della maturità scorrevano veloci come rapide. La scuola, lo studio... Greco, latino, filosofia... Gli pareva che tutto si mescolasse nella testa, fino a diventare qualcosa di inutile e incolore. Aveva sentito dire che studenti assai più bravi di lui avevano sostenuto un esame penoso. Altri, invece, da sempre mediocri, erano riusciti a brillare. Non era solo questione di preparazione. Dipendeva da tanti fattori. Fortuna, sangue freddo, faccia tosta... e dalla commissione esterna, naturalmente. Il suo amico Samuele diceva sempre:

«Siamo i più sapienti di tutti gli uomini, perché sappiamo di non sapere un cazzo». Poi si metteva a ridere in quel suo modo spavaldo. Era alto e allampanato, con i capelli castani tagliati a spazzola e pietrificati da un chilo di gel. Era da sempre il suo migliore amico.

La sua vita, insomma, era come quella di tanti coetanei. Era diventato da poco maggiorenne. Aveva grandi aspettative per il futuro. Aveva pure una ragazza. Si chiamava Claudia. Due anni più giovane, coda di cavallo bionda tenuta ferma da un elastico colorato, carina come poche e di una dolcezza fuori dal comune. Dio, come gli piaceva... Chissà dov'era, adesso?

A quei tempi, sua madre si dedicava ancora alla cura della casa, oppure andava a dare una mano a un'amica che aveva aperto una lavanderia vicino alla torre Matilde. Suo padre, invece, andava e veniva per lavoro, spesso di umore nero, fumando come un turco. Faceva il camionista da una vita. Migliaia di chilometri l'anno alla guida di un autotreno. Interruzioni soltanto per mangiare, pisciare, fare il pieno o schiacciare un pisolino in un'area di sosta. In compenso, però, avevano una villetta di proprietà, con un giardinetto sul davanti. Era piccola e dovevano ancora finire di pagarla, ma nessuno poteva sfrattarli. Avevano anche una bella Uno cinque porte, che suo padre lavava quasi tutte le domeniche sul marciapiede. Tutto merito di quei viaggi estenuanti con il camion. Erano una bella coppia, i suoi genitori. La dimostrazione vivente che gli opposti si attraggono. Lui sanguigno e orgoglioso, lei riflessiva e accomodante.

6

Si piegò fino a portare il viso vicino a quello di Testa Pelata.

«Non mi riconosci?»

L'uomo scosse la testa.

«E te?» chiese all'altro. «Guardami bene...»

Altro cenno negativo.

«In effetti» sorrise, «sono un po' cambiato da quando ci siamo incontrati...»

Aveva preso qualche chilo, era anche più muscoloso. Aveva fatto del pugilato e si era lasciato crescere la barba. Non aveva più l'aria da ragazzino per bene e sprovveduto di tre anni prima.

«Ti sbagli» disse il Rosso.

«Non ci siamo mai visti» aggiunse Testa Pelata.

«Non mi sbaglio...»

7

Quel pomeriggio, dopo pranzo, suo padre era andato a letto. Quando non era al volante del camion cercava di riposarsi il più possibile.

Lui aveva raggiunto sua madre in cucina e s'era messo ad aiutarla nelle faccende, cosa che per la verità faceva di rado. Avevano parlato del più e del meno, mentre si passavano piatti e bicchieri. Poi a un tratto lei aveva detto:

«Tuo padre è fatto così, Dario. Ma non è cattivo. E poi in questo periodo è particolarmente nervoso. Quelle due ernie al disco gli danno un sacco di fastidio. Il camion gli sta rovinando la salute. Forse dovrà operarsi».

«Lo so, ma questo che c'entra? Quando parla di certe cose sembra che...»

«È stato cresciuto all'antica. Non hai conosciuto tuo nonno, un uomo molto più duro di lui. Persone oneste, una famiglia di gran lavoratori, ma quelli come loro certe cose non le capiscono.»

Dario aveva annuito.

«Allora... Hai deciso a che facoltà andrai?»

«Ci ho pensato bene... Vorrei fare medicina...»

«Medicina... È difficile, lunga, ma sono convinta che c'è la farai...»

Lo sperava. Avrebbe cercato di mettercela tutta. Gli sarebbe piaciuto specializzarsi in ortopedia. Sua madre gli aveva accarezzato il viso.

«Per noi sarà un sacrificio mandarti all'università, ma ne varrà la pena. Almeno avrai un futuro diverso. Non vogliamo certo che tu finisca a guidare un camion...»

Poi anche lui era salito in camera, portandosi dietro il giornale. In vista dell'esame, aveva preso l'abitudine di leggerlo ogni giorno. Magari poteva essergli utile per il tema di attualità. Era andato anche a rivedere l'articolo sul pestaggio.

...arrivano a quattro le aggressioni in pineta ai danni di omosessuali, in poco meno di un anno...

Quelle cose succedevano a poche centinaia di metri da casa loro, nel parco di un quartiere che tutti consideravano piacevole e piuttosto tranquillo. Di giorno la pineta era frequentata da mamme con le carrozzine o da intere famigliole. Mentre di notte, si sa...

Quando era stata l'ultima volta che era passato nel parco dalle parti di via Zara? Una settimana? Forse meno. Si era anche domandato in quale punto esatto fosse avvenuto l'ultimo pestaggio, dalle fotografie pubblicate era impossibile capirlo.

... ricordiamo anche i volantini pieni di offese ritrovati affissi agli alberi circa un mese fa sempre nella zona di via Zara...

... la polizia ha ascoltato le vittime e con gli elementi acquisiti sta indagando per tentare di risalire all'identità dei colpevoli. Gli investigatori ritengono...

8

Quante volte si era svegliato nel cuore della notte, madido di sudore, con il cuore che gli batteva all'impazzata? Faceva sempre quel maledetto sogno. Era arrivato persino a prendere degli psicofarmaci. Non doveva più pensarci, adesso.

«Vi ricordate la prima minaccia che ci avete fatto?» Si era rivolto a tutti e due, con il tono gentile che hanno i dominatori.

«Quale minaccia?»

«Di cosa parli?» Erano sinceramente stupiti. Ma lui, Dario, se la ricordava bene quella frase. Così come ricordava con chiarezza tutto quello che era successo in quei pochi, interminabili minuti. Per la prima volta aveva capito cos'era la paura, quella vera. Era qualcosa di animalesco, di ancestrale. Che aveva persino un odore. Niente a che vedere con i timori adolescenziali che aveva provato fino ad allora.

«Adesso ve lo spacchiamo noi il culo, maledetti finocchi. Avete usato queste precise parole...»

«Tu sei matto» disse quello che sembrava lo zio di sua madre. Alla vista del mazzuolo era sbiancato.

«Già, può darsi che sia matto...»

«Ma chi sei?»

«Chi sei?» ripeté l'altro.

9

Samuele gli aveva fatto fumare la sua prima sigaretta in quarta ginnasio.

«Dai, che vuoi che ti facciano un paio di tiri?»

Non era stato sempre lui a fargli prendere quella sbornia vergognosa durante la gita a Venezia, in seconda liceo? Era stata una notte tremenda. L'aveva passata a vomitare inginocchiato davanti la tazza del water, mentre una compagna con attitudini da crocerossina gli teneva la fronte. La voce di Samuele rimbombava in quel piccolo bagno dalle mattonelle rosa.

«Dario, cazzo, fai schifo... Non reggi neanche il semolino...» E intanto continuava a ridere e a bere a canna da una delle lattine di birra che avevano comprato nel pomeriggio, in un supermercato nei dintorni di piazza San Marco. Ed era stato sempre lui a permettergli di fare l'amore con Claudia la prima volta, visto che non avevano un posto dove andare.

«Domani ti lascio casa libera» gli aveva detto un pomeriggio, mentre studiavano insieme.

«E se tua madre torna prima dall'ufficio, come ieri? Potrei farmi trovare nudo sulla porta, che ne pensi?»

«Tranquillo... Domani non torna prima di cena. Deve andare a Lucca per lavoro. Sicuro al cento per cento... Fammi sapere a che ora venite...»

10

Ore 0.11

Quando abbatté il mazzuolo sul ginocchio del Rosso, non immaginava che un uomo potesse gridare a quel modo. La rotula fece lo stesso rumore di una noce schiacciata e quel bastardo iniziò a dimenarsi. Sui calzoni apparve una macchia scura, il sangue colò fino alla scarpa e poi sul pavimento.
«Il ginocchio... Aaaahia... Il ginocchio...»
«Ti prego, non farmi del male...» piagnucolò l'altro. Tutt'a un tratto in quella stanza il tempo sembrava correre più velocemente.
«Le vostre vittime non vi hanno mai pregati?»
«Sì, sì...»
Gli appoggiò il mazzuolo sul ginocchio. Il Rosso continuava a urlare e a scuotersi come in preda alle convulsioni.
«Sì cosa?»
«Sì... Sì... ci pregavano di smettere...»
«E voi lo avete fatto?»
Non attese la risposta. Sollevò il mazzuolo sopra la testa e lo riabbassò con forza. Colpì l'altro ginocchio, la rotula esplose e un grido più forte inondò la stanza.

11

Alla fine l'esame era arrivato. Lui aveva superato le prove scritte facendosi valere. Il tema di italiano era andato particolarmente bene. Aveva scelto il titolo che chiedeva di delineare, allo scoppio della prima guerra mondiale, il conflitto che si era aperto in Italia tra interventisti e neutralisti.
... Si tracci un quadro delle motivazioni che caratterizzarono le opposte tesi e i riflessi sulle posizioni dei partiti e dei movimenti politici...
Poi era stata la volta degli orali, i primi di luglio, in quella che gli era sembrata la mattinata più afosa della sua vita.

«Il candidato ci parli...»

Infine, avevano attaccato i cartelloni. Studenti e genitori si accalcavano per vedere i voti. Molti erano in tenuta da mare, pronti ad andare sulla spiaggia. Qualcuno si lamentava.

«Stronzi, mi hanno dato quarantotto...»

Una ragazza piangeva perché non aveva preso il massimo. Lui si era fatto largo per avvicinarsi il più possibile. Samuele stava tornando indietro dalla prima fila.

«Mi hanno dato Cinquanta.»

«Grande! E a me?»

«L'ho sempre pensato che sei un maledetto secchione... Cinquantaquattro!»

«Cinquantaquattro?» Era andato a controllare di persona. Cinquantaquattro. Gli aveva fatto una strana impressione vedere scritto quel voto. Forse aveva ragione suo padre, avrebbe potuto impegnarsi di più. Ma ormai...

Era uscito fuori dalla scuola e aveva chiamato casa da una cabina telefonica per dare la buona notizia.

12

Dieci giorni più tardi c'era stata la festa. Un suo compagno aveva uno stabilimento balneare a Lido di Camaiore. L'avevano fatta lì, sulla grande terrazza sopra il vagone delle cabine, con il mare calmo appena rischiarato dalla luna.

Alle undici, metà classe era già ubriaca, l'altra sulla buona strada. Samuele, neanche a dirlo, era alticcio. E faceva del suo meglio per corromperlo.

«Questa è una serata speciale, non puoi dirmi di no.»

E gli metteva in mano una birra.

«È finita, Dario. Ci pensi?»

Certo che ci pensava. E dai un brindisi.

«Siamo finalmente fuori da quella scuola del cazzo...»

Ancora un altro bicchiere. Qualche ragazzo era andato sul bagnasciuga. Una coppietta pomiciava su un lettino, in un angolo buio della terrazza. Dall'indomani, lui si sarebbe riposato. Sarebbe andato al mare, avrebbe trascorso più tempo con Claudia. Il padre di lei faceva l'agente immobiliare, e Claudia aveva detto che forse sarebbe riuscita a prendere le chiavi di una delle tante abitazioni di cui si occupava...

«Andiamo giù anche noi.» Samuele aveva la bocca un po' impastata.

«Che ci andiamo a fare?»

«Dai, che Ciccio ha portato del fumo...»

«Lo sai che quella roba non mi piace.»

«Sei proprio un rompicazzo. Almeno accompagnami...»

«Fanculo.» Lo aveva accompagnato e alla fine aveva fumato anche lui. Si lasciava sempre convincere da Samuele.

All'una le risate sulla spiaggia erano cresciute d'intensità e si erano fatte più sguaiate. Qualcuno si ostinava a suonare la chitarra, qualcuno cantava e altri erano entrati in mare con i vestiti addosso... Poi, poco a poco, la serata si era spenta.

«Torniamo a casa?» Samuele barcollava, aveva gli occhi lucidi e spiritati.

«Meglio di sì, sono quasi le tre.»

«Lasciamo qui i motorini, così smaltiamo un po' la botta di stasera. Domani facciamo un salto a riprenderli.»

«Giusto.» La birra e gli spinelli avevano fatto bene il loro lavoro, e l'idea di andare a piedi non gli era sembrata malvagia. Si erano avviati con calma sulla passeggiata del Lido. Qualche locale era ancora aperto, ma il traffico era diminuito. Camminando parlavano di niente, perdendo ogni tanto il filo del discorso e ridacchiando come scemi.

«Certo che la professoressa di greco non si cambiava mai...»

«Aveva solo due vestiti.»

«E come puzzava...» Giù a ridere. L'effetto dell'hashish sembrava aumentare a ogni passo.

Superato il ponte sulla fossa dell'Abate, che segna il confine con Viareggio, avevano tirato dritto attraversando i giardini della Terrazza della Repubblica. All'incrocio tra il lungomare e via Zara, si erano fermati accanto al semaforo. Era da lì che tutto aveva avuto inizio? Forse.

«Ormai ti accompagno a casa» aveva detto Samuele.

«Lascia stare...» Doveva solo percorrere via Zara quasi fino in fondo, girare a destra in via Don Bosco e fare pochi isolati fino a via Borromeo. Alle tre passate non era certo il percorso più sicuro, ma non gli andava di fare un lungo giro per evitare la zona dei gay. Samuele gli aveva messo un braccio sulla spalla, fiatandogli sul viso.

«Ho detto che ti accompagno, non ci sono cazzi.»

«Come vuoi.»

13

Samuele si era fermato nel punto esatto in cui via Zara inizia a costeggiare la pineta.

«Mi scappa...» Prima che Dario potesse aprire bocca, si era addentrato tra gli alberi.

«Non puoi farla dopo? Con tutti i posti che ci sono, proprio qua...»

«Quando scappa, scappa.» Si era avvicinato a un pino, e nel silenzio si era sentito il rumore della zip che si abbassava.

«E sbrigati...» Dario si guardava intorno. Erano vicinissimi alla strada, ma non si sentiva per niente tranquillo.

«Hai paura che qualcuno ti rompa il sederino vergine?» Samuele ridacchiava.

«Non dire coglionate...» Comunque era vero. Qualcuno avrebbe potuto scambiarli per due giovani in cerca di avventure omosessuali. Che avrebbero fatto se si fosse fermata una macchina e un finestrino si fosse abbassato? Avrebbero dovuto spiegare come stavano le cose? *Non siamo gay, il mio amico doveva solo fare pipì...*

Samuele era tornato verso di lui tirandosi su la lampo, con un sorriso furbetto sulle labbra.

«Mi è venuta in mente una cosa troppo ganza...»

14

Aveva pensato spesso che se quella sera si fosse opposto, le cose sarebbero andate in modo diverso. Tutta la sua vita sarebbe andata in un modo diverso. Ma Samuele riusciva sempre a convincerlo.

«Te la fai in mano, eh? Ma dai, che non c'è nessuno! E poi non siamo mica froci.»

«Perché non passiamo di là?»

«Non fare il coniglio, porca troia. Andiamo solo a dare un'occhiata... Magari spaventiamo noi qualche finocchio...»

«Non dire cazzate.» Dario aveva scrutato il buio là intorno, cercando di tranquillizzarsi. La strada era deserta, le poche auto parcheggiate lungo il marciapiede sembravano vuote. E poi nelle ultime settimane non c'erano stati altri pestaggi. Forse gli omosessuali avevano cambiato zona.

«Dai bel moro, seguimi.» Samuele stava davvero esagerando.

«Ti ho detto di no.» Sapeva che stava cedendo, come sempre. Samuele quella notte voleva provare il brivido della paura, e avrebbe tagliato dalla pineta...

«Allora vado da solo. Ciao bamboccio.» Si era avviato in mezzo agli alberi fischiettando.

«Bamboccio una sega!» Aveva piantato gli occhi sulla schiena di Samuele, finché non lo aveva visto sparire nell'oscurità in mezzo a ombre grottesche. Aveva aspettato ancora pochi secondi, gli era andato dietro quasi correndo, mangiandosi le labbra e voltandosi di continuo in ogni direzione. Il viale in lontananza era illuminato, ma nella pineta il buio era così denso che si distinguevano appena le sagome degli alberi più vicini. Era impossibile sapere se dietro un tronco ci fosse qualcuno a spiare. Finalmente aveva raggiunto il suo amico.

«Samuele, lasciatelo dire... Sei la solita testa di cazzo.» Appena un bisbiglio. Era tutta lì la sua ribellione. Invece era proprio lui, Dario, la testa di cazzo. Perché si era fatto convincere come sempre. Camminava in punta di piedi e scuoteva la testa.

«Testa di cazzo... testa di cazzo...»

«Oh sì, dimmelo ancova bel maschione.»

«E parla piano, almeno!»

«Pevché? Hai pauva?» Samuele continuava a ridere. Si divertiva come un bambino.

«Dai, tagliamo di qui...»

«Mi dici che hai nel cervello, porca puttana?»

«Uffa...» Samuele voltò nel fitto degli alberi e andò avanti. Ancora una volta lui lo aveva seguito. Poco a poco i loro occhi si erano abituati all'oscurità, e qualcosa più di prima emergeva dalle tenebre.

«Sei completamente pazzo!» Sempre bisbigli, con le orecchie tese per ascoltare i rumori della notte.

«Anche tu sei pazzo, visto che sei qui con me.» Non la smetteva di fare lo scemo.

«Zitto! Hai sentito?»

«No, cosa?» Anche Samuele si era irrigidito, finalmente.

«Un fruscio.»

«Non ho sentito nulla...» Si erano fermati, e i loro gomiti si sfioravano.

«Ssst.» Sopra le loro teste, un uccello notturno si era messo a cantare, poi aveva preso il volo.

«Visto? Era solo un uccello... Forse se ne va in giro a cercare qualche culo dove entrare.»

«Possibile che tu sia così imbecille?»

«Dai, che se troviamo qualche gay ci divertiamo a fare il babau!»

«Ti ho detto di parlare piano, cazzo!» Era lui il più duro con le parole, ma Samuele se lo era sempre tirato dietro come un agnellino. Ma sarebbe stata l'ultima volta, lo aveva giurato a se stesso. L'ultimissima volta. Ma ormai era lì e doveva uscirne. Continuavano ad avanzare affiancati o in fila indiana, a seconda dei momenti. In lontananza si sentiva un cane che abbaiava. Era quasi rassicurante. Samuele si era bloccato sulle gambe.

«Mi scappa di nuovo.»

«La fai dopo. Usciamo di qua.» Aveva anche cercato di trascinarlo via.

«Perché non ti calmi?» Samuele aveva tirato fuori il suo attrezzo e si era mezzo a pisciare così, senza nemmeno avvicinarsi a un albero. Dario si era allontanato di un passo.

«Fai schifo!»

«Non dive così, che il mio povevo uccellino si offende.»

«La fai finita? E poi non parlare così forte!»

Lo scroscio era cresciuto d'intensità, poi si era affievolito fino a cessare. Samuele si era voltato, e per scherzo si era calato i jeans e i boxer fin sotto le ginocchia.

«Butta giù i pantaloni e givati, coniglietto pauvoso. Ti faccio sentive il pavadiso.»

«Stronzo!» Un secondo dopo avevano avvertito dei rumori tra i cespugli, ma questa volta non era un uccello notturno... e il nero della notte si era popolato di ombre. Erano rimasti paralizzati dalla paura.

«Guarda un po' chi c'è qui» aveva detto una voce, simulando un tono gentile.

«Due finocchietti freschi freschi...» aveva ribattuto l'altra.

«Lo sapete che non si fanno le porcherie in pineta?»

«Non ve l'ha mai detto la mamma?»

15

Avevano avuto il tempo di capire quello che stava per succedere, ma non di fuggire. La prima bastonata lui l'aveva presa in mezzo alla schiena. Un colpo così forte che gli era sembrato di essere stato diviso in due. Era caduto bocconi nell'erba, senza fiato. A pochi metri aveva visto Samuele che cercava di reagire, che si proteggeva con le braccia. Ma quelle sagome nere senza volto lo colpivano con i bastoni.

«Froci di merda...»

«Dovete sparire dalla faccia della terra...»

Mentre i due si accanivano su Samuele, lui era riuscito a mettersi a quattro zampe, ma un calcio nelle costole lo aveva ributtato giù. Il dolore gli si era propagato in tutto il corpo. Aveva cercato di alzarsi di nuovo, ma sapeva che era inutile. Poi il bastone aveva ricominciato a calargli addosso. Ancora e ancora.

«Ti piacerebbe che ti infilassi nel culo questo bel bastone, vero?»

16

Erano venuti in tanti a trovarlo in ospedale, compresa Claudia e i genitori di Samuele. Era fasciato quasi dappertutto, e lo guardavano con compassione. Solo una volta aveva intravisto suo padre nel corridoio, con lo sguardo duro. Non era nemmeno entrato.

I medici avevano detto che gli era andata di lusso. Una gamba e un braccio spezzati, qualche costola incrinata, la testa ricucita e due denti di meno. Samuele invece era in gravissime condizioni. Glielo aveva sussurrato sua mamma, con le lacrime agli occhi.

«Lo hanno operato alla testa per cercare di rimuovere l'ematoma, ma non sanno ancora se si riprenderà. E anche se ce la dovesse fare... forse resterà...» Non era riuscita a finire la frase.

Lui aveva pregato Claudia di procurargli il giornale che riportava la notizia, e lei glielo aveva portato.

«*Non contenti, gli aggressori hanno spento una sigaretta sul glande di Samuele G., poi...*» Aveva accartocciato il giornale e lo aveva gettato via.

Qualche giorno dopo, due infermieri lo avevano parcheggiato sopra una poltrona imbottita, davanti alla finestra aperta. Era estate. Avrebbe potuto essere la più bella estate della sua vita...

Non faceva che pensare a Samuele, in coma da quasi una settimana. Ogni tanto lanciava un'occhiata fuori. C'era un sole stupendo. Sembrava che non piovesse da un secolo e faceva sempre più caldo, tanto che la stanza era una fornace. C'era sempre un gran traffico in via Fratti. Gente che entrava e usciva dalla pineta, che andava e veniva dall'ospedale. Viareggio era piena di turisti come un uovo. Gli stabilimenti balneari lavoravano a pieno regime.

Suo padre si era fatto intravedere il primo giorno del ricovero, poi basta. Se ne rendeva conto solo adesso. *E il papà?* aveva domandato a sua madre. E lei: *Ti saluta e ti abbraccia. È sempre in giro con il camion.* A lui andava bene così. Era come se volesse rimandare il più possibile il momento in cui se lo sarebbe ritrovato davanti. Sapeva che c'era qualcosa in sospeso tra lui e suo padre.

All'improvviso la porta si era aperta ed era entrata sua madre, con la faccia sconvolta.

«Mamma...» Ma ormai aveva già capito. Samuele era morto.

17

Ore 1.33

Rimise il mazzuolo nel borsone, con la solita calma. Quando si voltò di nuovo non aveva niente in mano. Bastò il suo sguardo a far piangere di terrore Testa Pelata e il suo amico. Sotto le due sedie c'era una pozza di sangue.

«Ti prego... Lasciaci andare... Non diciamo nulla a nessuno... Vero, Guglielmo?»

«No, a nessuno... a nessuno...»

«Siete davvero gentili.» Finse di nuovo di pescare qualcosa dal borsone. Quando tornò davanti ai due, con una mano dietro la schiena, il Rosso rantolò una preghiera e svenne, lasciando ciondolare il capo sul petto.

«Guarda guarda... Il tuo amico vorrebbe lasciarti solo...»

«Per favore... Basta... per favore...» sussurrava Testa Pelata.

«E tu non vuoi stare da solo, giusto?» Dario andò in bagno e tornò con un secchio d'acqua fredda. Lo rovesciò sulla testa del Rosso, che aprì gli occhi di colpo e fece un respiro soffocato come se fosse appena riemerso dal mare.

«Non devi dormire... Adesso viene il bello...»

18

Samuele era morto. No, non era possibile.

Lui era rimasto come paralizzato per qualche secondo, poi a un tratto si era messo a urlare come un pazzo. Aveva cercato di alzarsi dalla poltrona facendo ricorso a tutte le sue forze, ma era caduto sul pavimento.

Sua madre era corsa in corridoio per chiedere aiuto. Erano arrivati due infermieri, lo avevano sollevato di peso e rimesso a letto. Lui aveva continuato a gridare e a dimenarsi. Non sentiva più nessun dolore fisico.

«Bisogna calmarlo...» aveva sentito dire nella stanza. Erano arrivate altre persone. Lo avevano tenuto fermo. L'ago di una siringa era entrato nella pelle, seguito da un lieve bruciore. Aveva cercato di guardarsi intorno, di seguire i movimenti di tutta quella gente, ma le palpebre erano diventate pesanti come pietre. Aveva chiuso gli occhi e aveva cercato di concentrarsi solo sulle voci, una pioggia di voci, lasciandosi andare a quella marea che poco a poco gli cresceva dentro. Si era sentito accarezzare con dolcezza la fronte. Una mano dalle dita morbide, leggere come piume.

«Dario...» Oltre il buio aveva riconosciuto la voce di sua madre, ma non era stato capace di risponderle.

19

Ore 2.07

L'angolo della sua bocca si sollevò.

«Ora avete capito chi sono?» Dal borsone prese un sacchetto di plastica con dentro dei chiodi, lunghi come denti di leone. Ma non mise via il mazzuolo.

«Ti do tutti i soldi che vuoi... Sono ricco... Molto ricco...» sussurrò Testa Pelata, con voce umile.

«Con i soldi non si compra tutto, non te l'ha mai detto la mamma?»

«Tutto quello che vuoi...» biascicò il Rosso.

«Adesso cambiamo gioco...»

«No, ti prego... basta... lasciaci andare...»

«Mentre ancora vi stavo cercando mi dicevo: appena li trovo li uccido in pineta. Due bei colpi di pistola e amen. Ma con il passare del tempo mi sono reso conto che non sarebbe stato giusto.»

«No, ti prego...»

«Questa l'ho già sentita. Non avete di meglio?»

«Non farci ancora male... Lasciaci andare e...»

«Non è possibile, ormai. È una questione morale. Dovete provare le stesse cose che avete fatto vivere alle vostre vittime. Così capirete...» Si avvicinò al Rosso. Si sedette sui talloni e prese a fissargli le scarpe.

«Che vuoi fare?» fece l'uomo, con il poco fiato che gli era rimasto.

«Ora lo vedi...» Appoggiò il chiodo sulla scarpa e alzò in aria il mazzuolo. Prese la mira con calma.

«No, aspetta... ASPETTA! NOOO!»

«Come dici? Non sento.» Il mazzuolo calò rapido, con un tonfo sordo, e il chiodo perforò senza fatica la pelle della scarpa, la carne e l'osso. Il Rosso si contorse e aprì la bocca. La spalancò come dovesse ruggire, ma non uscì alcun suono.

«Fa male?»

20

Ore 2.20

Finì con lui e inchiodò al pavimento anche i piedi dell'altro. Si alzò e guardò la sua opera. I due uomini erano pallidi come cadaveri, i loro lineamenti scomposti.

Dario si mise a sedere lì davanti e accese una sigaretta. Le sue pupille brillavano come braci nella penombra.

«Adesso riposiamoci un po'... Che ne dite?»

Testa Pelata e il Rosso continuavano a mugolare e ogni tanto a sussultare.

«Sapete quando ho deciso di darvi la caccia e uccidervi? Vi interessa? Altrimenti continuiamo a giocare.»

«Noo...»

«Mi int...»

«L'ho deciso il giorno in cui mi hanno dimesso dall'ospedale.» Fece una pausa.

«Se volete vi racconto tutto dall'inizio, così potete capire meglio come mai siete qua...»

21

Era contento di tornarsene a casa. Sperava di poter ritrovare un po' di tranquillità, anche se sapeva bene che la sua vita non sarebbe stata mai più quella di prima. Era venuta sua madre a prenderlo. Avevano parcheggiato la Uno davanti al cancello.

«Il papà è a casa?»

«Sì.»

Avevano attraversato il piccolo giardino in silenzio, a piccoli passi, perché lui zoppicava ancora. Sua madre aveva preso le chiavi dalla borsetta e aveva aperto la porta. All'ospedale gli aveva detto che negli ultimi tempi suo padre non era più andato a lavorare. Doveva sistemare delle cose.

«Franco, siamo noi...»

Era stato proprio in quell'istante, entrando per primo in salotto, che l'idea di uccidere si era piantata a forza nella sua mente. Suo padre penzolava dalla ringhiera delle scale, con una corda che affondava nella carne del collo. La lingua annerita usciva dalla sua bocca, come un boccone cattivo da sputare.

22

Ore 2.41

«Al diavolo l'università, la specializzazione in ortopedia e tutto il resto. Il mio compito era ritrovare voi due.» Aveva ricominciato a torturarli qualche minuto prima, sempre con calma, e intanto parlava come se avesse davanti due vecchi amici. Accese un'altra Camel. Le fumava suo padre, quaranta al giorno. Tirò qualche boccata con soddisfazione, poi la spense sulla guancia di Testa Pelata. La prossima sarebbe toccata al Rosso.

«Nessuno può sapere con certezza come mai mio padre si è ammazzato, ma credo che sia stato per la vergogna. Credeva di avere un figlio frocio. A mia madre non ha mai detto niente, lei me l'ha giurato. Ma un finocchio in casa doveva essere troppo per lui... aveva avuto un'educazione rigida, sapete com'è in questi casi.»

I prigionieri continuavano a guaire, lui a parlare.

«Mi avevano pestato a sangue in zona malfamata della pineta, a notte fonda, insieme al mio migliore amico. E probabilmente mio padre aveva fatto due più due. Non avrebbe sopportato le chiacchiere della gente. Perché Viareggio, lo sapete anche voi, è come un paesino di campagna dove si sa tutto di tutti. Qualcuno ci crede ancora, che io sia gay, ma a me non importa nulla. Fa molto male?» Aveva infilato uno spillone in un orecchio di Testa Pelata. Si voltò sorridendo verso il Rosso.

«Non essere geloso, ora tocca a te.»

«Ti prego...» disse il Rosso per l'ennesima volta.
«Ammazzaci subito» fece l'altro.
«Finalmente una novità. Bravo.»
«Ammazzaci...» ripeté Testa Pelata.
«Lo farò, ma non subito. Prima devo finire il mio racconto. Siete pronti? Insomma, pochi giorni dopo il funerale di mio padre avevo già deciso tutto...»

23

Si era affacciato in giardino e aveva chiamato sua madre. Ma lei non c'era. Bene. Aveva richiuso la porta e zoppicando si era infilato nella camera dei suoi genitori. Quella scatola doveva essere ancora al suo posto. L'ultima volta l'aveva vista circa un anno prima. Perché qualcuno avrebbe dovuto spostarla? Forse sua madre non se lo ricordava nemmeno, che c'era.

Aveva messo una sedia davanti all'armadio quattro stagioni, ci era salito sopra e aveva allungato una mano. Eccola. Aveva preso la scatola da scarpe, e dopo aver rimesso a posto la sedia era andato a chiudersi in camera sua. Aveva aperto la scatola. La pistola era là, circondata da scatoline di proiettili.

24

Ore 3.15

«L'aveva comprata mio padre, dopo che due stronzi lo avevano rapinato e picchiato nel parcheggio di un autogrill. Ero ancora un bambino, e quella storia della rapina mi aveva messo addosso una gran paura. Sapere che mio padre andava in giro armato mi faceva stare bene e male. Ma mia madre invece stava solo male. Pregò e pregò papà di non portarsela dietro. Diceva che era pericoloso e aveva paura succedesse qualcosa di brutto. Mio padre fece di testa sua per un po', ma alla fine la mamma l'ebbe vinta e la pistola finì là sopra. Voi ci credete al destino? Io sì.»

Nell'aria si sentiva odore di pelle bruciata. Dario fumava una sigaretta dietro l'altra, e le facce che aveva davanti erano diventate i suoi posacenere. Ogni tanto passava con delicatezza una lametta da barba sopra una mano o sulla fronte dei due sfortunati, senza nemmeno più accorgersi dei loro lamenti. Testa Pelata e il Rosso erano ormai irriconoscibili.

«Quella pistola era stata comprata per me. Lo capii subito, appena la presi in mano. Era stata dieci anni chiusa in quella scatola solo per me. Capite cosa voglio dire quando parlo del destino? Dovevo solo aspettare di ristabilirmi completamente, anzi dovevo guarire in fretta per fare quello che dovevo. Mia madre non capiva il mio accanimento. Andavo tutti i giorni da un bravo fisioterapista e facevo esercizi per molte ore ogni giorno. Mi rimisi anche a posto i denti, per averli più belli di prima. Vi piace il mio sorriso?» Accese un'altra sigaretta. Su quale delle due facce l'avrebbe spenta? Avrebbe deciso sul momento.

«Quando finalmente mi sentii a posto cominciai a girare in quella pineta di notte, nella zona frequentata dai gay. La perlustravo palmo a palmo, senza nessuna paura. Anche se un po' ci speravo, era assurdo credere che sarebbe stato facile. Ci voleva pazienza. Magari avrei dovuto aspettare molto tempo, ma di una cosa ero sicuro: prima o poi vi avrei trovati. Il destino, capite? La volontà è una conseguenza del destino, e non viceversa. Non so se riuscite a seguirmi...» La sigaretta stava finendo. L'aria era satura di fumo.

«Sapevo che due come voi non si sarebbero fermati, che presto o tardi le nostre strade si sarebbero incontrate... Un po' come nei western di Sergio Leone.»

Testa Pelata si lamentò e dalla sua bocca uscì del sangue, ma lui non ci fece caso. Era concentrato sulla sua storia. A chi avrebbe potuto raccontarla se non a quei due?

«E una notte, finalmente, vi ho visti muovervi tra gli alberi. Mi sono nascosto dietro un cespuglio. Avevate dei bastoni, forse gli stessi che avevano ammazzato il mio amico. Si chiamava Samuele, ve lo avevo già detto? Vi ho seguiti. Avrei potuto ammazzarvi senza problemi, e un paio di volte ho anche puntato la pistola. Ma qualcosa fermava il mio dito sul grilletto. Troppo facile, mi dicevo. Troppo facile! Ho continuato a seguirvi. Eravate delusi, perché non avevate trovato nessun finocchio da picchiare. Vi sono stato dietro fino alla macchina e sono riuscito a prendere la targa.» Fissò il Rosso. Poveraccio, non riusciva più a tenere gli occhi aperti e se l'era fatta addosso. Era già svenuto due o tre volte, e Dario era stato costretto a svegliarlo con l'acqua fredda. Testa Pelata aveva l'aria di essere un po' più coriaceo, ma non se la passava molto meglio dell'altro. Avvicinò il suo viso al suo e gli soffiò il fumo negli occhi. Non era una gran tortura, quella, però doveva essere umiliante.

«La macchina era la tua. Una bella Mercedes nera. Sapere dove abitavi è stato facile, e seguendoti ho scoperto l'indirizzo del tuo amico. Vi ho tenuti d'occhio, vi ho pedinati, e non ve ne siete mai accorti. Eravate troppo sicuri di voi, e per me questo era un vantaggio. Ci ho messo quasi due anni a mettere da parte i soldi che mi servivano, lavorando d'estate come bagnino e d'inverno come cameriere. Sempre per gente di merda, credetemi. Gente che non ha nessun rispetto degli altri. Ma era meglio così. Quelle umiliazioni sono servite a tenere sveglia la mia volontà. Ho fatto molti sacrifici, ma alla fine sono riuscito a portarvi qui, uno alla volta. Non è magnifico?» Pensò a Samuele, a suo padre che penzolava dalla corda. Vide sua madre che ormai sembrava una vecchia, e mordendosi le labbra spense la sigaretta dentro un orecchio di Testa Pelata, girandola a lungo e ignorando i suoi urli.

«Amm... mazzami...» mormorò ancora il Rosso.

«Chi fu di voi a dire quella frase? *Ti piacerebbe che ti infilassi nel culo questo bel bastone, vero?* Sei stato tu? Oppure tu? Be', non importa. Tanto toccherà a tutti e due... Ho comprato un bel manico da vanga.»

25

Due giorni dopo andò a fare due passi sul lungomare. Era una giornata di libeccio forte, di quelle che in piazza Mazzini sembra d'essere in mezzo a una tempesta di sabbia. Il mare era così incazzato che arrivava fino alle cabine, e nuvoloni spessi e neri sfrecciavano veloci oltre le Apuane.

Comprò il giornale. In prima pagina campeggiava un titolo a caratteri cubitali.

MASSACRO NELLA PINETA DI VIAREGGIO

Cercò la pagina.

Trovati due morti nel parco vicino a via Zara

Un massacro premeditato, organizzato nei minimi dettagli.

I corpi senza vita di P.R. e di G.N. sono stati rinvenuti ieri mattina nella pineta di Ponente, legati allo stesso albero. A fare la macabra scoperta...

La mattanza è stata messa a segno con fredda crudeltà, tanto che i medici legali...

Gli investigatori hanno dichiarato che i due uomini, forse collegati al giro di incontri gay che avvengono di solito in quella zona, sono stati uccisi in un altro luogo e poi trasportati lì...

Tornò verso casa con calma. Non aveva paura di essere scoperto e di finire in galera. Che lo arrestassero pure. Che lo processassero, che lo chiudessero in una cella e buttassero via la chiave. Avrebbe seguito ovunque il suo destino. Tanto, al punto in cui era arrivato...

DOMENICO SEMINERIO

Il nero dell'Etna

Come tutte le mattine, all'alba, Alfio Paranza scese le ripide scalette della sua casa di Ognina, aprì la porta interna che immetteva nel garage, sollevò la pesante saracinesca che proteggeva il suo strumento di lavoro, la Lapa, ovvero il motofurgone Ape, dove caricava le verdure fresche e la frutta che poi andava a vendere all'angolo di via Umberto, il suo posto fisso, conquistato dopo infinite discussioni e pure una bella scazzottata con un paio di concorrenti e infine l'intervento di don Cosimo, l'uomo di pace e di panza riverito in tutto il quartiere.

All'alba si alzava Alfio, tutti i santi giorni, pure le domeniche, per vendere bietole e spinaci e broccoletti e cavolfiori e peperoni e melanzane e zucchine e tenerume e carciofi e frutta assortita, secondo le stagioni: tutta roba di prima qualità che andava a prendere direttamente ai mercati generali, vociando coi grossisti, perché aveva una clientela di prim'ordine, esigente, capace di voltare e rivoltare ogni cespo d'insalata e ogni frutto, malgrado avesse messo in bella mostra il cartello che era vietato toccare la merce con le mani. Non c'era verso. Vedere e toccare, tutti come san Tommaso glorioso.

Pure quella mattina, che era il 10 di ottobre e c'era un caldo che sembrava la fine d'agosto, s'era alzato al solito orario, ma con una sottile apprensione, perché dalla sera precedente su Catania era cominciata a cadere la cenere vulcanica, la polvere nera, che aveva ricoperto tutte le strade e gli alberi e i tetti. Sino a quando s'era coricato era caduta e ora non sapeva cosa avrebbe trovato.

La prima cosa che vide fu un dito di polvere nera sull'asfalto e sui tettucci e i parabrezza delle macchine posteggiate per strada, quella polvere sottile, impalpabile, che raschiava la gola. Quella polvere che faceva scivolare i pneumatici e rendeva le macchine ingovernabili. Alzò gli occhi al cielo, tese la mano, come si fa con la pioggia. Non ne cadeva più, per fortuna.

Guardò in giù. Con la coda dell'occhio percepì che c'era qualcosa di anomalo. Una cosa nera, più nera della polvere vulcanica, stesa per terra tra due macchine, una cosa lunga, gonfia in maniera irregolare, coperta da due sacchi di spazzatura, quelli neri di plastica.

Forse il vento, pensò, o i cani randagi che avevano fatto bottino.

Poi la vide. Da sotto il sacco spuntava una mano.

Sissignore, una mano umana. Gli venne il tremito. E ora?

Non toccare, non toccare, si ripeté a voce alta, sempre più alta, con la sua voce potente, allenata per le vanniate quotidiane, le grida con cui attirava i clienti e vantava la sua merce.

Si aprì un balcone del secondo piano. Era Peppino, in canottiera e pantaloni del pigiama.

Vociò pure lui che voleva sapere che c'era, perché faceva quelle voci.

Un morto c'era. Lì, sotto i sacchi.

E alzava la voce e faceva ampi gesti con le mani.

Peppino si sporse. Vedeva solo i sacchi.

A voce altissima gli domandò che doveva fare.

E che voleva fare? I carabinieri doveva chiamare.

Arrivarono dopo cinque minuti, dopo che un piccolo capannello di gente scesa dalle case s'era disposto a circolo attorno ai sacchi neri, ma lontano, senza toccare niente.

L'appuntato scese dalla macchina con faccia interrogativa e un poco incazzata. Alfio lo portò vicino al sacco, gli indicò la mano che usciva da sotto.

L'appuntato sollevò delicatamente un lembo, diede un'occhiata, lasciò ricadere.

Che c'era il morto? si informò Alfio.

Una femmina c'era, bofonchiò l'appuntato.

Che l'avevano ammazzata?

E che minchia ne poteva sapere? Gli raccontasse tutto lui, invece, dall'inizio e con ordine.

Il racconto dovette ripeterlo al maresciallo Sbirrò dopo un quarto d'ora, e poi dopo un'ora al dottore Alianza, il giudice, mentre scoprivano la morta e facevano le fotografie e i disegni col gesso, sollevando nuvolette di polvere nera, e mentre tutti i clacson e i fischietti dei vigili suonavano a distesa e le macchine si ammassavano e volevano passare tutte insieme e i curiosi formavano un bel cerchio intorno alla morta.

Il giudice voleva sapere se la conosceva, ma lui non l'aveva vista per niente. Lo portarono a un passo dal cadavere.

Una macchia di bagnato sulla polvere, la donna distesa supina, con le cosce larghe, scomposta, i capelli sulla faccia. Il maresciallo li spostò delicatamente e lo invitò a guardare.

La prima cosa che vide fu il taglio profondo che attraversava tutta la gola della morta, sopra una grossa collana d'oro, e gli venne da vomitare. Il maresciallo gli strinse il braccio. La guardò bene. La riconobbe.

Madonna Santa! La signora Currè era.

Sicuro era?

E come no! Abitava lì.

E indicò una casa antica, a un piano, con un grande portone e cinque balconi affacciati sull'altro lato della strada. Il maresciallo fece cenno al milite che aveva sentito la risposta. Quello si diresse verso il portone chiuso.

Alfio Paranza scosse la testa, con decisione.

Inutile era. Sola abitava. La casa era del cavaliere Sciortella, ma era morto l'anno scorso e le aveva lasciato tutta la sua roba. Ricco era. Aveva quel palazzo lì e appartamenti e botteghe a corso Italia, ma assai. Campava di rendita, il cavaliere. Aveva conosciuto Marianna Currè, più giovane di lui di più di trent'anni, ci si era messo insieme e quella s'era sistemata. L'anno scorso il cavaliere morì e lei diceva che prima di morire l'aveva sposata in Municipio. Tutta la roba a lei era restata. Sola viveva, non sapeva se aveva parenti.

215

Poi era dovuto andare in caserma, a ripetere ancora una volta tutte le cose che già aveva detto al maresciallo e al giudice e il perché e il percome, aveva firmato il verbale di interrogatorio e all'una era tornato a casa, a raccontare ad Agatina, sua moglie, tutto quello che era successo nella mattinata.

Una gran buttanazza! fu il commento di Agatina, acida al solito suo.

Morta era. Un poco di rispetto ci voleva, santo diavolo!
Ma Agatina ormai era partita.

Tutte questa fine, facevano. Il cavaliere ancora cercava l'erba che non è nata, a sessantacinque anni suonati, e lei, dopo averne fatte di cotte e di crude, gli aveva fatto gli occhi dolci e quello c'era cascato. Di bella era bella, però, di quelle che fanno sangue.

Pure Alfio Paranza la guardava, quando si affacciava ai suoi balconi o la incontrava per strada, e pure a lui faceva sangue, ma con Agatina era meglio non fare apprezzamenti sulle bellezze degli altri, specie se di femmine.

Quel giorno ormai era perso, come se era Pasqua o Natale. Mangiò in fretta e poi si coricò, stanco di non aver fatto niente, e poi di sera al bar con gli amici a parlare di quel pezzo di femmina a cui avevano fatto la festa.

Currè Marianna, casalinga di anni 31 compiuti a marzo, maritata in Municipio col fu Sciortella Gerolamo, possidente, morto un anno prima, aveva ereditato tutti i beni del consorte alla di lui morte, causata da un infarto al miocardio, giusto il referto del suo medico curante e del primario dell'ospedale Garibaldi, dove era stato ricoverato in gravissime condizioni dopo una notte di sgroppate con la moglie, così si disse, sotto l'effetto della famosa pillola celeste.

Dodici appartamenti in vari palazzi di corso Italia possedeva, tutti regolarmente affittati, con un reddito mensile di oltre 10.000 euro. E poi sei botteghe nello stesso viale, altre sette in corso Umberto, cinque in via Etnea, per altri 25.000

euro mensili! L'unico parente di Sciortella era un vecchio cugino, molto ricco, che abitava a Roma e aveva una figlia maritata con un direttore del ministero della Sanità, molto ricco pure lui.

Risultava che la predetta Currè Marianna, vedova del fu Sciortella Gerolamo, aveva ancora la madre, Stranezza Concetta, di anni 48, con cui non si praticava più da un paio d'anni, da quando s'era messa con lo Sciortella, e un fratellastro, tale Cunto Giuseppe, di professione manovale edile, figlio di secondo letto di sua madre, con cui i rapporti s'erano interrotti molti anni prima.

Queste erano le informazioni che l'appuntato Canino aveva raccolto nel giro di due giorni, dopo che c'era stata la perquisizione nel palazzo di Ognina, alla presenza di Marietta, la donna di servizio che veniva ogni mattina e aveva la chiave.

Una casa bellissima, coi mobili antichi e tende di pregio e saloni che parevano chiese e vasi e piatti e candelieri d'argento sparsi in tutte le vetrine e quadri antichi coi faretti di sopra. La casa era in perfetto ordine, con tutte le cose al loro posto. Niente mancava, come si premurò di dire Marietta, che aveva assistito al sopraluogo.

E tutto quel ben di Dio era finito nelle mani di Marianna Currè, che aveva la terza media e poi era stata commessa in un grande magazzino di via Etnea, era stata l'amante del vicedirettore che per lei aveva lasciato la moglie e due figli, poi s'era messa con un farmacista e s'era licenziata da commessa e infine s'era sistemata con Sciortella, pigliandosi prima e dopo il matrimonio molte libertà.

Indagini difficili erano. Lo capì subito il maresciallo Sbirrò. Con tutta la gente che aveva frequentato la Currè, c'era da interrogare mezza Catania.

E intanto nella stessa mattinata del ritrovamento aveva dovuto informare la madre, Concetta Stranezza, vedova Currè, vedova Cunto.

La madre abitava in due povere stanze d'affitto ad Aci, un paesino sulle pendici dell'Etna. Una donnetta di statura media, magra, coi capelli brizzolati raccolti a tuppo, a crocchia, coi tratti del viso induriti dagli stenti di una vita difficile.

Alla notizia era impallidita, s'era portata le mani sulla faccia, a coprirsi gli occhi per qualche istante, infine l'aveva guardato con espressione assorta e poi un lampo, un brillio negli occhi, che non aveva saputo decifrare.

Non c'era dolore nel suo sguardo e neppure pietà, dovette riconoscere. Poi gli aveva offerto il caffè. In silenzio. Neanche una parola.

Dopo il caffè l'aveva interrogata e aveva preso qualche appunto.

Non erano andate mai d'accordo, madre e figlia, fin da quando lei aveva cominciato a parlare. Contestava tutto, la casa, i vestiti, il mangiare, le amicizie, i parenti del primo e del secondo marito, morto pochi anni dopo il matrimonio, che le aveva lasciato un figlio e una misera pensione di bidello comunale.

Col fratellastro, figlio suo e del suo secondo marito, e c'era una differenza di cinque anni, Marianna era in guerra continua, con dispetti di ogni tipo. A sedici anni quel povero figlio se ne era andato a fare il manovale con un fratello di suo padre e poi s'era convinto a stare da solo. Lo vedeva a ogni morte di papa. Fratello e sorella si praticavano poco, quasi per sbaglio, e sempre con le facce acide.

Marianna a scuola c'era stata fino a sedici anni, perché non voleva studiare e aveva ripetuto due anni in prima e in seconda e poi le avevano dato il diploma della Media per levarsela dai piedi, perché creava problemi coi ragazzini piccoli, che era scostumata. Manco in chiesa era andata più, e per farle fare la prima comunione aveva visto le pene. E ora aveva fatto quella fine.

Che ci poteva fare lei? Non ci aveva potuto. La sua natura era. S'era messa il cuore in pace e s'era fatta la sua vita, povera e piena di stenti, ma dignitosa e onesta. Ogni tanto la figlia veniva in paese, ma finiva sempre a voci e sbattute di porte anche per una parola, per le cose più stupide. Da quando s'era messa con l'ultimo, il cavaliere ricco, non s'era più fatta vedere. Tutta lì era la storia.

Le aveva chiesto se sapeva di qualche inimicizia particolare, di qualcuno che poteva volere la sua fine.

Troppe ne aveva fatte, con tanti. Chiunque poteva essere. Lei era una povera donna di paese che di queste cose mai niente ne aveva voluto sapere.

L'aveva invitata a venire in caserma per la deposizione. S'era messa a piagnucolare che lei non ci voleva entrare in questa faccenda, che affrontare il viaggio con l'autobus la stancava, che stare fuori di casa per un giorno le costava del denaro che non aveva, perché lei era povera e campava con la pensione del suo secondo marito, buonanima, e con qualche regaluccio che le elemosinava Alfio Cunto, il fratello più piccolo della buonanima, che faceva il restauratore di mobili e se la passava bene.

Ancora non se ne era resa conto. Il maresciallo tirò un mezzo sospiro. Ma doveva dirglielo.

Per i soldi non si doveva preoccupare, ormai. Sua figlia aveva ereditato tutta la roba di Sciortilla, ci aveva pensato?

L'aveva guardato con faccia ebete. Non lo capiva. E che veniva a dire?

Veniva a dire che la suddetta Marianna, sua figlia, non aveva altri parenti diretti. Giusto? E perciò tutto il suo patrimonio, quello che aveva ereditato da Sciortilla, toccava a lei, che era sua madre, per successione legale.

Era restata a bocca aperta, incapace di articolare una sillaba. Poi aveva incominciato a farsi gran segni di croce, in continuazione.

Lei, la sua roba? Tutta la sua roba? Possibile? Non la voleva, lei. Cosa che puzzava era. Roba maledetta. No, lei no.

E allora la roba sarebbe andata al suo fratellastro, l'unico altro erede.

A chi? A Giuseppe?

Proprio, a Giuseppe Cunto, fratello della predetta Marianna per parte di madre. Suo figlio, insomma!

Non lo conosceva il maresciallo. Neanche lui avrebbe accettato.

E chi lo poteva sapere! Anzi, gli doveva dare l'indirizzo preciso, che lo doveva interrogare.

Non abitava ad Aci. E poi in quei giorni stava lavorando a Riposto. Glielo diceva per telefono che ci voleva parlare il maresciallo.

Il pomeriggio del 12 ottobre, sul tardi, Giuseppe Cunto si presentò in caserma accompagnato dalla madre e da uno anziano, secco secco e pelato, che aveva una grossa borsa di pelle. Si presentò come l'avvocato Pappalisca e notificò con sussiego che seguiva gli interessi dei suoi clienti.

La signora Stranezza, vedova Currè e poi Cunto, aveva subìto una vera e propria metamorfosi, che lasciò il maresciallo interdetto.

Ben pettinata, con un filo di trucco, tutta vestita di nero ma elegante, tanto che sembrava più giovane di vent'anni rispetto a due giorni prima.

Cunto Giuseppe fece le sue dichiarazioni, disse che la notte del delitto era a Riposto, dove stava lavorando nell'impresa «Matton d'oro».

A scanso di equivoci precisò che lui e sua madre volevano prendere possesso della roba della sua povera sorella, buon'anima, e desideravano ardentemente che le forze dell'ordine facessero giustizia e catturassero quel cornuto farabutto che l'aveva ammazzata.

La signora Stranezza accompagnò la sua deposizione con sospiri e singhiozzi e qualche stentata lacrima.

Parlò di alcune incomprensioni in famiglia, che non avevano spento i legami di affetto e di sangue. Si scusò per quello che aveva detto quella mattina, quando c'era andato il maresciallo, ma la notizia l'aveva sconvolta a tal punto che non sapeva quello che diceva e perciò il maresciallo non ne doveva tenere conto.

Al graduato non restò che far firmare le dichiarazioni di

madre e figlio, dopo che l'avvocato le ebbe lette coscienziosamente, ebbe preteso il cambiamento di alcune parole ininfluenti, ebbe citato tutta una serie di leggi e di articoli del codice che salvaguardavano comunque, e aveva ripetuto comunque, i diritti dei legittimi parenti.

Una bella esibizione per giustificare l'immensa parcella che avrebbe chiesto a madre e figlio, colpiti da improvvisa e inattesa fortuna.

Le indagini continuarono con gli interrogatori di molte persone, a cominciare da Marietta, la cameriera della Currè.

Principiò a vociare e a sbracciarsi che lei niente sapeva e che niente aveva a che spartire con quella lì, la morta, che lei lavorava per bisogno e non era complice di niente e di nessuno.

Poi, a richiesta, aveva cominciato a parlare delle abitudini della sua defunta padrona, una scostumata dal carattere impossibile, mai contenta di niente, sempre accigliata, che le faceva trovare tutto sporco e in disordine, con piatti e bicchieri sparsi in tutta la casa, soprattutto nella camera da letto, che ogni mattina pareva un campo di battaglia.

Con calma e senza parere il maresciallo l'aveva portata a parlare delle amicizie della sua datrice di lavoro.

Tanti amici aveva, tutti maschi, tutti giovani, tutti belli.

L'ultimo era stato Gigetto, quello che lavorava al panificio e tutte le mattine all'alba le saliva un cornetto con la crema bianca e uno sfilatino bello caldo e croccante, grande, ma proprio grande.

E lì s'era prodotta in un gesto volgare assai, a sottolineare la grandezza del metaforico sfilatino.

Scavolone Gigetto dapprima cercò di negare ogni rapporto, poi, stretto dalle domande del maresciallo e dalle argomentazioni che il graduato traeva da una informativa riservata prodottagli dall'appuntato Canino, come egualmente il predetto Gigetto, noto nel quartiere per la sua particolarità, fatta oggetto di frequenti esibizioni, di essere superdotato sessualmente, da un paio di mesi frequentava la defunta Currè, recandosi alla di lei casa in orario antelucano, all'albeggiare, e fermandosi per un paio d'ore nella predetta casa. Lo Scavolone era solito vantarsi con gli amici e i conoscenti di questa relazione, che gli fruttava pure un po' di denaro, stanti i frequenti regali elargitigli dalla Currè. Risultava pure che lo Scavolone Luigi, detto Gigetto, era totalmente incensurato e di carattere pacifico e un poco pauroso.

Alla fine Gigetto ammise la frequentazione dei mesi precedenti, da cui ricavava anche un qualche beneficio economico, talché spesso la Curré lo gratificava con sostanziose mance, persino di 100 euro, quando riusciva a replicare anche per cinque o sei volte di fila, ma tenne a precisare che la notte dell'omicidio era restato a casa con la febbre, come potevano testimoniare sua madre e le sue sorelle.

Le donne, sentite subito dopo, confermarono la febbre di cavallo del ragazzo, che era restato a letto per due giorni.

Del vicedirettore del grande magazzino si seppe, tramite informative subito richieste e subito trasmesse, che era stato trasferito in una città del Nord, dove s'era risposato e viveva dignitosamente, senza altri colpi di testa. Il maresciallo si convinse che era inutile seguire quella pista.

Col farmacista le cose andarono in modo più complicato. Intanto si presentò spontaneamente con un avvocato di grande fama, per rendere, diceva lui, una dichiarazione esaustiva circa i suoi pregressi rapporti con la defunta, del cui omicidio aveva letto sui giornali.

In realtà, come si premurò di dire subito dopo, aveva voluto evitare la convocazione ufficiale, che non poteva restare celata alla propria moglie, ignara di quella relazione, di quel colpo di testa fatto in un momento di debolezza e di esaltazione. Tra uomini si capivano, aveva ammiccato.

La solita informativa riservata dell'appuntato Canino aveva però messo in evidenza che la defunta Currè Marianna aveva usufruito di duemila euro mensili, che il farmacista le versava brevi manu, in farmacia, per circa un anno. Dopo l'incontro col cavaliere l'esborso era cessato, ma il farmacista s'era lamentato a più riprese con amici e conoscenti della scorrettezza della sua ex amante, che aveva maturato contro di lui un astio immotivato.

Il farmacista dapprima negò, come da prassi, poi minimizzò, poi cominciò a fare qualche ammissione, infine vuotò il sacco.

Bella era Marianna Currè, bella da perderci la testa, ma una iena era, una sanguisuga, mai contenta di niente. Voleva che lasciasse sua moglie per lei, come se non sapesse che la farmacia e la casa e tutto il resto erano a nome della moglie e che lui non possedeva niente, se non la laurea e il suo nome. E soldi, sempre soldi voleva, sempre di più, con la minaccia di rivelare tutta la tresca alla moglie e di ridurlo povero e pazzo. Anche dopo che s'era messa col cavaliere continuava a minacciarlo di rivelare tutto alla moglie per rovinarlo, per il solo piacere di punire un porco, come amava dire. Erano arrivati alle brutte e una volta, al colmo dell'esasperazione, aveva minacciato di farla uccidere.

Parole avventate, dette in un momento d'ira, che non potevano avere alcun valore, s'era affrettato ad aggiungere il legale.

Erano poi seguiti gli interrogatori di altre persone, frequentatori occasionali della Currè, qualche giovane amante il cui nome era venuto fuori per caso, ma niente di sostanziale.

Dopo una settimana il maresciallo era stato chiamato dal capitano, per fare il punto sulle indagini. Gli aveva portato i verbali degli interrogatori, le foto del cadavere al momento del ritrovamento, la perizia del medico legale, secondo la quale la Currè era morta per la ferita d'arma da taglio non troppo affilata e dalla lama piuttosto spessa, infertale alla gola, all'incirca tra le tre e le quattro della notte. Il colpo aveva reciso di netto la carotide e le corde vocali.

La donna indossava slippini ricamati, coordinati col reggiseno, una gonna di buona fattura, una camicetta ben coordinata, firmata anch'essa, delle scarpe col tacco sottile, senza calze. Tutti i vestiti in ordine: nessuna traccia di violenza. Un paio di rapporti sessuali un'ora prima del decesso, senza alcuna costrizione. All'anulare della mano sinistra, non quella che emergeva dal sacco di plastica, aveva una fedina d'oro con tre diamanti da 0,30 carati, la fede delle nozze, come risultava da alcune foto e dalle testimonianze. Accanto al cadavere era stata trovata la borsetta della vittima, con tutte le cose al loro posto, portafogli, soldi, documenti e un mazzo di chiavi della casa. Anche la presenza della grossa collana d'oro al collo della vittima faceva escludere il delitto per rapina.

Secondo il medico legale il colpo era stato inferto di fronte, con forza e fermezza, da uno pratico nel maneggiare coltelli, nello stesso luogo del ritrovamento, dal momento che non c'erano macchie di sangue né strisciate sulla cenere. Dell'arma del delitto non c'era alcuna traccia, così come non c'erano impronte di sorta sui sacchi neri. La vittima era morta all'istante, senza aver avuto la possibilità di gridare. L'assassino l'aveva ricoperta coi due sacchi di plastica nera, quelli che usano gli operatori ecologici, come li chiamavano ora, di cui era impossibile stabilire la provenienza. Una cosa strana c'era, però. Per tutta la notte era caduta la cenere dell'Etna, che aveva ricoperto tutto, ma tra i capelli della Marianna ce n'erano pochi granelli, segno che la donna era restata esposta alla pioggia solida solo per pochi istanti. Un'altra stranezza era una modesta ecchimosi al centro della fronte, coperta coi cosmetici di cui la donna faceva largo uso.

Valutate tutte le testimonianze e le risultanze, i sospetti maggiori si erano concentrati su Gigetto, l'ultimo amante, sul farmacista, che temeva per il suo matrimonio e la sua stessa sistemazione, sui parenti, i maggiori beneficiari della morte della Currè.

Gigetto fu sentito altre tre volte, a orari i più diversi possibili, e fu pure messo sotto controllo il cellulare che risultava a suo nome.

Preoccupato era il ragazzo. A un amico, tale Vincenzo Salma, aveva confidato di sentirsi braccato dai carabinieri e sperava che non avrebbero mai scoperto quella cosa.

La cosa, come confessò subito alle precise contestazioni del maresciallo, era che l'ultima volta che s'era visto con la Currè, dopo la prima diciamo così prestazione, al colmo del godimento, quella aveva voluto provare una certa posizione ma lui non aveva potuto, lo strumento non si alzava più – capiva? – perché forse era stanco e non stava tanto bene.

Lei aveva provato in tutti i modi a farlo resuscitare, brava era e avrebbe fatto rizzare anche un novantenne paralitico, ma quella volta con lui niente, e alla fine una furia era diventata. Aveva cominciato a insultarlo, a prenderlo a schiaffi, a gettargli addosso i suoi vestiti, a dirgli di uscire e di non farsi più vedere. Male c'era restato. Lui, proprio lui, col suo attrezzo nominato in tutta Catania, non poteva lasciarsele dire certe cose! Aveva reagito a parole, l'aveva chiamata coi nomi più volgari. E quella gli si era lanciata addosso per graffiargli la faccia. Le aveva bloccato le mani e poi le aveva dato una testata al centro della fronte, per difendersi, non per farle male, e lei era caduta come un sacco di patate, svenuta. S'era preso di paura, ma poi le aveva toccato il collo e i polsi e aveva sentito che era viva. Si era rivestito e stava per uscire dalla stanza. La donna era rinvenuta e sempre stesa per terra aveva gridato che l'avrebbe fatto scannare come un porco, il porco che era. Male s'era sentito, la febbre gli era venuta e s'era messo a letto.

L'ultima volta era stata la mattina prima di essere ammazzata, il 9 ottobre.

E com'è che l'avrebbe fatto ammazzare? Da chi? Che sapeva lui?

Lui niente sapeva. Parole dette in un momento di rabbia, dovevano essere. La Currè un brutto carattere aveva, si sentiva troppo potente e non aveva paura di niente. Lui non lo sapeva che persone frequentava.

Aveva firmato anche questo verbale e poi se n'era andato, mogio mogio. Ma il maresciallo aveva sospettato che sapeva altre cose e si spaventava a parlare. Convocò di nuovo la madre di Gigetto.

Venne col figlio e le figlie, ma dopo un poco di voci si convinse a rispondere da sola, senza la presenza dei famigliari.

Sapeva della relazione del figlio con quella troia, a lei niente sfuggiva di quello che succedeva a casa sua, gli aveva fatto voci e baccano per farlo smettere, ma quello rideva e diceva che l'uomo è cacciatore e lui non aveva un fucile, ma un cannone. E certo un figlio così a tutte le donne faceva sangue, figuriamoci a quella, che lo sapevano tutti com'era sempre affamata. Basta, alla fine di settembre era andata a parlarci lei con quella, per dirle di lasciare perdere suo figlio, ma la porca s'era messa a ridere e l'aveva spinta fuori dalla porta e non s'era curata delle voci che le aveva gettato contro. Una vanniata in piena regola, sotto i balconi di quella fitusa, che erano venute le vicine per calmarla e consigliarle di stare muta, che quella frequentava mala gente e potevano fare male a suo figlio. Ed era stata muta, per amore del suo Gigetto.

E chi era quella mala gente, quelle persone che potevano fare male a suo figlio?

Aveva tergiversato, era impallidita e poi arrossita, poi s'era fatta promettere che il suo nome non sarebbe mai venuto fuori e infine aveva sussurrato un nome: Pino lo Scarafaggio.

Lo conosceva bene il maresciallo.

Nivoro Giuseppe, detto Pino lo Scarafaggio perché era sempre vestito di nero ed era nero di carnagione, d'occhi e di capelli, delinquente abituale, con una lunga fedina penale per furti, risse e ferimenti, abile nel maneggiare il coltello.

E che centrava Pino lo Scarafaggio con la Currò?

Amante suo era. E pure una specie di guardaspalle, che doveva proteggerla in caso di bisogno o dare qualche lezione a chi le faceva una minima offesa. Sapeva che una volta aveva dato un sacco di legnate a un farmacista, che si diceva essere stato l'amante della donna.

E com'è che Pino, essendo l'amante della donna, le permetteva di andare con gli altri?

E che ne poteva sapere lei, povera donna di casa? Si vede che avevano il patto che lei doveva essere libera di andare con chi voleva! Con una troia di quel genere tutto possibile era!

Gigetto aveva confermato le parole della madre e poi s'era messo a piangere e aveva confessato che quella mattina s'era preso di paura, ma forte, e gli era venuta la febbre. Se ne voleva andare da Catania subito, appena guarito, per evitare guai con lo Scarafaggio, che era tipo da non averci a che fare. Pure il suo amico glielo aveva detto. Ma poi era successo l'omicidio ed era lì, come lui lo vedeva. Lo Scarafaggio poteva essere stato, per gelosia o per soldi o per qualche motivo che lui non sapeva.

Li aveva congedati con ampie assicurazioni di discrezione. Lui ci pensava, il maresciallo, a mettere a posto Pino.

Il quale Pino non si era presentato alla convocazione e dovette mandarlo a prendere con una gazzella. Non lo trovarono nemmeno a casa, ma completamente ubriaco in un bar della Scogliera, che distribuiva calci e pugni a un cliente e a due camerieri con cui aveva questionato.

Lo interrogò, perciò, in stato di fermo.

Uno scarafaggio davvero sembrava. Tutto nero, con gli occhi a punta, mobilissimi e cattivi. Sembrava uscito fresco fresco da una di quelle fiction televisive che parlano della delinquenza sicula e abbondano di cattivi con le facce feroci.

Non voleva rispondere. A tutte le domande dondolava la testa in segno di diniego. In tasca gli avevano trovato un coltello a scatto. Al nome della Currè aveva sbarrato per un attimo gli occhi, s'era passato il braccio sul viso, s'era prodotto in una specie di ghigno malefico. Non aveva uno straccio di alibi.

Il giudice aveva confermato il fermo per la recidiva di rissa e ferimento e con l'accusa di omicidio volontario.

Il maresciallo era convinto pure lui che ad ammazzare la Currè fosse stato lo Scarafaggio: amante della donna e suo guardaspalle, forse per motivi di interesse o di gelosia. Una coltellata di taglio alla gola era stata, precisa, data da uno pratico e Pino era pratico. Il sospettato ideale.

Il capitano lo aveva elogiato per la rapidità con cui aveva portato a compimento le indagini. Pure il giudice sembrava convinto. Solo, per completezza, gli disse di risentire il farmacista e di farsi raccontare il fatto delle legnate prese dallo Scarafaggio.

Bastò una telefonata in farmacia per farlo venire subito, senza nemmeno l'avvocato. I giornali intanto avevano pubblicato la soluzione del caso e quello s'era tranquillizzato.

Tre mesi dopo la fine della relazione era successo il fatto delle legnate. S'era presentato in farmacia questo tizio, tutto nero, lo aveva chiamato di lato, in segreto, e poi gli aveva detto che una persona desiderava un regalo di ventimila euro per mantenersi calma e mettere una pietra sopra a tutta la sporca faccenda. Non l'aveva capito all'inizio, credeva che fosse una richiesta di pizzo, e l'aveva guardato in malo modo, ordinandogli di uscire immediatamente. E quello per tutta risposta gli aveva dato un ceffone, lì, nella farmacia, davanti alla commessa e a due clienti e poi s'era portato l'indice sulle labbra e aveva sussurrato il nome di Marianna Currè. Non aveva reagito, non poteva, l'aveva lasciato uscire tranquillamente dalla farmacia e s'era giustificato coi presenti dicendo che quello era un povero pazzo lasciato a piede libero dalle leggi disgraziate che non proteggevano niente e nessuno. Dopo una settimana era ripassato e per fortuna non c'erano clienti e la commessa era sul retro. Aveva steso la mano, pronto a ricevere, e quando gli aveva detto che non aveva i soldi perché aveva difficoltà, era uscito senza una parola. Dopo la chiusura era andato alla sua macchina, parcheggiata nella traversa dopo, e lì se l'era trovato davanti. Lo aveva colpito a tradimento con pugni e calci, lui era quasi svenuto per il dolore, e poi si era dileguato dopo avergli detto che sarebbe tornato in farmacia tra due giorni. Niente aveva fatto. Niente poteva fare, se non sistemarsi alla meglio e tornare a casa, dove alla moglie allarmata aveva detto di essere scivolato per strada e di avere sbattuto la faccia per terra. L'indomani si era procurato i soldi contanti, li aveva messi in un pacchetto e poi, dopo due giorni, li aveva consegnati allo Scarafaggio che s'era presentato con puntualità.

E com'è che non gliela aveva detta prima questa cosa?

Il timore della moglie, che lo venisse a sapere la moglie, se lo ricordava com'era la sua situazione? Ma ora si sentiva libero, finalmente, con quella carogna in carcere e con quella, con quella sventurata sottoterra. Un po' gli dispiaceva veramente, per la brutta fine che aveva fatto, ma aveva trovato quello che aveva sempre cercato. Che animale quel Pino! Un bestione senza cervello che aveva ammazzato la sua gallina dalle uova d'oro.

Gli aveva chiesto se voleva sporgere denuncia per le legnate, ma quello aveva fatto ampi dinieghi con le mani. Niente voleva fare, solo non essere cercato più. E questo era stato tutto.

L'ultima frase, però, aveva lasciato nella testa del maresciallo una specie di rimbombo, un dubbio che non voleva andarsene.

Già, perché ammazzare la gallina dalle uova d'oro? Violento era Pino lo Scarafaggio, senza regole, ma non era stupido. E quell'omicidio era una cosa stupida per uno come lui.

E poi il Pino niente aveva detto, né a lui, né al capitano, né al magistrato. Aveva accolto le accuse e le precise contestazioni con fare disinteressato, quasi spavaldo, senza dire una sola parola a sua discolpa, a spiegazione di qualcosa.

Per il momento era in carcere, a piazza Lanza, a disposizione degli inquirenti, che stavano preparando un voluminoso incartamento su di lui per omicidio volontario.

Il movente, però, continuava a non essere chiaro, almeno

per il maresciallo. Ce ne potevano essere tanti di moventi, in quella situazione, ma nessuno lo convinceva completamente.

Mettiamo la gelosia: Marianna Currè non faceva certo mistero dei suoi appetiti e delle sue ricerche di bei maschietti giovani e ben forniti, prima, durante e dopo la relazione con lo Scarafaggio. Ma quello non sembrava il tipo da prendersela più che tanto: inzuppava il biscotto pure lui e gli bastava. Non era uomo di sentimenti, il Pino.

I soldi gli interessavano, e tanti, per potersi permettere di vivere senza fare niente e vestire elegantemente e mantenersi il vizio del gioco, delle scommesse clandestine. Non aveva famiglia, solo la vecchia madre ottantenne collocata in un ospizio quasi di lusso. E il sodalizio con la Currè doveva fruttargli tanti soldi. Patti precisi ci dovevano essere tra di loro, un tanto al mese o una percentuale. Forse la Currè non aveva rispettato i patti, forse lo voleva scaricare, chissà.

Ma lo Scarafaggio non parlava. E prove non ne avevano, di quelle inconfutabili, come aveva detto l'avvocato Ventriglia quando aveva letto i capi d'accusa: nessuna prova, solo indizi e supposizioni che potevano essere smontate in un quarto d'ora. A cominciare dal coltello trovato addosso a Pino: arma proibita era, ma non l'arma del delitto, come avevano appurato gli esperti delle analisi scientifiche. Nessuna confessione e nessuna ammissione da parte dell'accusato, nessun testimone oculare, nessuna impronta sul cadavere o sugli oggetti della morta, nessun movente serio, ma solo un ventaglio di ipotesi che si reggevano sulle chiacchiere interessate di donnette pettegole e ragazzi impauriti dalla cattiva fama del suo cliente. Non era uno stinco di santo, magari era pure recidivo per qualche reato, ma non era certo un assassino.

Le argomentazioni dell'avvocato, doveva riconoscerlo, un fondo di verità l'avevano. Ma, soprattutto, restava per il maresciallo inspiegabile che lo Scarafaggio avesse ammazzato la sua gallina dalle uova d'oro.

Non lo convinceva la cosa. Forse bisognava incominciare daccapo e soffermarsi su tutti quelli che erano coinvolti, a partire dalla bella famiglia di Marianna Currè, la madre e il fratellastro.

Avevano ottenuto che fossero tolti i sigilli nel palazzotto di Ognina e vi si erano istallati tre settimane dopo l'uccisione della donna. Avevano già fatto le pratiche per la successione e, seppe subito, avevano contattato tutti i fittavoli degli appartamenti e dei negozi per farsi consegnare regolarmente le pigioni degli affitti.

Giuseppe Cunto, il fratellastro, un bel ragazzo bruno, s'era dato una buona ripulita, rinnovando il guardaroba e la pettinatura, s'era iscritto a una scuola di ballo e a una palestra per raffinare l'aspetto fisico. Aveva subito cambiato la macchina, una Opel Kadett vecchia di nove anni con la targa antica, quella con la sigla della provincia e tutti i numeri, e s'era preso una Mercedes fiammante. Ormai era un signore.

Anche la madre aveva subito dismesso la moderata afflizione e il lutto estemporaneo, aveva richiamato in servizio la Marietta, che però non ne aveva voluto sapere ed era stata sostituita da una srilanchese raccomandata dal parroco, s'era data una buona ripulita pure lei con vestiti costosi, parrucchieri ed estetisti che andavano per la maggiore, aveva cercato di stringere rapporti con le signore del vicinato, che non erano però andate più in là di stentati saluti ogni volta che la incontravano nei negozi.

Troppo bella era stata la faccenda per loro.

Li aveva visti un paio di volte, madre e figlio, mentre mangiavano un gelato con atteggiamento sussiegoso in viale Artale Alagona, alla Scogliera, in quel famoso locale.

Tutta moine e sorrisi lei, tutto carezze e riguardi lui. Si erano riconciliati di botto, madre e figlio. Ma lei aveva detto che era uscito di casa a sedici anni e che viveva da solo in un'altra casa! Quando era andato a trovarla la prima volta, gli aveva detto che non abitava ad Aci da tanto tempo! S'erano riappattati subito coi soldi! Troppo subito, troppo presto!

Disse al capitano che voleva andare a Riposto per fare due chiacchiere con i titolari e gli ex compagni di lavoro di

Giuseppe Cunto. Tempo perso, gli obiettò il capitano, anche perché il caso era chiaro e non vedeva la necessità di un supplemento d'indagine. Ma alle sue argomentazioni gli diede il permesso. Gli consigliò di andarci in abiti borghesi.

La ditta «Matton d'oro» stava attraversando, come gli disse subito il titolare, geometra Giacinto Freschello, un momento delicato, per via delle nuove norme edilizie e ambientalistiche, che soffocavano le imprese e ne riducevano paurosamente gli utili, tanto che il mese precedente aveva dovuto procedere, con dolore, a una drastica riduzione di personale, tanti padri di famiglia e tanti giovani bravi e volenterosi restati senza lavoro. Ma che poteva farci lui, ormai? Ai politici si dovevano rivolgere, a quelli che facevano le leggi e i regolamenti edilizi che non permettevano a nessuno di lavorare. Guardasse lì, nel cantiere dove lo aveva ricevuto: su una superficie di quella grandezza aveva potuto innalzare solo due piani, con tutti i vincoli possibili e immaginabili, che stava quasi lavorando in perdita, mentre tutt'attorno svettavano i palazzoni di sei piani, abusivi e poi risanati, costruiti su fazzoletti di terreno.

Gli chiese se poteva sapere i nomi degli operai che erano stati licenziati.

Se li ricordava tutti a memoria: Ciccio Spinetta, Gaspare Impeduglia, Franco Denanti, che avevano mogli e figli e gli era dispiaciuto veramente di non farli lavorare più, e poi Mimmo Sacchina, Pippo Pappane, Mario Moncada, Luigi Paternò e l'ultimo, sì, quello di fuori, che era stato con loro solo un paio di mesi.

Non se lo ricordava e aveva chiamato il capomastro per farselo dire. Giuseppe Monaco era. Ma questi ultimi erano giovani e avrebbero trovato facilmente da fare altrove.

Il maresciallo aveva assentito in silenzio. Poi gli chiese notizie di Giuseppe Cunto.

Ah! Il catanese? E che aveva fatto?

Niente aveva fatto. Entrò per sbaglio in un'indagine su

un incidente e aveva detto che aveva lavorato lì, alla «Matton d'oro».

Vero era. Aveva lavorato lì sino a un mese fa, esattamente sino al 10 ottobre, ma era schizzinoso, si lamentava del lavoro troppo pesante, non faceva che maledire una sua sorella che, a suo dire, era diventata ricchissima e non lo calcolava più, né a lui né a quella povera donna di sua madre, che s'era levata il pane di bocca per mantenerla come una signora.

Il maresciallo l'aveva guardato pensieroso assai.

Che tipo era Giuseppe Cunto?

E che doveva essere! Uno senza arte né parte che non gli piaceva lavorare e aveva sempre questioni coi suoi compagni. E si manteneva pure i vizi.

Quali vizi? Donne? Droga?

Il geometra Giacinto Freschella voleva fare il ritegnoso, non voleva dire niente di compromettente.

Nessuna compromissione, lo vedeva. Non era un interrogatorio, ma una chiacchierata alla buona su una persona che conoscevano tutti e due.

Il catanese il vizio del gioco aveva. Voleva acchiappare la fortuna. Capace che si giocava mezza settimana di paga coi gratta e vinci, e poi il lotto e l'enalotto e le corse tris e pure i videopoker dei bar. Ogni tanto qualcuno gli mandava dei soldi e riusciva a sopravvivere.

E chi era questo qualcuno?

Il geometra non lo sapeva, veramente. Il Cunto diceva che era sua madre. E poi c'era anche il vizio delle donne. Aveva conosciuto una polacca a Catania e almeno due volte alla settimana tornava nella città per stare con lei. La mattina si presentava al lavoro stanco e svagato, come l'ultimo giorno. Poi alla fine di ottobre tornò e offrì una cena ai compagni, perché aveva fatto fortuna. Una grossa vincita al gioco, disse. S'era sistemato per tutta la vita.

Ma allora il Cunto aveva lavorato lì sino al 10 ottobre?

Proprio come diceva il maresciallo. Si era presentato la mattina tardi, ma non prese lavoro, disse che si licenziava.

E quel giorno era venuto al lavoro stanco e svagato, perché era stato a Catania a trovare la sua polacca?

Così aveva detto a qualche compagno.

Si ricordava a chi?

Lui non lo sapeva. Potevano chiedere.

Posero la questione ai compagni, ma nessuno ricordava niente. Sapevano tutti che tornava spesso a Catania per la donna, ma di quel giorno non si ricordavano.

Un'altra cosa volle sapere il maresciallo: dove abitava Giuseppe Cunto quando stava a Riposto?

Il geometra Giacinto Freschello gli disse che dormiva lì, nel cantiere, in quella baracca del custode, dove aveva messo due brande e un armadio di ferro. Una sola valigia s'era portato e un televisore piccolo. Niente altro.

Mentre tornava a Catania il maresciallo rifletté che su Giuseppe Cunto niente sapeva e che doveva invece saperne di più.

Si mise al lavoro e mise al lavoro l'appuntato Canino, il quale dopo due giorni gli consegnò una informativa completa.

Il predetto Cunto Giuseppe da un paio d'anni aveva preso in affitto due stanze al terzo piano di uno stabile antico in via Plebiscito, dove abitava da solo. La padrona di casa, un'anziana pensionata, che abitava al primo piano, gli aveva detto che ultimamente il Cunto riceveva a casa una giovane donna bionda, straniera, e pure una persona di mezz'età, un tipo distinto, che diceva di essere suo zio. Per il resto era un giovane educato e silenzioso. Alla fine di ottobre aveva lasciato la casa e si era trasferito in una zona diversa della città, a Ognina le aveva detto, ma non aveva dato un indirizzo preciso e perciò non aveva potuto fargli avere una raccomandata che gli era arrivata tre giorni prima.

L'appuntato se l'era fatta mostrare. Una busta verde, di quelle che notificano le multe.

La padrona di casa se l'era fatta dare lei dal postino, dopo aver firmato la ricevuta col suo nome e specificando i suoi rapporti col Cunto e il postino gliela aveva data perché la conosceva da vent'anni almeno ed era pure compare della buonanima di suo marito. L'aveva presa perché era certa che il Cunto sarebbe tornato a trovarla presto e poi se non la prendeva lei non l'avrebbero consegnata perché non sapevano l'indirizzo nuovo e si sarebbe persa. Il postino le aveva detto che doveva essere una cosa importante, ufficiale, e così lei, con molta delicatezza, l'aveva aperta, che tanto il bravo ragazzo l'avrebbe pure ringraziata per quella premura. Non era stato per curiosità, assolutamente, ma per fare un favore a quel bravo giovane che se lo meritava e aveva pagato sempre l'affitto con puntualità e mai le aveva dato il minimo fastidio.

Che c'era nella lettera? aveva voluto sapere l'appuntato.

Una multa di 250 euro per eccesso di velocità. I carabinieri gliela avevano presa.

La busta, richiusa alla buona, era allegata al rapporto del Canino.

Il maresciallo la aprì con delicatezza e con facilità.

La notifica di una multa c'era. Per eccesso di velocità sull'autostrada Catania-Messina rilevata con l'autovelox da una pattuglia in servizio presso lo svincolo di Acireale alle 3.55 del giorno 10 ottobre.

La notte dell'omicidio.

Non era vero allora che quella notte era a Riposto, a Catania era stato. Giuseppe Cunto aveva mentito. Ma questa non era ancora una prova. Rafforzava un'ipotesi, forniva un altro indizio, ma non la prova. Poteva essere che avesse passato la notte con la sua donna, la polacca di cui non sapeva niente.

Spiegò all'appuntato Canino tutta la faccenda e gli disse di fare qualche indagine sulla polacca. Niente ne sapevano, neanche il nome. Gli consigliò di pedinare il Cunto, ma con molta discrezione, perché non era indagato e perché la polacca quasi certamente era clandestina e temeva di essere rimpatriata.

Lo sguardo furbissimo dell'appuntato gli testimoniò che aveva capito tutto alla perfezione, come al solito.

La mattina dopo l'informativa dell'appuntato era sul tavolo del maresciallo.

La donna era tale Irina Jankulosky, di anni 24, polacca, giunta in Italia da quattro mesi in modo clandestino, che s'era impiegata dapprima come cameriera nel ristorante «La tigre d'oro» di via Pacini e poi s'era licenziata dopo un paio di mesi e dalla fine di ottobre viveva in un piccolo appartamento di via Leopardi affittato a nome di Cunto Giuseppe, con cui aveva intrapreso una relazione subito dopo il suo arrivo. Risultava che la detta Jankulosky in atto non svolgeva nessuna attività lavorativa e che viveva con le generose sovvenzioni passatele dal predetto Cunto, con cui si vedeva giornalmente. Si era saputo che il Cunto aveva promesso di sposarla, ma che alle nozze si opponeva la di lui madre, Concetta Stranezza, madre anche della defunta Currè Marianna. Tra madre e figlio stavano aumentando i dissapori, tanto che tre giorni prima c'era stata una lite piuttosto accesa nel bar di viale Artale Alagona, dove i due erano soliti recarsi nel pomeriggio per consumare le specialità del locale. Alla lite era intervenuto pure un parente del Cunto, tale Cunto Alfio, zio del predetto per parte di padre, che aveva preso le parti della di lui madre, in quanto anche lui contrario alla relazione con la polacca. Risultava che il Cunto Giuseppe, da qualche giorno, non rientrava nel palazzetto di Ognina, già appartenuto alla Currè Marianna, dove aveva preso dimora con la madre.

Disse all'appuntato di andarci a parlare lui, con la polacca, possibilmente in borghese e senza metterla in sospetto.

L'appuntato, al solito, capì al volo. L'indomani mattina se lo vide presentare in ufficio con un bel sorriso.

Gli riferì che la Jankulosky era sospettosa e piena di paura di essere rimpatriata e perciò lui aveva dovuto usare le minacce e le promesse per farsi raccontare un poco di cose sulla sua vita.

Gli aveva detto che era laureata all'università di Varsavia, in economia, che era venuta clandestina a Catania per uscire dalla miseria di casa sua e per le insistenze di una conoscente che non s'era fatta trovare all'appuntamento, che aveva trovato per caso un lavoro al bar di via Pacini, che aveva conosciuto un giovane buono e bello ora diventato ricco e desideroso di sposarla, ma che la madre di lui, una vipera malefica, si opponeva con tutte le sue forze e aveva minacciato cose terribili se non avesse lasciato suo figlio. Il giovane s'era ribellato, le aveva gridato contro cose terribili pure lui, l'aveva minacciata di parlare e di dire tutto ai carabinieri e poi se ne era andato a vivere con lei, nell'appartamentino di via Leopardi.

E che doveva dire ai carabinieri?

La Jankulosky aveva titubato un po' e poi gli aveva detto che lei non aveva capito tanto bene, perché parlavano il dialetto stretto, ma che doveva trattarsi di una cosa che riguardava la sorellastra, quella che era morta e le aveva lasciato tutti i soldi. E quella vipera aveva gridato che tutto suo era, tutto, e che lo avrebbe lasciato povero e pazzo e che avrebbe dato tutto ai preti, per pregare per la sua anima che ne aveva di bisogno.

Il maresciallo si convinse che doveva risentire la madre. Forse, però, era meglio parlare prima con il cognato, quel tale Alfio Cunto che non aveva ancora sentito. Ma non voleva convocarlo in caserma, per non metterlo in sospetto. Andò a trovarlo sul luogo di lavoro a metà mattina.

Aveva bottega di restauratore di mobili in una traversa di via Ventimiglia, un enorme basso pieno di legni di tutte le dimensioni, e poi canterani, tavoli, sedie e poltrone sventrate, un paio di armadi, un bancone con le morse e gli attrezzi del falegname e su tutto un odore pungente di colle e vernici.

Alfio Cunto troppo preciso non era. Preciso nel senso mascolino del termine. Omosessuale era, si vedeva a colpo, né lui, veramente, faceva nulla per nasconderlo, anzi agitava le mani in modo inconfondibile e parlava con una vocina aggraziata, che usciva dalla boccuccia sempre atteggiata a cuore.

Il maresciallo si era presentato, con nome e grado.

Il Cunto lo conosceva di fama, sapeva che si occupava delle indagini per l'ammazzamento della Marianna.

Il maresciallo gli notificò che era venuto a parlare con lui in via amichevole e informale, per avere qualche informazione aggiuntiva con cui farsi un quadro completo della personalità della vittima e precisare il probabile movente.

Gli chiese informazioni sulla sua professione, sui rapporti con la cognata Concetta Stranezza, sul nipote Giuseppe e sulla ragazza di Giuseppe, la Irina polacca.

Il Cunto zio parlò del suo lavoro di restauratore di mobili, il più bravo della città era, dei suoi rapporti con la cognata, una povera donna sempre alle prese con la miseria, del caro nipote, un ragazzo bello come un attore e tanto sensibile e affettuoso prima di incontrare quella cosa, la polacca, che gli aveva fatto perdere la testa con le sue arti buttanesche e lo voleva convincere a sposarla per sistemarsi alla grande, ora che era pure ricco. Non la poteva vedere quella cosa, quella cavalla bionda, che aveva allontanato il nipote dagli affetti domestici e l'aveva fatto diventare ingrato verso chi l'aveva sempre aiutato e voluto bene.

Man mano che parlava era arrossito di collera e gli erano pure spuntate le lacrime. Per l'ingratitudine. Forse per qualcosa di diverso.

Aveva concluso lì il dialogo, l'aveva ringraziato per la collaborazione e quello gli era sembrato più leggero, come liberato da un peso.

Un tipo così andava cucinato a fuoco lento. La sua specialità era. Lasciò passare la mattinata e a metà pomeriggio si ripresentò nella bottega. Era indaffarato a montare lo schienale di una gran sedia dorata, una specie di trono, messa a gambe all'aria.

A vederlo ebbe come un brivido, di sorpresa e di paura, lasciò perdere la sedia, si scostò una ciocca di capelli dalla fronte e gli andò incontro, pulendosi le mani con uno straccetto, nervosamente.

Il maresciallo fece un paio di passi all'interno, si fermò, incrociò le braccia sul petto e lo fissò con espressione seria. Severa.

Di chi sa tutto e non ammette menzogne.

Volle subito giocare scoperto.

Gli fece domande precise e un poco indiscrete sui rapporti col nipote, facendogli capire che sapeva.

Il Cunto si scompose, impallidì e arrossì con frequenza impressionante, concesse qualche piccola ammissione sui giochetti innocenti che faceva col ragazzo e infine, dopo essersi seduto su una panca, in un gran pianto dentro un fazzoletto ricamato estratto da una tasca, confessò che lo amava disperatamente, ricambiato, finché non era comparsa quella lì, la polacca, che le forze dell'ordine non avevano ancora cacciato via come prescrivevano le leggi. Loro ci dovevano pensare, i carabinieri, a rimpatriarla di corsa.

Impassibile gli chiese se voleva fare lui la denuncia contro la clandestina.

Lo guardò con lacrimosa sorpresa.

Non voleva farla, la denuncia. Non poteva. Giuseppe l'avrebbe saputo e l'avrebbe odiato per tutta la vita.

Gli chiese di Marianna Currè.

La nipotastra, come la definì subito, una brutta fine aveva fatto, quella che si meritava. Una donnaccia pure quella, che tormentava il suo Giuseppe.

E come lo tormentava?

Con l'assenza, il disinteresse, la mancanza di qualsiasi forma di affetto e di aiuto. Quella lo tormentava con l'assenza e questa con la presenza. Sfortunato era Giuseppe con le donne. Ma almeno con la nipotastra la sorte aveva fatto giustizia, mentre con questa, ancora.

Non aveva finito la frase e aveva alzato gli occhi al cielo, come a chiederne un tacito aiuto.

Non era stata la sorte, qualcuno determinato era stato, qualcuno che non la poteva vedere.

Gli aveva puntato il dito sul petto.

Dov'era lui la notte del 9 ottobre?

Come dov'era? Sospettava di lui?

E s'era prodotto in una scena isterica di povero/a infelice ingiustamente sospettato/a.

Ripeté la domanda, tenendogli sempre l'indice puntato addosso.

E dove voleva che fosse, a casa sua era, solo, a guardare la televisione, come tutte le sere, e poi a nanna. Anzi, ora che ci pensava, il 9 ottobre aveva detto? Non era a casa. Era andato alla festa di compleanno di Titti, commesso di quel negozio di scarpe in via Rapisardi, che giusto quel giorno compiva trentadue anni e aveva radunato gli amici del cuore, con una bella torta tutta rosa coi fiorellini rossi, un amore, e anzi aveva voluto prestato un coltello da torta col manico d'argento, per fare bella figura. S'era divertito assai e s'era ritirato tardi, a notte fonda, tanto che l'indomani aveva aperto bottega alle undici, perché non era abituato a fare le ore piccole. Pure Giuseppe aveva invitato il Titti, ma quello si era appena fatto vedere e poi era andato via, per incontrarsi sicuramente con la donnaccia, e invece s'era inventato la scusa che era andato da sua madre. Ma non era vero. Prima c'era andato da sua madre, nel pomeriggio, ma non l'aveva trovata a casa. Poi era tornato a prenderlo a notte fonda, come aveva detto, oltre le due, e avevano litigato. Pure dalla macchina lo aveva fatto scendere, quello screanzato, e avevano continuato a discutere appoggiati alla ringhiera che dà sulla Scogliera, sotto le stelle.

E perché avevano litigato?

Scontento era Giuseppe, non gli andava bene il suo lavoro, diceva che guadagnava poco e voleva andarsene da Catania, al Nord, forse a Milano, dove la polacca aveva degli amici che avevano promesso a tutti e due un bel lavoro. Figuriamoci! Per lei, forse, magari un lavoro di quelli che, come dire, si vergognava pure a dirlo, insomma un non lavoro in qualche locale o per strada, come si sente dire in televisione e lui a fare il mantenuto o peggio. Gli aveva promesso che l'avrebbe aiutato, come aveva sempre fatto, ma il nipote aveva detto che era stufo e voleva essere libero. Libero di far che, povero Giuseppe? Ma s'era incaponito, non voleva sentire ragioni. Alle tre erano ancora sul marciapiede a discutere.

E poi?

Poi era andato a casa.

A che ora?

E che guardava l'orologio, in quella situazione? Comunque saranno state le tre e mezzo.

E Giuseppe? Che aveva fatto Giuseppe?

Gli disse che era tardi e che doveva tornare a Riposto, per licenziarsi la stessa mattina. Lo lasciò con la macchina al porticciolo e dovette farsi un po' di strada a piedi, sotto le stelle, a smaltire il magone che aveva lì, nel cuore. E poi era successo quello che era successo.

E Giuseppe non era partito più.

E perché avrebbe dovuto? Ormai era ricco!

Veramente i soldi non erano di Giuseppe, ma della madre.

Ma quella, lo sapeva come erano svampite le donne, tempo due settimane e si sarebbe fatta convincere a prendersi la polacca a casa.

Il maresciallo volle sapere quanta strada aveva fatto a piedi dal porticciolo di Ognina. Ma perché Ognina? Dove abitava lui?

Ma che non lo sapeva? A Ognina stava. Una bella casetta, due traverse dopo la casa di sua cognata, al secondo piano, da dove si vedeva tutto il porticciolo e la costa della Scogliera, fino ai Faraglioni di Trezza.

Concetta Stranezza si mostrò contrariata assai di essere cercata pure a casa sua dal maresciallo, fatto entrare dalla sprovveduta srilanchese in un salotto grande come una chiesa e pieno di mobili dorati e tende e vetrinette illuminate.

Non era neanche entrata nella stanza che aveva cominciato a sbraitare, dimenticandosi le appena conosciute maniere da signora.

Che andava cercando? Non era convinto di qualcosa? I giornali avevano scritto che l'assassino era stato trovato, quel tale che chiamavano lo Scarafaggio. E dunque! Si doveva ricordare che lei aveva perso una figlia, che la dolente era lei!

E non la finiva più con le recriminazioni, pronunciate quasi in falsetto, con una vocina tagliente.

Si accomodò senza invito su una poltrona e tagliò corto, con voce imperiosa, che le indagini le faceva lui e perciò doveva sapere tutto. Gli parlasse di suo figlio e della polacca.

Si sedette pure lei su una poltrona di fronte e lo guardò interdetta. Non capiva dove stava andando a parare.

Fatti privati erano. Che c'entrava la giustizia?

C'entrava. Soprattutto quando non si diceva la verità.

Quale verità? Che c'era da sapere? Suo figlio s'era messo con una ragazza che non andava bene per lui e lei non era contenta e lo voleva dissuadere dal fare un colpo di testa. Che era una novità questa? Non facevano così tutti i genitori?

La guardò acido.

Aveva detto la verità, non le chiacchiere! Dov'era lei la sera del 9 ottobre?

E dove doveva essere, a casa sua.

Aveva visto suo figlio Giuseppe?

Non si ricordava.

Ah no? Proprio lei aveva detto che lo vedeva a ogni morte di papa e ora non si ricordava di averlo visto la sera del 9 ottobre, la sera prima dell'omicidio?

Ma che stava cercando di dire, il maresciallo? Sbagliato era!

Rispondesse alle sue domande, e basta!

E lei non gli diceva un fico secco! Che faceva, la arrestava?

A lei no. Giuseppe arrestava, per falsa testimonianza.

E che aveva detto quel benedetto figlio?

Che la sera del 9 ottobre era venuto a casa sua. O mentiva lui o mentiva lei, non c'era scampo.

Impallidì Concetta Stranezza. Abbassò la testa. Poi in un sussurro.

E va bene. Giuseppe da lei era venuto, verso le sette di sera.

E l'aveva trovata a casa?

No. Non l'aveva trovata.

E lei come sapeva che era venuto a casa e non l'aveva trovata?

Glielo aveva detto il giorno dopo, quando seppe la cosa di Marianna.

Non era in casa? Dov'era?

Non si ricordava. Uscita per i fatti suoi. Che era proibito?

Il maresciallo le ordinò con un grugnito di smetterla.

Non si ricordava, e basta. La lasciasse in pace, nel suo dolore di madre.

Non bastava. Non poteva bastare. Si stava mettendo nei guai.

Aveva riso, istericamente.

Lei nei guai? E perché?

Perché voleva coprire qualcuno. Suo figlio o suo cognato.

Alfio? E lo doveva pure coprire, dopo che s'è approfittato di suo figlio con la scusa dell'aiuto!

E allora voleva coprire Giuseppe.

E ci tornava! Marianna era stata ammazzata dallo Scarafaggio, o s'erano rimangiato tutto?

Non era stato lo Scarafaggio. Uno di loro era stato, o forse tutti insieme, per prendersi la roba.

Alle cose dei pazzi erano arrivati. Ma che gli scappava dalla bocca, al maresciallo?

Solo quello che era successo.

E allora lei non diceva niente più. La mandasse in carcere, forza. Pure questa le doveva toccare!

E s'era girata di lato con la bocca serrata.

L'indomani fece venire in caserma Giuseppe. Lo fece entrare nella sua stanza dopo averlo fatto aspettare una buona mezz'ora.

Nervoso era. Pallido e un poco scarmigliato.

Gli chiese della polacca e quello sbroccolò subito tutto,

dei contrasti con la madre e soprattutto con lo zio. E lì aveva abbassato il capo.

Poi l'aveva guardato in faccia, in modo franco, cercando di far capire che lui non si vergognava più, che aveva superato quella cosa.

Il maresciallo aveva ricambiato lo sguardo e aveva accennato con la testa in quel certo modo che indica la conoscenza di qualche segreto.

Ma Giuseppe era arrossito lo stesso. Si vergognava ancora.

Il maresciallo volle sapere che era successo la notte del 9 ottobre con, diciamo così, lo zio.

Avevano litigato.

Per quale motivo?

Lo zio voleva che andasse a una festa, al compleanno di un suo amico, una sua consorella. Ma a lui facevano schifo, gli avevano sempre fatto schifo. Aveva acconsentito per bisogno, solo per bisogno, lo doveva credere. Da Irina era andato, una ragazza dolcissima e comprensiva. Poi alle due era andato a prenderlo. Una scenata gli fece, con parole pesanti assai contro di lui e contro Irina, tanto che lo fece scendere dalla macchina in via Artale Alagona, alla Scogliera.

Che ora era?

Le tre e un quarto precise. Si ricordava di avere guardato l'orologio perché gli sembrava troppo presto per andare a Riposto e troppo tardi per tornare da Irina. Non poteva neanche scendere dalla macchina perché cadeva la cenere, quella dell'Etna, che gli dava fastidio alla respirazione. Era un poco allergico alla polvere.

La polvere? Non c'erano le stelle?

Le stelle? Di quali stelle parlava il maresciallo?

Le stelle che brillavano nel cielo la notte del delitto.

Ma quali stelle! Neanche una se ne vedeva con quella cenere!

E certo. La notte del 9 ottobre era caduta la cenere, fitta, che non si vedeva niente, come una nebbia nera che avvolgeva tutto.

Ora aveva capito, il maresciallo.

*

L'indomani si recò nella bottega di Alfio Cunto sul presto, poco prima delle nove, in borghese. Ancora chiusa era.

Entrò in un bar lì vicino per bere un caffè.

Alfio Cunto era appollaiato al banco e mangiucchiava un cornetto con la crema bianca, facendo attenzione a non sbrodolarsi.

Lo invitò a prendere qualcosa, cerimonioso. Accettò il caffè. Lo bevve in un attimo e poi aspettò che il Cunto finisse il cornetto e il cappuccino, tiepido, precisò, perché quello bollente gli metteva acidità.

Gli disse che era passato di lì per caso e che voleva approfittarne per chiedergli un'altra cosa.

Aprì la porta della bottega e lo invitò a entrare, così avrebbero potuto parlare con calma.

Lo fece accomodare su un divano a tre posti appena restaurato, monumentale, che doveva consegnare in mattinata.

Era restato in piedi, di fronte al maresciallo, aspettando che quello desse l'avvio alla conversazione.

Il maresciallo lo guardò con espressione serena, quasi allegra e principiò a parlare dell'indagine sulla morte della Currè, ormai giunta alla conclusione.

Tutto sapeva. Tutto aveva capito. Si liberasse la coscienza.

E l'aveva guardato con fermezza, con tutta la consapevolezza del suo ruolo e del suo compito.

Alfio Cunto stentò a capire. Poi si rese conto dell'esatto significato delle parole del maresciallo. Si riscosse.

Che sapeva? Che aveva capito? Quale coscienza? Di chi?

Lui era stato!

Glielo sparò in faccia, così, a sangue freddo, puntandogli l'indice sugli occhi.

Lui? A fare che?

Ad ammazzare Marianna. Con calma, quasi sillabando.

Lui? Proprio lui? Lo stava accusando? S'era messo a piagnucolare.

Proprio lui, sì. Dopo la lite con Giuseppe lui era tornato a casa a piedi, non aveva detto così?

Glielo aveva detto e lo poteva confermare, lì e in ogni momento, perché era la verità.

Benissimo. Gli aveva anche detto che parlò con Giuseppe fuori dalla macchina fino a dopo le tre. Era vero? Confermava?

Così era. Confermava anche questo.

E invece non era così. Giuseppe aveva una specie di allergia, non sopportava la polvere. Era vero anche questo?

E allora? Che significavano quelle domande strambe? Che c'entrava lui con l'allergia del nipote?

Per tutta la notte del 9 era caduta la cenere dell'Etna e Giuseppe non poteva restare fuori, all'aria aperta, a discutere con lui. L'aveva lasciato a piedi, perché avevano litigato, ma Giuseppe non scese mai dalla macchina. Lui invece, Alfio Cunto, era dovuto tornare a casa a piedi e si era fatto pure un bel pezzo di strada, dal viale Alagona a Ognina. Poi, mentre rientrava, aveva incrociato Marianna che rincasava. Era andata così?

Si immobilizzò, Alfio Cunto. Cominciò a torcersi le mani, a gettare attorno sguardi smarriti e gridolini soffocati.

Oddio, oddio, oddio. Lui no, lui no. Non poteva pensare questo di lui!

Improvvisamente sulla porta comparve l'appuntato Canino seguito da due militi, secondo le istruzioni. Pronti a bloccare ogni tentativo di fuga.

E fu lì che crollò.

Lo sapeva il maresciallo. I delinquenti abituali, quelli pratici di leggi e di cavilli e di interrogatori, non c'era verso di smuoverli, non ammettevano mai niente, neanche di essere nati. Ai delinquenti occasionali, invece, quelli non abituati agli interrogatori e ai riti della legge, all'apparire delle divise, gli si offuscava il cervello, si annullavano le difese. E quello era un povero disgraziato, non certo un criminale incallito.

Si accasciò sul divanetto accanto al maresciallo e cominciò a piangere, un pianto dirotto, irrefrenabile.

Confessò tra i singhiozzi.

Aveva incrociato Marianna che scendeva da una macchina e si infilava velocemente sotto il balcone, per ripararsi. La macchina se n'era andata subito e lei armeggiava nella borsetta per cercare la chiave del portone. L'aveva chiamata e quella s'era girata. Aveva aperto il portone e s'era infilato dentro pure lui. Le aveva detto di Giuseppe, della sua volontà di partire con la polacca. L'aveva pregata di dargli un piccolo aiuto, per non fargli fare quella sciocchezza, di aiutarlo a trovare una sistemazione migliore, magari interessando qualche persona importante di quelle che conosceva lei. Come una santa l'aveva pregata, con le mani giunte. Ma quella s'era messa a ridere, a scherzare sul suo legame finocchiesco con Giuseppe, a sporcificare i suoi sentimenti. Che voleva da lei? Che andava cercando? Voleva che lei gli mantenesse l'amante, che ormai era a mezzadria con la polacca? E sfotteva, sfotteva, con parole sempre più velenose e volgari. Pure sua madre c'era andata quella sera per pregarla di aiutare Giuseppe, lì, a casa sua, dove non aveva mai messo piede, dove non l'aveva mai cercata. Per Giuseppe s'era scapicollata a Catania, pure in ginocchio s'era messa, ma lei l'aveva mandata a quel paese e la madre se n'era uscita con tutte le maledizioni di questo mondo ed era andata a prendersi l'ultimo autobus per Aci. E ora lui, in piena notte, a romperle i coglioni sempre per questo Giuseppe del cazzo. Non ne poteva più di questo fratellastro e lo voleva vedere morto, e anzi se non se ne andava ci avrebbe pensato lei a fargli fare un bel servizio e finalmente lei avrebbe trovato pace. E lo aveva spinto fuori dal portone e gli era venuta dietro, sempre inviperendo. Non ci aveva visto più, per la rabbia, per la paura. Lo sapeva che praticava lo Scarafaggio, quell'uomo senza pietà e senza rispetto per nessuno. Ma non aveva paura per sé, per Giuseppe temeva, che lo Scarafaggio gli facesse male, lo sfregiasse, lo uccidesse. Nella borsetta gli era restato il coltello con il manico d'argento che Titti aveva voluto per tagliare la torta. Non lo sapeva come era stato. Non sapeva dove aveva trovato la forza e il coraggio. Lo tirò fuori dalla borsetta e le diede una coltellata alla gola. Lui non era pratico di armi e di coltelli, ma il colpo gli uscì preciso, alla gola, profondo. Cadde a terra come un sacco di patate, senza un grido, senza un lamento. Nel portone, in un angolo, aveva visto due sacchi neri della spazzatura. Era tornato dentro, senza rifletterci e senza rendersene conto, li aveva presi e con quelli aveva coperto il corpo che era caduto tra due macchine.

E poi? Che aveva fatto? volle sapere il maresciallo.

E poi era andato a casa per pulirsi del veleno, perché quello di Marianna non era sangue, no, ma veleno puro, che gli era schizzato addosso.

VALERIO VARESI

Ho visto mio padre piangere

Oggi mi sono ricordato di quando ho visto mio padre piangere. Non so perché mi sia capitato. Forse un cedimento dei nervi. L'educatore del carcere, me l'aveva quasi predetto: «Si comincia a pensare a quello che è stato... È un primo passo...» Ha una voce da prete che mi dà sui nervi, ma per la prima volta ho sentito che aveva ragione. Perché lo strano è che a me, di quello che è stato, non me n'è mai fregato nulla. Eppure quel mattino in cui gli occhi di mio padre si sono di colpo fatti di vetro, lo ricordo benissimo. Avevo sedici anni ed era inverno. Uno di quei giorni freddi e chiari in cui il cielo di Parma si scoperchia e il sole fa risplendere il marmo rosa del Battistero di un secolare ottimismo. Ecco, è forse per questo che conservo in testa così bene quell'attimo. Per il contrasto tra il colore radioso del monumento e la faccia di mio padre che lo smentiva nello sforzo di ingoiare le lacrime. «È l'aria» aveva mentito. Io sono rimasto zitto e non ne abbiamo più parlato. Un paio di anni dopo lui è morto e adesso so che era già segnato allora.

Non posso dire di averne sofferto più di tanto. Come ho detto, sono un tipo che non ama guardarsi indietro. Mi sono sentito più solo, tutto qui. Anzi, sono certo che è proprio cominciata allora quella sensazione di estraneità nei confronti di tutto e di tutti che s'è via via approfondita col tempo fino a condensarsi in abulia affettiva e passiva indifferenza. In altre parole, non riesco a provare passione per nulla. Nemmeno per un cane o un gatto. Non ce la faccio, non mi viene. Come quando a uno manca l'orecchio per la musica o l'istinto per gli affari. L'unico timido senso di appartenenza è stato il riconoscere in altri quello che sono. Ma questo è successo più tardi, quando ho cominciato a trafficare e a sporcarmi le mani.

L'indifferenza verso il mondo mi ha infuso un grande senso di libertà fin dal primo momento. Mi pareva di avere di fronte un'immensa prateria in cui pascolare senza limiti come il primo uomo comparso sulla terra. Un po' quello che facevo nei lunghi pomeriggi solo in casa o in giro per il quartiere in cui mi sentivo completamente padrone del tempo. Se ci penso, adesso che i ricordi mi sorprendono con maligne imboscate, credo che il male di cui ho sofferto è di non essere cresciuto, di essere rimasto un ragazzo. Sono convinto che è stata quella sorta di infantilismo la mia illusione e la mia condanna.

Senza accorgermene, sto davvero pensando. Deve avere ragione l'educatore. Adesso che la galera mi costringe a vivere come una cocorita, il mio cervello ha preso a piroettare a scatti alla maniera di un ballerino di tango. Non mi riconosco più, sto cedendo all'ossessione di riflettere guardando a ritroso nella mia vita. D'altra parte è l'unica direzione che può prendere la mente visto che mi è precluso il futuro.

Così comincio dalla fine, dall'ergastolo che devo scontare. Ho ammazzato e questo è un fatto. Ma uccidendo mi sono suicidato. Il mio compagno di cella è un professore piuttosto spiritoso che si diverte a fare il trombone e mi corregge. «Tecnicamente non è esatto» ridacchia. «Siamo dei morituri che vivono solo per contare i giorni fino a quello che sarà il nostro boia.» Non sono capace di pensieri così solenni. Ho sempre solo badato al sodo. Nonostante ciò e il fatto che mi trovi in galera, non mi sento un assassino perché non ho coscientemente scelto di uccidere. Mi ci hanno portato i fatti e quell'indifferenza di cui ho detto, che è diverso. «Omicidio premeditato» è l'accusa. Ma io contesto anche quel «premeditato». D'accordo, può sembrare che abbia progettato tutto, ma non è così. Ho dovuto, ci sono stato costretto. Ha forse colpa l'acqua che straripa o la neve di una valanga? Non avevo scelta e dato che, come ho detto, ho sempre badato al sodo... I giurati non mi hanno creduto e dal loro punto di vista li capisco. Ma adesso che vado a ritroso e rimetto in fila i fatti, trovo che tutto collima nel puntare a quell'esito. E più disfo la tela, più mi fa rabbia che siano stati pochi fottuti dettagli a decidere tra la felicità e una vita di merda.

Tutto mi riporta a quel giorno d'inverno quando ho visto mio padre piangere. Ora ne sono sicuro: è iniziata lì la deriva. Per lui non è durata molto perché un infarto l'ha fatto secco. Per me, invece, ha preso avvio un'agonia più lunga. Del resto, la vita non è forse un'agonia? Tutto sta nel riuscire anche a divertirsi nell'attesa che finisca.

Il mio vecchio era ancora di quelli previdenti e non mi aveva lasciato completamente a piedi. Così m'è toccata in eredità un'assicurazione che mi ha garantito un minimo di studi. Da quello ho capito che mi voleva bene. Ma troppo tardi. Adesso provo una sorta di gratitudine tardiva, ma non posso dire di averlo amato. C'era e questo bastava. Un fatto scontato. I miei genitori non si sono mai prodigati nel farmi sentire benvoluto. L'importante è che avessi l'indispensabile, il resto era superfluo. E poi erano troppo preoccupati dall'interesse. Come tutti i poveri, desideravano diventare benestanti e tirare il fiato: farsi la casa, la macchina, un po' di soldi da parte. Solo che non s'accontentavano. Quando nasci povero e la miseria ti intossica, ne vuoi sempre di più per paura di tornare alla fame. Per questo hanno consumato la gioventù a sgobbare senza perdere troppo tempo con me. Non hanno capito niente. Visto che aspettiamo il giorno che sarà il nostro boia, come dice il mio compagno di cella, tanto vale che si provi a vivere alla grande. Mi sembra l'unica cosa da fare.

Sì, lo so, bisogna anche progettarla, la vita. Ma cosa sono 'sti progetti? Siamo seri. O uno s'imbroda di illusioni, ideali, chimere come il credere in Dio, nella rivoluzione o in un generico pacificante tran tran, oppure spende il tempo a far soldi. Be', io dico vaffanculo. Primo, se insegui la ricchezza non lo puoi fare onestamente. In questo modo, il massimo che ti può capitare è di finire come mio padre: metti su qualcosa spendendo la giovinezza, poi ti viene un colpo e ci resti secco. Amen. Quanto alle chimere, non se n'è mai avverata una. Chi ci ha creduto pensava di creare fate e sono usciti dei mostri. Dio? Dopo duemila anni di prediche abbiamo un mondo dove tutti si sbudellano. E questi hanno ancora il coraggio di insistere. Li conosco bene io i preti. Morto mio padre, sono andato a studiare da loro. Tutti i giorni la Messa e tutte quelle belle parole, ma alla fine l'unica cosa che gli interessava erano i soldi. La volta che non è arrivata la retta entro il dieci del mese, il direttore della scuola, don Attilio, mi ha fatto saltare le lezioni del mattino ed è stato lì lì per rispedirmi a casa. Già mi guardava in cagnesco perché non ero entusiasta della vita di collegio, non legavo con gli altri e mi annoiavo agli esercizi spirituali.

A parte i preti, tutto il mondo ti invita a gioire, a consumare, a vivere da leone, non da formica. Statemi bene a sentire. Essendo quasi sempre solo in casa, non sono stato educato dai miei, ma dalla televisione. E che cosa c'è in televisione se non la più bella e insidiosa favola che sia mai stata raccontata a un bambino? La pubblicità è la vera maestra. Per cosa credete che esista la televisione? Per quello, mica per fare cultura o informazione. Solo la pubblicità conta. Soldi, mi spiego? Tutto il resto sono stronzate. Be', io ho avuto favole a pranzo e cena, favole a ogni ora del giorno. Perché avrei dovuto pensare ai sacrifici se tutto il mondo intorno mi è sempre sembrato fatto di gente sorridente, con carta di credito illimitata, al volante di macchine potenti acquistabili in ventiquattro comode rate e grandi abbastanza per passare le giornate a fare compere? Perché accontentarmi se tutti gli uomini hanno al fianco fighe galattiche, bimbi biondi col caschetto e gli occhi azzurri? Perché non dovrei andare in giro inamidato e incravattato, sorridente e gaudente? Come si può pensare ai sacrifici in un mondo dove tutti sono belli e felici, dove anche i cani e i gatti mangiano carne selezionata nei migliori allevamenti biologici?

So qual è l'obiezione: c'è la finzione e c'è la realtà, uno deve saper distinguere. Mica si può restare per sempre nel mondo delle favole. Un cazzo! Troppo comodo farci vedere il paradiso e poi sbatterci all'inferno ad arrabattarci tra bollette, stipendi, rate, rinunce, sacrifici e fatiche. Vi faccio vedere come sarebbe bello, ma adesso, per favore, signori, tornatevene nella vostra merda. Andateci voi. Intanto c'è qualcuno che in paradiso continua a viverci e ci passa sotto il naso tutti i giorni. E poi, spiegatemi, perché nella merda dovrei tornarci io? Perché non posso vivere come mi ha mostrato la favola? Chi ha stabilito che io sia tra quelli da condannare? Ecco, proprio questo è il punto. Ci fosse un dio, un merito, un criterio per stabilire chi vince e chi perde, uno potrebbe anche mettersi il cuore in pace. Ma non mi pare che quelli coi soldi abbiano fatto nulla per meritarseli se non rubare, trafficare, intrallazzare, spargere immondizia, corrompere e andare a letto coi politici. Porcate, ruberie, sopraffazioni, ecco quel che si dice l'istinto per gli affari. Allora mi sono detto: se è questo che conta, tanto vale che lo faccia anch'io.

È stato in quel momento che la solitudine è diventata improvvisamente mia amica. C'è tanta bellezza nell'essere soli. Ci si sente giudici assoluti, dittatori del proprio mondo. Specie adesso che il valore delle cose e delle persone si misura con metri tremendamente terreni, dicevo, specie adesso che l'onnipotenza sembra a portata di mano. Tutto è lì, basta prenderlo. Nessun limite, nessuna legge può fermarti. Tutto può essere comprato. Adesso ho il culo per terra, ma nulla mi può più togliere l'ebbrezza di quei momenti in cui m'è sembrato di potere tutto.

Molto è dovuto al fatto che sono cresciuto in una città che è un grande palcoscenico. Parma è uno scenario melodrammatico. Non solo perché gran parte della sua vita pubblica è vissuta attorno al Regio e non solo perché è la patria di Peppino Verdi e di Arturo Toscanini. Non è la città che va a teatro, ma è il teatro che va in città. Fino a un po' di tempo fa Parma era un posto in cui si mischiavano i cortigiani e l'anima anarchica, ribelle, di un popolo per sua natura incline al tumulto. Tra le vie a cavallo del torrente è andata in scena per anni la contrapposizione tra i libertari e i meschini cortigiani, servili orfani della corte. Una bellissima commedia piena di pathos, di passioni, di tragedie e di sghignazzi di cui ormai s'è perso il copione. Non ho fatto in tempo a vedermi l'ultima replica. Quello che ho visto io è la soap opera di una città che ha conservato ancora il gusto di esporre se stessa con una certa affettazione teatrale, ma ha sostituito alle passioni una passerella di mimi che parlano attraverso ciò che possono mostrare.

Ebbene, io, in quella sceneggiata ho deciso di entrarci. Soprattutto per dimostrare di essere qualcuno. E poi, più semplicemente, per spassarmela. Ma prima mi sarei dovuto fare le ossa. Mica ti accettano per amicizia. Devono temerti, sapere che puoi essere utile, altrimenti ti seppelliscono sotto un cumulo di scherno, un'arma che fa più paura delle pistole. Per fortuna sono belloccio e piaccio alle donne. Lo so, è una vecchia storia: il ragazzo, le signore di mezz'età... Però funziona ancora. E poi se lo fanno tutte quelle fighette che la danno via per permettersi la bella vita, perché non dovrebbe essere consentito a un uomo? Mica è un reato scoparsi signore mature coniugate con uomini distratti che parlano di obbligazioni e vanno a puttane nei finti centri fitness. E poi, alla fine, una scopata è uguale all'altra: tanto vale che sia utile. A me lo sono state. Ho iniziato a conoscere il mondo a cui ambivo guardandolo dal letto delle donne della Parma-bene. Di fronte a loro ho corso spesso il rischio di apparire un ingenuo. Lì ho capito definitivamente che l'interesse è di gran lunga più importante dei sentimenti, anche se si tratta di un matrimonio. Mi sono spesso sentito come un confessore mentre scopavo queste disinvolte signore ingioiellate che mi vomitavano tutti i rancori verso i loro coniugi. Ho sentito un rosario di contumelie contro puttanieri, impotenti, eiaculatori precoci, maltrattatori, frigidi innamorati solo del denaro o del potere. E a poco a poco, quel mondo si avvicinava a me sembrandomi sempre più umano. Più me ne facevo e più lo sentivo a portata di mano. Mentre maneggiavo quei corpi ancora floridi che prendevo vigorosamente nei loro letti con la piacevole sensazione di profanarli, sentivo di appropriarmi un po' di quelle proprietà che avrei voluto possedere. Ragionandoci su, ero io la puttana che si vendeva. Ma proprio perciò trattavo quelle donne alla maniera delle troie. Avrei voluto incularmi i loro mariti, prendere il loro posto. Questo non è mai accaduto, ovviamente. Non c'è matrimonio più solido di quello dove ognuno si fa i cazzi suoi. E dove c'è interesse: una bella casa, tanti soldi e l'apparenza coniugale salva nel pranzo domenicale in famiglia e nella passeggiata a braccetto in via Cavour per le compere del sabato. Quei meriti di letto non potevano certo farmi sentire arrivato, ma avevo fatto un primo passo.

Il secondo è stato quello di mettermi con Antonella. Non che fosse una bella ragazza, non mi importava tutto ciò. Nemmeno ne ero innamorato, visto che non ho mai capito in cosa consista esserlo. Neanche mi piaceva più di tanto. Ecco, posso dirlo, non me ne fregava niente. Però era figlia di un noto commercialista: quel che si dice un'occasione. Potevo finalmente cominciare ad avvicinarmi ai santuari del denaro, al vero motore pulsante della città. Alla fine ci siamo messi assieme e per un po' di tempo ho recitato la noiosa tiritera del compagno premuroso e tenero. Il resto è venuto da sé. Col lavoro ci so fare. Maneggiare i soldi è la mia arte e presto ho cominciato a lavorare in proprio. Cosette non del tutto impeccabili per la verità. Fondi neri, fatturazioni gonfiate, tasse eluse, lavoretti vari di ordinaria amministrazione truffaldina. Mica uno scandalo. Si sa che lo fanno tutti. Perché avrei dovuto vergognarmene io? Aggiustare contabilità traballanti era diventata la mia specialità. Un giorno, il padre di Antonella mi prende in disparte e mi dice che sa quel che faccio. S'incazza anche, come se lui fosse un santo! «Stai attento» mi avverte, «stai giocando sporco.» Si preoccupava per la sua figlioletta? No, stavo solo facendogli ombra. Gli rompeva i coglioni che ingrandissi il giro. Aveva fiutato la mia smisurata ambizione e si mordeva le dita di avermi insegnato a volare.

Se fossi restato con lui a quest'ora sarei un rispettabile professionista con un paio di figli, pieno di noia e magari andrei anch'io a puttane nei club privé una volta alla settimana tra un bilancio e una partita Iva. No, io volevo altro. Volevo il palcoscenico, volevo stupire. Qualsiasi altra cosa mi sarebbe sembrata un ripiego.

E poi, non potevo più tornare indietro perché già mi opprimeva un debito. Se ho fatto uno sbaglio è proprio questo: sono stato impaziente, avrei dovuto attendere di avere più fieno in cascina. Inutile pensarci adesso. Lì per lì non mi sono accorto di aver fatto il primo passo verso un mondo che mi avrebbe risucchiato senza poter riemergere. Frequentavo gente sull'orlo della rovina, aggiustavo e truccavo i loro bilanci, un vero funambolo della contabilità. Ho imparato che osare paga sempre. Basta non fare troppi torti, avere buoni amici in banca e si è quasi sempre inaffondabili. E allora ho osato anch'io. Ho voluto anticipare troppo il mio debutto nella società che conta e alla fine l'ho pagata.

Per prima cosa mi sono fatto la Porsche. Una bella 911 nera con gli interni in pelle beige, decappottabile per essere ancora più figo. Forse mi sarebbe bastato un coupé Bmw, o un gippone giapponese, ma se sei nuovo è bene non rischiare. La Golf, no, non va più. Ormai è un mezzo da impiegati, gente che vorrebbe ma non può. Ho fatto un leasing. Comprarla a rate mi avrebbe esposto al ridicolo. Così, invece, scalo anche le spese dalle tasse. Insomma, tra acquisto, assicurazione, bollo, abiti di marca e tutto quanto l'equipaggiamento, sono andato abbondantemente in rosso. E da quel momento ho cominciato a vivere da acrobata, con quel pizzico di strizza al culo che ti costringe sempre a correre, a bruciare, a divorare il tempo e le cose. È così che si dovrebbe vivere. Anche se mi è andata male, ne resto convinto.

Lavoravo per far fronte al mio nuovo tenore di vita. L'assenza di affetti che mi portavo dietro si trasformava gradatamente in un adeguato grado di cinismo perfettamente consono agli affari. Guadagnavo bene. Non esistono pagatori più generosi di quelli che hanno il cappio al collo dei debiti. Sembra strano, ma è così. Se vai da uno che non sa dove sbattere la testa, basta che gli squaderni un'idea vagamente rassicurante che ti s'attacca e ti cede anche la moglie. Del resto il mio era un mestiere rischioso. Bisogna stare attenti che non ti arrivi un avviso di garanzia o una denuncia per bancarotta. Non che sia un disonore, tutt'altro. Qualche volta è persino un titolo di merito. Significa che hai fegato, che osi. Come prendere una multa con la Porsche a 210 all'ora sull'autostrada. O come finire su un rotocalco con qualche puttanella uscita da un programma televisivo. In certi casi puoi persino viverci di rendita.

Mi muovevo così veloce che in tutto quel tempo non mi è mai venuto in mente nemmeno un fotogramma del mio passato. Tanto meno mi sono mai ricordato di quel giorno che ho visto mio padre piangere. Così come non mi sono mai posto il problema del mio comportamento. Ero lì per prendere e per godere e ogni giorno voltavo pagina come se quello che era successo prima non fosse esistito. Anche per le donne era così. Le prendevo e le mollavo, poi me le riprendevo e le lasciavo di nuovo tale e quale le camicie del mio guardaroba. Mi servivano solo per fare bella figura sulla decappottabile e per andarci a letto, punto e riga. Il resto era solo noia e impiccio.

Insomma, la mia vita ha cominciato a essere piuttosto dispendiosa. Locali da ballo, cene, vacanze... Rivivevo le favole che vedevo da bambino nella pubblicità televisiva e tutto quel che facevo possedeva l'innocenza distruttiva e l'amoralità dell'infanzia. Non mi prendevo nessuna responsabilità, non me ne sono mai preso, eccetto quella di uccidere.

Il palcoscenico, ecco ciò che ho sempre voluto. L'ho detto: Parma è una città melodrammatica. È patria di teatranti e sensali, di norcini e tagliagole, di artisti della parola e della congiura, di truffatori e penitenti. Be', io sono stato un po' di tutto questo. Bisogna esserlo se decidi di vendere sogni e promesse. Uno pensa: che cosa c'entra col mondo degli affari? Io dico quasi tutto. Una frase può bruciare fortune in Borsa o conquistarti un cliente: dipende come la dici. E io ho imparato a pronunciare le parole giuste nel modo giusto. Ho dispensato salvezza a chi era spacciato, ho dato garanzie ai tremebondi, ho nutrito la bramosia degli avidi, ho fiancheggiato gli speculatori, ho strizzato l'occhio ai truffatori e lusingato i vanesi.

Facevo girare i soldi a velocità di vortice con l'unico obbiettivo di acchiapparne al volo un bel mucchio. Così ho allargato il giro. Da semplice commercialista e consulente per bilanci zoppicanti, a promotore e investitore di capitali per conto terzi. È stato questo il giacimento d'oro in cui mi sono buttato, quello che mi ha dato alla testa. Sono stato al servizio della gente più avida e al tempo stesso più ingenua che abbia mai conosciuto. Ex imprenditori ormai anziani, ereditiere zitelle, negozianti avari, possidenti immobiliari... Gente che ha consumato la vita solo per il gusto di accumulare denaro, per quel senso di lubrica sicurezza che esso può dare. Personaggi capaci di lucrare sull'affitto dei derelitti, di speculare sui bisogni, di praticare anche l'usura in ogni occasione. Eppure così sprovveduti dall'affidare i soldi al primo venuto una volta conquistati con le frasi giuste e l'adrenalina del guadagno. Io ci sono riuscito. Mi hanno aperto il portafogli fiduciosi come le mature signore perbene mi schiudevano le cosce nei loro letti. Mi hanno dato e io ho preso.

Non mi sento colpevole se li ho truffati. Non erano soldi onesti, non lo sono mai quelli dei ricchi. Come non lo erano i miei mentre glieli sottraevo con la velocità di un croupier puntando sul numero giusto alla roulette di un'umanità sordida e meschina. Non avete idea di quanto siano stupidi e accidiosi quelli che vivono di rendita. Si sentono al sicuro protetti dal denaro come un fungo sott'olio e vivono a pancia all'aria rammollendosi giorno dopo giorno. Credono di poter disporre di ogni cosa e per questo non hanno voglia di impegnarsi a gestire il ben di dio che si ritrovano. Meglio prendere un bravo galoppino che faccia tutto: gestione, investimenti, operazioni bancarie. Così mi presentavo con fare servizievole, sorridente e sottomesso. Facevo la puttana, insomma. Ma non sapevano che quella dolce geisha che si avvicinava loro aveva un cuore da lupo e sentiva l'odore dei soldi come una belva quello del sangue.

Parma è una città gaudente, lo è sempre stata. Il mio compagno di cella ha una teoria a questo proposito, anche se non so quanto sia attendibile. Premesso, dice, che in tutto il mondo la gente ha solo in testa di scopare e far soldi, a Parma tutto questo è più accentuato perché non è passato il rigore sanguinario degli estensi come a Modena e Ferrara, né l'opprimente conformismo del papato che ha regnato a Bologna lasciando ancor oggi puzza di sacrestia. Qui se la sono sempre goduta: Farnese, Borboni e persino la moglie di Napoleone con quel suo stallone austriaco, il conte di non so che. Io non conosco la storia, ma intuisco che in quello che dice un po' di ragione c'è. Se se la godevano un tempo volete che non se la spassino oggi che il denaro scorre come il torrente sotto i ponti cittadini? C'è gente che ha mollato, che non ne ha più voglia e svende i capannoni per investire in case da affittare agli studenti. C'è chi ha ereditato, chi, vecchio, ha messo via dei soldi e ora aspetta di crepare guardando gli estratti conto. Chi ha truffato il fisco, chi se n'è approfittato. Ci sono bottegai che hanno lucrato centesimo dopo centesimo, faccendieri, maneggioni, mediatori di formaggio e di case, gli osceni passacarte che strozzano il prossimo col ricatto. La schiuma putrida di una società cresciuta nel profitto esoso e spesso illecito, in un mondo rigonfio di molte speranze disilluse. Be', io ho affondato i denti nella carne già decadente di una città che assomiglia alle signore mature che la popolano: ancora belle, non prive di cultura, sensuali, un po' troie, ma con già addosso il flaccido spettro dell'età.

Giorno dopo giorno, sono diventato una piccola banca. Facevo la balia dei soldi altrui potendone disporre come volevo. Quando contavo il patrimonio che mi era stato affidato, mi sentivo davvero un uomo felice. Non fosse stato per i debiti... La fregatura è che se ti metti in testa di fare la bella vita, non puoi smettere di pedalare. Come ho detto, Parma è una città che bada molto all'immagine. Quindi non potevo continuare a ricevere i clienti in un ufficietto a barriera Repubblica con un modesto campanello da condominio. Ho affittato quattro vani in via Farini con cortile interno molto discreto e una targa rettangolare d'ottone. DUCALE INVESTIMENTI ho fatto scrivere. E più sotto: CONSULENZE FINANZIARIE. Ducale funziona sempre a Parma perché evoca la grandeur di cui tutti vanno fieri senza sapere bene in cos'è consistita. La solennità dell'ottone e soprattutto l'arredo da consiglio di amministrazione dovevano fare il resto. Ho aggiunto anche qualche scritta in inglese sulle porte degli uffici perché impressiona sempre e fa molto Wall Street. Anche se poi, dietro quelle porte non c'è nessuno perché in ufficio siamo io e la segretaria, Clara, una bella fica che ogni tanto mi scopo come di prammatica tra il principale e la sua passacarte.

Tutto questo m'è costato molto. Solo l'arredo del mio studio ha richiesto un patrimonio, ma ci voleva. Chi entra da me deve sentire la puzza dei soldi. I miei clienti non sono pescicani né corsari della finanza. Si intimidiscono ancora di fronte al lusso. In dote hanno solo quel particolare talento per lucrare che unisce avidità e cinismo, che illumina loro gli occhi quando parli di interessi. Ecco il punto debole: vogliono guadagnare smodatamente e di fronte hanno uno come me che promette tanto coi suoi trucchi, che parla di cose di cui non capiscono nulla come la Borsa, le obbligazioni o i titoli. I soldi li hanno fatti rompendosi la schiena o li hanno ereditati. Io per loro sono un re Mida che crea ricchezza senza lavorare. So solleticare la loro bramosia, li incanto coi miraggi del mio repertorio. Dunque mi vengono dietro come se suonassi il piffero. A quel punto li porto dove voglio.

All'inizio non ho rubato nemmeno un centesimo. Mi prendevo la giusta percentuale anche se a volte l'alzavo per rimediare un po' di soldi in più. La Porsche, l'affitto, Clara sempre più esosa, le vacanze, i fine settimana a Forte dei Marmi, il night e qualche scopata con le troiette di ogni colore che ci lavorano... Insomma, metti assieme tutto... Però ero ormai un rispettabile professionista e mi sembravano così lontani i tempi in cui lavoravo allo studio del padre di Antonella. Lei mi aveva mollato da tempo quando aveva saputo che frequentavo i night. Mica per le corna. Aveva solo paura che le attaccassi qualche malattia. È da sempre una salutista tutta palestra, verdura biologica e omeopatia. Una che non gode quando scopa e che lo fa solo ogni tanto per convenzione convinta che non faccia troppo bene. Era finita da tempo, del resto, ma le serviva per vanità: un compagno piacente e di successo da mostrare in vetrina val bene un paio di corna.

Se ci penso, credo che la situazione sia precipitata proprio quando ho cominciato col night. E il resto è capitato dopo l'incontro con la vedova Furlotti. Al night ho conosciuto Jolanda, una rumena da sballo che mi è piaciuta subito come la Porsche. Con la vedova Furlotti, invece, ho sperimentato una nuova frontiera del mio mestiere. Diciamo che i due fatti si sono sposati come un bell'incastro diabolico accelerando la mia vita fino al fatto che mi ha portato qui.

Prima è venuta Jolanda. L'ho conosciuta una notte al *Babilon*, un locale sulla via Emilia appena fuori Parma con tanto di parco e piccole suite. È una di quelle donne che non riesci più a toglierti dalla testa. La prima volta che l'ho guardata me la sono fatta con gli occhi e da quel momento ho pensato che dovevo prendermela. Come tutte le altre cose che avevo desiderato fino ad allora: il mio vocabolario non conosceva la parola rinuncia. Jolanda, da vera troia, ha capito di avermi in pugno e ha alzato continuamente il prezzo. Sono stato un fesso, lo riconosco. Avrei dovuto mollarla, ma, come sempre, ha prevalso l'orgoglio. Lei era un diavolo e non conosceva limiti. Mi pareva di andare a letto con una belva oscenamente lasciva, ma che avrebbe anche potuto sbranarmi se fosse cessato il mio dominio. E sapevo che il dominio veniva solo dal denaro. Nei suoi occhi, durante i nostri ringhiosi amplessi, percepivo una sottomissione vecchia di secoli, ma anche una fredda indifferenza. Intuivo che con lo stesso animo mi apriva le gambe come avrebbe potuto aprirmi il cuore piantandoci un pugnale.

Ecco perché è arrivata a fagiolo la vedova Furlotti. Non so nemmeno io quanti soldi avesse. Il figlio l'aveva abbandonata a una badante ucraina in attesa di mettere le mani sull'eredità, ma lei continuava a tenere duro. Su di me credo che abbia proiettato il suo desiderio di madre. Forse rappresentavo quel figlio che avrebbe voluto vicino. E io ho cominciato a recitare questa parte. Correvo ogni volta che mi chiedeva un favore. Vuole che la accompagni dal parrucchiere? Dal medico? Dalle amiche? A giocare a tombola? Al cimitero dal marito morto? Le stavo appiccicato più dell'ucraina. Bisogna lavorarseli certi vecchi. E soprattutto giocare sui sentimenti. A una certa età si diventa fragili, si ha bisogno di avere qualcuno intorno di cui fidarsi. La vedova Furlotti non aveva nessuno e io mi sono calato alla svelta nei panni giusti, ho colto le sue debolezze e i suoi bisogni. Negli ultimi tempi le procuravo persino la spesa. Lei ne approfittava un po' per farci dentro. A volte mi chiamava solo per un capriccio, oppure perché aveva voglia di parlare. Si comprava la mia compagnia come io mi compravo quella di Jolanda. Il guaio è che la vecchia credeva davvero che le volessi bene. O almeno così penso a giudicare dal fatto che mi chiamava per nome e ogni tanto voleva che mi chinassi per accarezzarmi una guancia o darmi un bacio materno. Quando ho capito che era ormai disarmata, ho cominciato a imboscarmi i suoi baiocchi. Lei me li affidava sulla fiducia scrivendosi le cifre su un quadernetto che teneva in borsetta. Io le promettevo di investirli, ma invece ne passavo gran parte su un conto riservato e li usavo a tamponare le falle del mio bilancio. L'intento era quello di aspettare che schiattasse, far sparire il quadernetto e rendere così i soldi irreperibili. Mi è stato facile perché la vedova Furlotti, negli ultimi tempi mi considerava ormai uno di casa e alcune volte mi ha persino chiesto di dormire nella stanza accanto perché si sentiva impaurita. Le ho sottratto il quadernetto, ho comprato il silenzio della badante e i versamenti che mi aveva fatto sono finiti in cavalleria. Dopo la sua morte, il figlio è venuto a cercarmi e io gli ho mostrato le operazioni eseguite, corrispondenti a circa un decimo del valore complessivo che mi era stato affidato. Quindi gli ho fatto vedere le fotocopie di assegni che io stesso avevo staccato falsificando la firma della vecchia. Ufficialmente, i soldi erano stati spesi in investimenti sbagliati che la donna aveva fatto di testa sua. Lui s'è incazzato, mi ha accusato di truffa, ma non sapendo quanto possedesse la madre e vedendo tutti quegli assegni, s'è trovato con le mani legate. E poi, in banca, avevo chi mi copriva.

Jolanda e la bella vita che facevo, mi spingevano a osare sempre più. E dopo il fatto della vedova Furlotti, mi ha preso un'euforia che mi ha gradatamente ubriacato. I soldi facili mi facevano sentire senza limiti. Avevo per le mani altre persone come la vedova Furlotti e pensavo al giacimento di quattrini di cui potevo impadronirmi. Mi bastava essere gentile, servizievole, accondiscendente. Mi chiamavano, io correvo e loro si sentivano importanti nel poter disporre di un galoppino con le sembianze di manager che parlava l'inglese e sguazzava in Borsa. Un lusso per chi sapeva a malapena l'italiano e puzzava ancora di vacca. Non sapete quanto conti la vanità per chi ha conosciuto l'umiliazione. Certe volte ho il sospetto che abbiano fatto i soldi solo per togliersi questa soddisfazione: poter far correre gli altri dopo avere corso loro per una vita. Quando arrivavo nei cortili fangosi di vecchie case coloniche o nei modesti tinelli fuori moda di tristi appartamenti di periferia, gli occhi di questi anonimi milionari mi osservavano con padronale gratitudine. Sentivano tra le mani un po' di quel potere che li aveva schiacciati nel passato. Anche se troppo tardi, la vita sorrideva loro, benché precaria come l'estate di San Martino. Mi offrivano liquori fatti in casa, il vino aspro delle loro viti o qualche biscotto dentro vasetti con su scritto *Saluti da Orvieto*. La mia dedizione era il miele senile che teneva in vita questi piccoli monaci del denaro che non avevano mai conosciuto la vita da godere e nemmeno l'immaginavano. Il lavoro li aveva seppelliti anzitempo. Ma io, il piccolo manager che correva ubbidiente come un setter, li sollevavo da un'esistenza miserabile col mio catalogo di fondi fruttiferi.

Mentre li ascoltavo, nell'intimo li disprezzavo e per questo sentivo scendere l'assoluzione sulle mie malefatte. Non provavo colpe per aver tolto loro del denaro. Il mondo è diviso in chi ha e non capisce niente e in chi capisce tutto ma non ha. Come al Regio nei bei tempi del melodramma. La borghesia ignorante e impellicciata a mostrarsi in platea o nei migliori palchi, i melomani popolani con la musica nel sangue nascosti in loggione.

No, nessun rimorso dopo essermi imboscato il loro grano. Tanto più che il fatturato della mia vita continuava a lievitare. Jolanda, dopo aver preteso la carta di credito personale, mi ha costretto a vendere la casa a Forte dei Marmi, un posto che trovava noioso, esigendo che ne comprassi una vicino a Porto Cervo. Solo lo shopping mi costava migliaia di euro al mese. Perdio, le dicevo, hai vissuto nella miseria fino all'altroieri e adesso non ti accontenti? Ma lei non ne aveva mai abbastanza e per darmela in esclusiva pretendeva di non avere limiti. Del resto non gliene fregava niente di me. Queste slave sono ciniche più di noi. Hanno sofferto la fame e sono disposte a tutto. Ti fanno impazzire a letto per averti in pugno e prosciugarti. Ti tengono con le cosce. Meglio noleggiarle per un fine settimana e poi mollarle. Ma questo l'ho capito troppo tardi.

I soldi mi avevano tolto il lume e i miei comportamenti hanno cominciato a prendere una brutta piega. Lasciavo la macchina dove capitava e me ne fregavo delle multe. Un giorno ho sorpreso un vigile che stava scrivendo la contravvenzione e gli ho strappato il foglietto in faccia. Gli ho detto che la differenza rispetto a me era che lui faceva un mestiere di merda e aveva le toppe al culo e io le sue multe potevo anche pagarle senza battere ciglio. È quello che fanno in tanti fra i frequentatori del locale di viale Solferino dove regna il culto anarchico di sé e il disprezzo per qualsiasi istituzione o regola. Infatti, lì mi trovavo bene. Mi rispecchiavo nei discorsi degli altri, ma sapevo che la condizione per cui potevo continuare a frequentare quel posto era il mio tenore di vita, la Porsche, Jolanda, il tipo di carta di credito. Chissà perché, ripensando a queste cose, mi è tornato in mente quella volta che ho visto mio padre piangere. Forse per il fatto che, pure in quel caso, c'erano di mezzo i soldi.

Del resto quand'è che non ci sono di mezzo? Più frequentavo i ricchi e più mi accorgevo con ribrezzo di essere inseguito dal sospetto di assomigliare a quei meschini milionari a cui insidiavo i patrimoni. Alla base di quella bramosia per la bella vita, non c'era, anche nel mio caso, un grande desiderio di riscatto? Forse è per quello che ricordo più nitidamente il pianto trattenuto di mio padre. O forse mi sbaglio. Ho pensieri confusi che non riesco a mettere in fila. L'educatore continua a dirmi che ci vuole del tempo. Che lentamente le cose affioreranno e comporranno una spiegazione plausibile. Ma tanto non me ne frega più niente. Tanto adesso sono qui e non ne uscirò mai più.

Allora, invece, mi sembrava di essere inaffondabile. Dopo il patrimonio della vedova Furlotti, mi sono eletto erede di altri lasciti corposi. In alcuni casi non c'era nemmeno bisogno di discutere coi distratti discendenti perché molti dei miei clienti erano persone sole a cui ho dedicato un bel funerale, una tomba che è un trionfo di marmi e l'abbonamento alla luce perpetua del cimitero. Mi è in parte servito a mettere a posto la coscienza. Ma più dei flebili rimorsi, mi tormentava il bisogno di soldi. Ho mollato Jolanda per prendermi un'altra bambola, questa volta polacca, ma la musica non è cambiata. Stessa tiritera, stesse spese esose. Del resto avevano ragione loro: io mica regalavo niente, perché avrei dovuto pretenderlo dagli altri? Giusto. Ma io volevo solo discutere il prezzo. Sta di fatto che imboscarmi il grano non mi è più bastato. Dovevo inventarmi altre fonti di guadagno, non avevo altra scelta. Di scendere con le pretese di vita non ne volevo proprio sapere. Allora ho deciso di fare come le banche che sono la mamma di tutte le truffe: usare una parte dei soldi che gestivo per investirli autonomamente. Tutto stava nel riuscire a trovare il business giusto con rendimenti più alti di quelli promessi ai clienti in modo da lucrarci su. Certo, mica facile, ma io non ero un uomo d'affari? Maneggiare soldi non era il mio mestiere? Il rischio, quello, fa parte del gioco e se sei bravo a giocare vinci, sennò sei uno sfigato.

Per qualche anno m'è andata bene. Case, terreni, azioni, società. Tutto pur di moltiplicare il denaro. Ma lavorare quindici ore al giorno e poi sballare nei fine settimana a Porto Cervo o a Chamonix, alla lunga richiede un gran fisico. È stato a quel punto che ho scoperto la coca. Prima facevo qualche tiro ogni tanto, per scopare meglio. Successivamente, invece, ne ho avuto bisogno per lavorare. Perché se ti distrai un attimo ti inculano. Oppure ti fai passare sotto il naso un'occasione per tirar su del fieno. Anche se è un paradosso: per guadagnare di più devi spendere. In tutti i sensi un circolo vizioso.

I miei clienti non sospettavano nulla. In ufficio trovavano sempre la solita lussuosa aria rassicurante. Li accoglieva Clara col suo metro e ottanta di austera hostess in tacchi a spillo, posavano le chiappe sulla pelle delle poltrone Frau e aspettavano pazienti che li prendessi per il culo con la mia parlantina da piazzista sorridente. Ma viaggiavo al limite del fuorigiri, sempre imballato e sulla bocca di un vulcano. Voi capite, avevo un'immagine vincente, perbene. Ero stimato, ricercato e più di uno mi additava come integerrimo. Da me correvano clienti sull'onda del passaparola. Come ho detto, non ho mai provato sentimenti veri, ma da tutto ciò mi veniva un condizionamento forte. Ed è per questo che quando è andato a monte l'affare della lottizzazione «Valle Rosa» mi sono sentito addosso di colpo questa immagine pesante che ha iniziato a crollare come una vecchia statua corrosa.

Con alcuni amici avevamo acquistato un podere a prezzo stracciato dentro un parco sulle prime colline da cui d'inverno si vede Parma dall'alto coperta di nebbia. Un luogo d'incanto adatto a farci case per ricchi. Mancava solo un tassello: convincere la giunta di un Comune paesano al varo di una variante urbanistica. Non ci aspettavamo che lo facessero gratis regalandoci un pozzo di soldi, questo è ovvio. Nell'affare c'era dentro anche uno che trafficava col partito del sindaco e sapeva come lavorarselo. Si sa come vanno a finire 'ste cose coi politici: ungi un po', fai qualche favore... Tutto è una compravendita.

Il gioco era quasi riuscito, la variante pronta, quando si sono messi di mezzo la Soprintendenza, gli ecologisti, le anime belle dell'intelligenza locale, quelli che hanno i casali e vogliono essere gli unici ad averli. Insomma, un casino che ha prodotto uno scandalo. L'opposizione ha attaccato, è intervenuta la magistratura e la giunta s'è dovuta dimettere. Come al solito ci si sono messi in mezzo i comunisti, i verdi e tutta quella cianfrusaglia che ha sempre rotto le palle. Preti e comunisti sono la rovina del mondo. Lo dico anche se mio padre è stato partigiano nella «Garibaldi». Ma quelli sono fatti ormai sepolti di cui non si ricorda più nessuno.

A ruota, altri Comuni con cui facevamo affari hanno bloccato tutto. Questa è gente che ci tiene alla sedia sotto il culo. Sta di fatto che il rovescio ci ha messo al tappeto. Mi sono trovato con un mancato guadagno sul quale avevo già cominciato a contare e ho iniziato a scivolare in un burrone di debiti.

Per giunta, qualche giorno dopo, trovo nel mio ufficio la Guardia di finanza. Normali controlli, mi rassicurano, ma intanto mi esibiscono un mandato e cominciano a frugare dappertutto. Ho avvertito Clara di non far passare nessuno, ma il cavalier Boschetti era già in anticamera ad aspettarmi quando sono passati gli agenti. È uno che si alza alle cinque, non ha un cazzo da fare e rompe i coglioni una volta alla settimana. Proprio Boschetti. Se penso che i miei guai sono cominciati per colpa di questo insignificante pensionato d'oro che mi ha ammorbato ore con discussioni stracciapalle, do di matto.

È uno che parla sempre del passato, della Parma dei borghi, delle barricate, dei comunisti e degli anarchici che si sono mischiati nell'Oltretorrente. Io non so una sega di quello che mi racconta e l'ho sempre ascoltato per dovere d'ufficio. Ma siccome è stupido, ha creduto che fossi interessato davvero. Del resto so recitare benissimo: dalla vedova Furlotti in poi mi considero un vero teatrante. Ho dovuto ascoltare storie di eroismi, di gente che s'è fatta ammazzare a vent'anni per niente, dei veri cretini invasati da compiangere. E Boschetti ogni volta concludeva dicendomi che tutti avrebbero dovuto sapere quello che era successo. 'Fanculo! Per raccontarmi queste stronzate era lì anche quella mattina che è arrivata la Guardia di finanza. Ero terrorizzato. Sono sceso e ho chiamato il mio referente dentro le Fiamme gialle per sapere come stavano le cose. Lui, che mi ha sempre coperto, ha balbettato con molto imbarazzo che non c'entrava nulla il comando di Parma, ma tutto veniva da un'indagine più vasta. Allora ho capito che stavano per fregarmi.

I fatti, però, sono stati più veloci dell'indagine. Il giorno dopo ricapita Boschetti. Con voce addolorata, mi dice che ha avuto un rovescio, che ha bisogno di soldi e deve smobilizzare quel che mi aveva affidato da gestire. Una balla, è chiaro. Il bastardo aveva sentito la puzza. Faccio due conti a memoria aiutato dalla coca e penso che forse ci sto. Posso turare la falla perché Boschetti non ha granché. Cerco di mediare, di allungare i tempi, ma lui è risoluto e capisco che non posso tirare la corda. Mica potevo dirgli che i suoi soldi li avevo già spesi come quelli della maggior parte dei clienti. Allora mollo l'osso e spero che nessun altro si faccia avanti. Ma da lì a due giorni si presentano in due: quello stronzo doveva aver sparso la voce. Per giunta sono di quelli che pesano molto. A quel punto mi prende il panico. Prometto, sorrido, ma poi prendo tempo, mi nego, fuggo, sparisco in attesa di trovare una via d'uscita dalla trappola. Una strategia suicida perché chi non mi trova si allarma e si aggiunge alla torma degli inseguitori. Ricordo quei giorni febbrili e mi sento di nuovo travolgere dall'angoscia. E rivedo mio padre piangere.

Allora non ero così sentimentale. Agivo e basta. Per eludere la trappola non c'era che una strada, chiedere alla vecchia. Lei i soldi li aveva e avrebbe potuto salvarmi. Avrebbe potuto fare qualcosa per me finalmente, dopo che ci eravamo lasciati perdendoci di vista. Che si rendesse utile. Dopotutto, pensandoci oggi, aveva molto da risarcirmi. Sono andato da lei due giorni dopo la visita della Guardia di finanza. Era una sera di nebbia. Lo ricordo bene perché ho pensato che almeno il tempo stava dalla mia parte. Mi sono fatto una riga di coca prima di salire: volevo sentirmi perfettamente lucido. Lei mi ha accolto freddamente, con un certo imbarazzo. Non fosse stato per la differenza di età, avremmo potuto sembrare due coniugi appena separati. Forse non l'ho saputa prendere, forse la coca mi ha reso troppo impulsivo. Le ho sparato in faccia una raffica di accuse che l'hanno riempita di orgogliosa collera. È sempre stata così: è questo che ogni volta ha mandato all'aria tutto. I ricchi si sentono comunque autorizzati a mostrare la loro tracotanza. Non sono mai al tuo pari, giocano sempre l'asso quando si sentono attaccati. Lo sapeva bene mio padre che anche per questo ci ha rimesso il cuore.

Sta di fatto che lei si è irrigidita e ha iniziato a ringhiare. Forse, dopo le parole umilianti che mi rivolgeva, avrebbe ceduto, chissà... Ma in quei momenti io ho visto chiudersi tutto nella mia vita: donne, Porsche, case, immagine. Non si sarebbe salvato niente di ciò che avevo assaporato per qualche anno, la mia faccia avrebbe avuto il marchio d'infamia per sempre. E io, come ho detto, non conoscevo la rinuncia. La vita non mi aveva mai detto di no. D'un tratto, la rovina che mi balenava dinnanzi s'è materializzata nelle parole della vecchia. Il suo viso rugoso m'è apparso lo spettro di ciò che ho sempre rifuggito e temuto più della morte. È stato allora che la mente è stata trafitta da un arco luminoso e sinistro mentre il mio corpo ha cominciato a ubbidire a un'urgenza insopprimibile.

Ho mollato solo quando ho sentito che il corpo della vecchia si arrendeva affidando il suo peso alle mie mani. L'ho adagiato sulla poltrona e per la prima volta in vita mia sono rimasto ad ascoltare il silenzio. Mi sono seduto di fronte al cadavere lievemente scomposto e ho immaginato di essere un figlio che parla alla vecchia madre. Per alcuni minuti ho pensato a quello che poteva essere e non era stato. A una vita normale che non avevo avuto. Allora è tornato a salire il rancore, ma contemporaneamente mi sono sentito assolvere dal pavido tribunale che non ha mai osato emettere sentenze contro di me. Cosa potevo fare? Era l'unica cosa che mi restava, non c'era scelta. E se non c'è scelta che colpa ci può essere?

Il mio compagno di cella ha ascoltato tutta la storia e ha tirato fuori una delle solite citazioni. Ha detto che sono un personaggio dostoevskjano, che gli ricordo Raskol'nikov, il protagonista di un romanzo che si intitola *Delitto e castigo*. Ovviamente non l'ho letto. Sono d'accordo sul delitto, non sul castigo perché non mi sento colpevole. Il professore mi ha allora spiegato che ciò è dovuto al fatto che il personaggio del romanzo possedeva un'etica mentre io ne sono totalmente sprovvisto. Non so cosa voglia dire o forse riesco a intuirlo solo ora che ho cominciato a riflettere. So che è una differenza e questo mi basta. Ma non è l'unica. Quel Raskol'nikov aveva ammazzato una vecchia usuraia. Io, invece, ho ammazzato mia madre.

MARCO VICHI

Una vita normale

Con l'autoradio sotto il braccio suonò il campanello. Due trilli brevi e ravvicinati e un terzo più lungo, come ormai faceva da qualche mese, più o meno alle nove. Anche se quella sera erano quasi le dieci. C'era un forte vento di Libeccio e nell'aria si sentiva l'odore del salmastro.

Il portone a vetri si aprì. L'ingresso del palazzo era identico a quello degli altri tre edifici costruiti sullo stesso progetto, uno accanto all'altro, a un centinaio di metri dal supermercato. Intorno si vedeva solo cemento. Vent'anni prima c'erano dei campi coltivati alla buona, dove andava da ragazzino in bicicletta per giocare con gli amici.

Salì le scale fino al quarto piano, non gli piaceva prendere l'ascensore. Carmela, la donna del Cotenna, lo sapeva, e apriva la porta dopo un minuto. Si salutarono con un cenno e si avviarono verso la cucina. Non era male, Carmela. Aveva un bel viso, qualcosa di eccitante nello sguardo e un culo tondo che spaccava le cuciture dei jeans. Dal soggiorno arrivava il suono isterico di un videogame. La casa non era brutta, forse un po' caotica. Seduto al tavolo di cucina, sotto il cerchio del neon, c'era Roberto, un altro assiduo. Stava tritando un cristallo di coca sul solito specchietto tondo di Carmela.

« Stavamo in pensiero » disse Roberto sorridendo.

« Pensavi che mi avessero arrestato? » fece Carlo, appoggiando l'autoradio sulla lavastoviglie.

« Vai ancora in giro con quel bidone di radio? » Glielo diceva ogni volta.

« Perché no? »

« Roba da medioevo. » Continuava a tritare e a ridere.

«Tutta invidia.» Carlo aveva due macchine, una Peugeot 307 ultimo modello e una vecchia Golf che non riusciva a buttare via, regalo di suo padre. Ma in effetti usava più la Golf della Peugeot. Gli piaceva quella modernità già invecchiata, e soprattutto il cruscotto senza troppi fronzoli con la grossa autoradio che si sfilava dalla plancia.

«Mamma che stanchezza» disse Carmela sedendosi con una smorfia. Carlo si sedette di fronte a lei. Al centro del tavolo c'era un piccolo sacchetto di plastica trasparente, pieno di coca dal colore giallastro. Era aperto. Carlo c'infilò un dito, e sulla pelle gli rimasero dei granelli appiccicosi.

«È ancora umida» disse soddisfatto, e si leccò il dito.

«Appena arrivata» disse Carmela. La coca era amara e la lingua di Carlo si addormentò all'istante. Tirarono a turno le tre strisce, mezza con una narice e mezza con l'altra.

«Che botta» disse Roberto. Era molto giovane, e aveva un cesto di capelli crespi dove nascondeva le bustine di coca da vendere. Era nato a Poveromo, ma da qualche anno viveva a Massa. Ogni tanto Carlo lo incontrava quando usciva dal lavoro e fingeva di non vederlo, ma il ragazzo gli si parava davanti o lo prendeva per una spalla, solo per scambiare due battute del tutto inutili. Non si poteva certo dire che fossero amici. Carlo aveva conosciuto solo lui tra i frequentatori della casa, perché ci andavano più o meno nelle stesse ore. Gli altri *clienti* passavano in momenti diversi della giornata.

«Quanta ne vuoi?» disse Carmela. Doveva avere trentacinque anni, più o meno. Il suo uomo era in galera per furto, ormai da quasi un anno.

«Sei grammi» disse Carlo.

«Solo?» fece Roberto con aria da sbruffone, come sempre. Lui riusciva a venderne almeno il doppio ogni giorno. E ogni volta che sentiva quanta ne voleva Carlo diceva sempre la stessa cosa: *Solo?* Nessuno ci faceva più caso.

Carmela allungò un braccio per prendere la bilancina sul ripiano accanto ai fornelli, e aiutandosi con un cucchiaino cominciò a pesare la coca. Sei grammi precisi. Centoventi euro al grammo. Lei sapeva bene che se l'avesse tagliata e venduta personalmente a chi la consumava avrebbe guadagnato molto di più. Ma non poteva permettersi di rischiare troppo andando in giro, e non voleva nemmeno perdere tempo a mescolarla con la mannite o altra robaccia. E poi anche così guadagnava bene, la pagava trenta euro al grammo. Gliene arrivavano tre etti alla settimana per posta, direttamente dal Paraguay, e a volte già il quinto giorno rimaneva senza. Fece notare a Carlo un cristallo intero che a occhio e croce pesava più di un grammo, e lui sorrise. Quello se lo sarebbe tenuto per sé. Roberto si sfregava il naso con le dita, eccitato come un cane che ha fiutato la lepre.

«Ieri a casa di un tipo ho assaggiato il *petalo di rosa*.»

«Che roba è?» disse Carlo.

«Coca peruviana. Quando la tiri senti nel naso un sapore di rosa, ma l'effetto è diverso, un misto tra ero e coca.» Parlava quasi solo di droga. Oppure di una certa ragazza innominabile che gli mandava in pappa il cervello. Carmela parlava sempre poco, quando c'era Roberto. Lo guardava con un sorrisetto quasi materno.

Carlo non si sentiva a suo agio in quella casa, anche se cercava di non darlo a vedere. Non era mica uno spacciatore, non viveva di «storie» come Roberto. Era cresciuto in una famiglia benestante e si sentiva lontano anni luce da gente come Carmela e Roberto. Comunque doveva passare in quella cucina solo poco tempo. Comprava pochi grammi e li rivendeva a qualche collega di lavoro, e unicamente per avere un grammo al giorno per sé senza spendere nulla. Non gli era mai passato per la testa di tagliare la coca, e anche i suoi grammi erano pesati. Li dava via a centoquaranta euro. Era tutto molto facile. Non doveva mica andare a venderla in piazza. È vero che alla fine gli restavano sempre in tasca un centinaio di euro, ma lo considerava un piccolo guadagno come indennizzo per il rischio. Non si era mai sentito uno spacciatore. Solo che non voleva spendere migliaia di euro al mese per la coca, se poteva evitarlo. Faceva una vita normale. Lavorava a Massa in una società di sviluppo software e guadagnava abbastanza bene, più di quanto gli costassero venti grammi di quella roba. Aveva amici, leggeva romanzi, andava al cinema e a vedere concerti di ogni tipo. Da ragazzo aveva sognato di andare a vivere all'estero, ma alla fine era rimasto a Carrara. In fondo ci stava bene, c'era il mare e c'erano le montagne. Abitava da solo in via Ghiacciaia, in un bell'appartamento che stava pagando con un mutuo. Ma prima o poi avrebbe comprato una villetta sui monti, magari a Colonnata. Era questo il suo obiettivo, anche se non lo aveva mai detto a nessuno. Quando andava a cena dai suoi, nella vecchia casa di via Caffaggio dov'era nato, sua mamma lo coccolava come fosse ancora un bambino. Lui fingeva di essere scocciato, ma gli faceva piacere. Da meno di un anno stava con una ragazza di venticinque anni, Milena. Molto carina e molto sexy. Lavorava a Massa come segretaria, in un grande ufficio di avvocati in piazza Aranci. Si erano conosciuti andando a fare colazione nello stesso bar, in via Dante. Anche lei ogni sera faceva un tiro o due, e sapeva tutto dei piccoli traffici di Carlo.

«Cerca solo di stare attento» gli diceva.

«Non ti preoccupare, so quel che faccio.»

Carmela chiuse i sei grammi di Carlo nella pellicola trasparente. Roberto continuava a dire le sue cazzate, e lei gli lanciava occhiate divertite. In cucina entrò Manuele, il figlio di Carmela. Dieci anni, capelli ricci e lo sguardo sempre serio, quasi da adulto. Si fermò in mezzo alla stanza.

«Ho fame.» Parlava poco. Quando chiamava Carmela, diceva: *Ehi... Oh... Senti...* Ma mai *mamma*. Carlo aveva notato quella stranezza già da tempo, ma non aveva mai detto nulla. Carmela si alzò, tagliò due fette di pane, prese dal frigo del prosciutto e fece un panino.

«Poi però te ne vai a letto.» Manuele se ne andò addentando il panino. Carmela diceva sempre che somigliava tutto a suo padre. Carlo non aveva mai visto il Cotenna, e nemmeno Roberto. Frequentavano la casa di Carmela da meno di un anno, e lui era in carcere da ventotto mesi.

Carlo mise i soldi sul tavolo e si alzò. Infilò la coca in un pacchetto di sigarette che si nascose nelle mutande, come sempre. Prese in mano l'autoradio.

«Vado.»

«Hasta la vista» disse Roberto, mettendo altra coca sullo specchietto. Carmela accompagnò Carlo alla porta. Si salutarono con un cenno e lui si avviò giù per le scale. A piano terra incrociò un uomo che stava rientrando con il cane, e gli sfilò accanto a testa bassa. Non gli andava che la gente del palazzo notasse troppo la sua faccia. Appena fuori si guardò intorno. Aveva sempre un po' paura in quella strada buia piena di macchine parcheggiate. Paura della polizia.

Montò sulla Golf e partì. Cemento, solo cemento. Non vedeva l'ora di essere a casa. Arrivò al viale XX Settembre e voltò a sinistra verso Carrara. Milena aveva le chiavi, e doveva essere già arrivata. Un paio di tiri e poi... Era venerdì, il giorno dopo non doveva nemmeno svegliarsi presto. Ogni volta, guidando lungo il viale che lo riportava verso casa, aveva la sensazione di cambiare mondo. Quei palazzi appiccicati uno all'altro erano a pochi chilometri da casa sua, ma sembravano in un altro continente.

Chissà che faccia aveva il Cotenna. Se suo figlio gli somigliava non doveva essere troppo brutto. Di lui aveva sentito raccontare un sacco di cose. Aveva cinquantasei anni. Viveva di furti e di spaccio. Era un duro. Quando lo avevano arrestato si era divincolato come un tonno, e un paio di poliziotti erano finiti al pronto soccorso. Anche per questo gli avevano dato cinque anni e sei mesi. Lo chiamavano Cotenna perché aveva la pelle dura come quella di un rinoceronte, e lui era fiero del soprannome. A quanto diceva la sua donna non aveva paura di nulla. Fin da ragazzino era stato un teppista, e aveva imparato tutto dalla strada. All'epoca della rivolta studentesca andava a picchiare i fascisti, anche se era da tempo ormai che non vedeva una scuola.

Quando era nato Manuele si era messo in lista per gli alloggi popolari, e dopo due anni gli avevano assegnato l'appartamento. Ogni tanto si metteva a dipingere. Grandi tele piene di mostri che sembravano usciti direttamente dall'acido lisergico. In cantina ce n'erano più di venti, accatastati contro la parete e ricoperti da una patina di muffa. A lui non importava nulla che si sciupassero. Non dipingeva per gli altri, ma solo perché quando aveva un pennello in mano la sua mente si muoveva in modo diverso. Solo quello gli interessava. Appena fatto, il quadro finiva in cantina. Carlo sapeva queste cose perché Carmela ogni tanto ne parlava, anche se a mezze frasi. Una volta, con un certo orgoglio, lo aveva anche portato in cantina a vedere le tele appoggiate al muro. Il suo uomo era un artista. Povera Carmela. Quei mostri abbandonati in cantina erano una specie di rivalsa contro la vita, che non le aveva dato molto. Carlo aveva dovuto guardare i quadri uno per uno, e a dire il vero gli erano sembrati molto belli. Magari non avrebbe avuto il coraggio di dirlo a chi se ne intendeva, ma di fronte a quelle figure aveva provato delle forti emozioni. O forse si sbagliava, e non valevano nulla.

Quasi senza volerlo si era fatto un'idea di come fosse il Cotenna, un bestione con gli occhi duri la testa quadrata e il naso schiacciato. Un toro capace di sfondare il vetro di una macchina con un pugno. Una volta lo aveva fatto sul serio, diversi anni prima. Era in Vespa con Carmela. Un tipo con la Mercedes gli aveva tagliato la strada, lui aveva urlato una bestemmia e il tipo aveva alzato il medio. Il semaforo dopo era rosso. Il Cotenna aveva messo la Vespa sul cavalletto, e dopo aver sfondato il vetro con un pugno aveva tirato fuori dal finestrino quel figlio di papà lungo e magro. Carmela non aveva mai detto com'era andata a finire, raccontava soltanto che aveva sentito un gran rumore di ossa che si spezzavano. O forse erano tutte balle. Lei viveva da sola con un figlio piccolo, e aveva bisogno di proteggersi con le leggende. Il Cotenna era un'ombra minacciosa che aleggiava nel buio, in attesa di compiere le sue vendette.

«Una volta ha spaccato la faccia a tre ragazzi che rompevano i coglioni a una donna... un'altra ha sollevato un tipo e lo ha lanciato a cinque metri di distanza... e un'altra volta...» Carmela raccontava mimando le imprese del suo uomo.

Carlo parcheggiò in piazza Matteotti. Scese con aria indifferente, guardandosi intorno. Attraversò la strada e salì in casa. Trovò Milena al telefono con un'amica, mezza sdraiata sul divano del soggiorno. Aveva una gonna corta di jeans e i piedi nudi. I capelli neri le scendevano come onde fino ad accarezzarle il seno. Carlo la baciò sulla bocca, poi tirò fuori la coca e preparò due strisce sottili tritando un pezzetto del cristallo. Avvicinò lo specchio al naso di Milena.

«Scusa un attimo» disse lei all'amica. Alzò la testa, tirò la pista da una sola narice e la sua palpebra destra tremò per qualche secondo. Ricominciò a parlare al telefono.

Carlo prese i cinquanta euro arrotolati e tirò la sua pista, ma non tutta. Leccò una sigaretta e la strusciò sullo specchietto. Appena l'accese si alzò in aria un nastro di fumo bluastro e denso, vagamente dolciastro. Andò a mettere un po' di musica, un trio jazz che gli piaceva particolarmente. Le quattro stanze di Carmela erano più lontane che mai, in un mondo che non aveva nulla a che fare con il suo. Si fece spazio sul divano e Milena gli appoggiò i piedi nudi in mezzo alle gambe, muovendo le dita e sorridendo. Carlo si eccitò all'istante.

Finalmente Milena chiuse il telefono. Senza dire nulla andò ad accendere una lampada bassa e a spegnere la luce grande, poi si alzò la gonna e salì addosso a Carlo. Aveva le cosce calde. Dopo un lungo bacio si tolse la camicetta. Lui la tirò verso di sé e affondò il viso nel morbido del suo seno, aspirando l'odore buono della sua pelle. Milena lo guardava come se fosse un povero bambino assetato.

«Sei bellissima...»

«È tutto quello che sai dire?» sospirò lei, eccitata.

Due squilli brevi e ravvicinati, e uno più lungo. L'autoradio sotto il braccio. Le nove e dieci. Per strada non c'era quasi nessuno. Ogni volta che si trovava davanti al portone di Carmela pensava la stessa cosa: *che strano essere qui*. In fin dei conti doveva solo salire otto rampe di scale, comprare la coca e andare via. Una piccola operazione necessaria. Si fermava sempre a fare un tiro, come per dare alla faccenda un'aria tutta diversa. Una visita da amici. Carmela comunque era simpatica, non aveva l'aria di chi spacciava più di un chilo di coca al mese. Ma in fondo non era poi una gran cosa, quindici chili all'anno. Una donna sola che doveva sfamare suo figlio. Ma come mai non apriva? Forse era in bagno. Provò a suonare di nuovo. Aspettò un sacco di tempo, ma non aprì nessuno. Provò un'altra volta. Niente. Fece qualche passò indietro e alzò gli occhi. C'erano molte finestre illuminate, e non sapeva con certezza quali fossero quelle di Carmela.

Tornò in macchina, infilò l'autoradio nella plancia e l'accese. Cercò qualcosa di ascoltabile, e alla fine lasciò un canale di musica classica. Volume basso, finestrino mezzo aperto per mandare via il fumo. Magari Carmela aveva avuto un contrattempo.

Passò mezz'ora, ma non arrivava nessuno. Ogni macchina che vedeva passare sperava che fosse lei, e malediva tutti gli intrusi che lo facevano illudere. Altri due fari si stavano avvicinando, e sentì che era la volta buona. Che macchina aveva Carmela? Quella là era una Punto. Era lei, doveva essere lei. La macchina s'infilò in un parcheggio, e scese un uomo. Accidenti a lui, porca troia... Calmo, doveva restare calmo. Non era mica un drogato. Faceva solo qualche tiro di coca per divertirsi. Aspettò che l'uomo fosse entrato nel palazzo e scese dalla Golf. Andò a suonare di nuovo, pregando che Carmela aprisse. Magari prima era in bagno. E se invece il campanello era guasto? Aspettò davanti al portone. Dopo un po' uscì un ragazzo con i jeans strappati sulle ginocchia, e Carlo ne approfittò per entrare nel palazzo. Salì al quarto piano e bussò alla porta, prima piano, poi più forte. Silenzio. Si sentivano solo i televisori negli altri appartamenti, sintonizzati su canali diversi. Che cazzo era successo? Tirò fuori il cellulare per chiamare Carmela. Aveva solo il numero di casa. Schiacciò il pulsante verde, ma subito cambiò idea e interruppe la chiamata. Tornò in strada e si sedette in macchina. Si sentiva un po' agitato. Quanta coca aveva ancora a casa? Solo qualche pista. Gli sarebbe bastata appena per quella sera. E domani? Non che ne avesse bisogno, ma se ce l'aveva era meglio. Porca puttana, perché Carmela non arrivava? Cazzo. Se si fosse immaginato una cosa del genere, la sera prima ne avrebbe comprata di più.

Forse era successo qualcosa al bambino. Una cosa da nulla, un taglietto da medicare al pronto soccorso. Però era strano, lui era lì dalle nove e dieci e Roberto non si era visto. Cazzo, vuoi vedere che... Ma no, dai, non era successo niente. Carmela sarebbe arrivata tra poco e gli avrebbe spiegato tutto. Un bel tiro di coca, qualche grammo pesato e poi... Non vedeva l'ora di essere con Milena, tranquillo e beato. Doveva solo aspettare che Carmela...

Squillò il cellulare. Era Milena, un po' preoccupata. Le disse che andava tutto bene e che ne aveva ancora per poco. Un piccolo contrattempo.

«Avevamo un invito a cena, te lo sei scordato?» Era un po' infastidita.

«Ma no... Arrivo tra poco.»

«Sono le dieci e un quarto.»

«Tanto da loro si cena sempre tardi...»

«Ci vado da sola.»

«Forse è meglio. Ti raggiungo dopo... Scusami, ma...»

«Ciao.»

Riattaccarono. Non era stata una bella telefonata. Nulla di così orribile, ma gli era rimasta addosso una sensazione spiacevole. Comunque adesso poteva aspettare quanto voleva. Mise in moto a andò a fare un giro fino alla Partaccia, guidando lentamente. Si fermò un paio di volte per telefonare a Carmela da una cabina, ma non rispose nessuno. Alle undici ripassò davanti al palazzo e si abbassò sul volante per guardare in alto. Le finestre al quarto piano erano tutte spente. Parcheggiò più avanti e andò di nuovo a suonare il campanello. Due brevi e uno lungo. Non aprì nessuno. Si sentiva nervoso, ma si ripeteva che invece era tranquillissimo.

Si mise a camminare là intorno, per far passare il tempo. Arrivò al supermercato e proseguì fino al viale a Mare. Le macchine passavano lente, e ogni tanto dietro i vetri si vedevano brillare due occhi. Squillò di nuovo il cellulare e per un attimo sperò che fosse Carmela... ma Carmela non aveva il suo numero. Era Milena, ovviamente. Piuttosto seccata.

«Che succede?»

«Ma non dovevi andarci da sola?»

«Da sola non ci vado... Quando arrivi?»

Ma sì, sarebbe arrivato subito. Tornò indietro e montò in macchina bestemmiando. A casa almeno aveva un po' di coca. Nessun problema. La mattina dopo avrebbe telefonato a Carmela e la sera alle nove sarebbe passato da lei. Allora come mai era di cattivo umore? Doveva calmarsi.

Quando arrivò a casa era quasi mezzanotte. Milena dormiva sul divano, davanti al televisore acceso. Senza svegliarla tritò un po' di coca sullo specchietto, e la tirò con grande piacere. La sera dopo ne avrebbe comprati dieci grammi.

«Che è successo?» Milena si era svegliata.

«Nulla... Carmela non c'era.»

«E tutto questo tempo che hai fatto?»

«Ho aspettato.»

«Tre ore?»

«E allora?»

«Andrea e Laura ci avevano invitato a cena.»

«Ci andiamo un'altra volta. Ti va un tiro?»

Era successo un casino. Carmela e alcuni piccoli spacciatori erano stati arrestati. Il bambino, Manuele, era stato accompagnato dai nonni. Lo lesse sul giornale la mattina di due giorni dopo, con i brividi sul collo. Porcatroia. Anche la sera prima era andato a suonare a quel maledetto campanello. Aveva rischiato grosso, poteva esserci la polizia appostata da qualche parte.

Non aveva più coca. Si sentiva depresso, ma non voleva ammetterlo. Aveva sempre in testa l'immagine di una striscia bianca sullo specchio... il sapore amaro in gola, la voglia di essere grandioso, la capacità di illuminare ogni cosa con il solo pensiero. E adesso?

Quella sera si dette da fare, e verso mezzanotte e mezzo riuscì a trovare un grammo dall'amico di un amico, a Viareggio. Duecento euro, e nemmeno un vero grammo. Ma era solo per una volta. Mica poteva spendere tutti quei soldi.

Appena aprì la porta di casa sentì nell'aria l'odore di Milena, ma lei non c'era. Aveva lasciato un biglietto molto significativo: *vaffanculo*. Carlo aprì la bustina di coca e ne versò un po' sullo specchietto. Era troppo bianca, troppo farinosa. Si fece una striscia enorme, ma non sentì nulla. In dieci minuti la finì. Niente. Gli avrebbe fatto più effetto un piatto di pasta. La coca di Carmela era pura, e lui si era abituato male. Era inutile, non avrebbe mai trovato una coca così buona. Poteva farci una croce sopra. Si sentiva tristissimo.

Provò a chiamare Milena sul cellulare, e al ventesimo squillo rinunciò. Le mandò un messaggio, una frase carina. Non rispose. Forse era meglio così, non sarebbe riuscito a essere gentile. Stava troppo male. Fumò mille sigarette saltando fra i canali. Alle quattro e mezzo se ne andò a letto, oppresso dall'angoscia.

Quando suonò la sveglia aveva già gli occhi aperti da un pezzo. Il mondo gli pesava addosso, e ogni cosa gli sembrava inutile. La mattina di lavoro fu orribile. I colleghi a cui vendeva la coca gli lanciavano occhiate d'intesa, ma nessuno disse una parola su quegli arresti. Il tempo non passava mai. Immaginava di farsi una pista e soffriva. Era una cosa tutta mentale. Doveva tirare qualcosa su per il naso.

Una volta Carlo aveva chiesto a Carmela se non avesse paura a maneggiare tutta quella coca. *So dove nasconderla*, aveva detto lei. Ma dove? La polizia l'aveva trovata? Avrebbe dato una mano per saperlo.

Telefonò a Milena, e la trovò abbastanza tranquilla. Ma quella sera non fecero l'amore. E nemmeno le sere successive. Carlo era così depresso che non riusciva quasi a parlare. Intorno a lui il mondo era diventato nero. Milena lo coccolava, e lui si sentiva mezzo eroe e mezzo imbecille. Il periodo più brutto della sua vita, senza dubbio. Non riusciva ad abituarsi a vivere senza coca. Nulla aveva più alcun senso. Solo ogni tanto sentiva un brivido di speranza, ma era del tutto ingiustificato.

Due settimane dopo uscendo dal lavoro incontrò Roberto in via Alberica, e si bloccarono uno di fronte all'altro. Roberto era pallido e dimagrito, con gli occhi infossati. Dopo qualche secondo di esitazione andarono a bere un caffè in un piccolo bar lì vicino. Roberto non aveva troppa voglia di scherzare. Lo avevano rilasciato da qualche giorno. Era stato in cella d'isolamento. Tre interrogatori, ma non aveva detto nulla. Carmela invece era ancora dentro e ci sarebbe rimasta fino al processo.

«La pacchia è finita» disse con tristezza. Ma non sembrava abbattuto come Carlo.

«Sai se hanno trovato la coca?» Simulò un sorriso, nel caso che qualcuno li stesse controllando. Erano conoscenti che parlavano del più e del meno.

«Non credo proprio» disse Roberto.

«Sei sicuro?» Cercava di non fargli vedere quanto fosse agitato.

«Certo... Io lo so dove la nascondeva.» Appena un bisbiglio.

«Che cazzo dici?» Un brivido in tutto il corpo.

«Se non avessi paura andrei a prenderla.»

«Dov'è?» Carlo si mordeva le labbra senza rendersene conto.

«Non vorrai mica...»

«Dov'è?» Lunghi secondi di silenzio, quasi dolorosi. Roberto avvicinò la testa.

«All'ultimo piano del palazzo, nel pianerottolo c'è un pezzo di battiscopa che si muove.»

«È lì?» Certo che era lì, che bisogno c'era di chiederlo? Roberto annuì solo con gli occhi. Si sentiva importante a conoscere il nascondiglio di Carmela. Carlo pagò i caffè.

«Perché non sei andato a prenderla?» disse, mentre uscivano dal bar.

«Fossi matto.» Si salutarono con un cenno e Roberto si avviò sul marciapiede rasentando il muro.

La sera Carlo andò al cinema con Milena e una coppia di amici, a Sarzana. Un film che non sapeva di nulla. Alle undici andarono a mangiare una pizza in un posto affollato, loro due da soli. Gli amici se n'erano andati a casa, per registrare qualcosa alla televisione. Carlo non faceva che pensare al nascondiglio dietro al battiscopa. Quanta coca ci poteva essere? Un etto? Due? O solo pochi grammi? Comunque doveva andare a prenderla.

«Mi senti?» disse Milena.

«Eh?»

«Mi dici cos'hai?»

«Nulla, te lo dico dopo.»

«Possibile che senza quella roba...»

«Parla piano!» sussurrò.

«Guarda che non ci sente nessuno.» Era vero, c'era un tale casino che avrebbero potuto urlare. Doveva solo stare calmo e riflettere. La coca era là, dietro il battiscopa...

A casa fumarono un po' d'erba che Carlo si era ricordato di avere, guardando un documentario sulle scimmie. Milena si strusciava, ma lui era troppo preso dai suoi pensieri. L'erba era un po' vecchia, ma non era male. Era così secca che si sbriciolava fino a diventare una polverina verde. Gli venne un'idea. Ne mise un po' sullo specchietto, fece una striscia e arrotolò cinquanta euro.

«Che ti prende?» disse Milena, divertita.

«Solo per provare.» Tirò su con forza. Sentì un gran bruciore e gli s'impastò il naso. Un vero schifo. L'unico pensiero che lo teneva su era quel battiscopa. Doveva andarci. Lo disse a Milena, e lei lo guardò a bocca aperta.

«Sei impazzito? Magari controllano la casa.»

«Ma no, altrimenti mi avrebbero già fermato.»

«Fossi in te non lo farei...»

«Perché no? Devo solo farmi venire in mente un'idea.» Ci pensò a lungo, e finalmente...

Nella pausa pranzo salì sulla Golf e partì. In tasca aveva un piccolo cacciavite a stella. Si sforzava di guidare con calma, per dare il ritmo giusto alla «missione». Il viale era pieno di macchine e furgoni, ma confondersi in mezzo agli altri gli faceva piacere. Avrebbe voluto essere invisibile. Dopo il ponte dell'autostrada voltò a destra. Passò davanti a supermercato e parcheggiò a un centinaio di metri dal portone di Carmela. Si avviò sul marciapiede con l'autoradio sotto il braccio, guardandosi intorno con attenzione. Si sentiva il mormorio del traffico che scorreva senza posa sul viale XX settembre. Si fermò davanti al portone. Aveva pensato a tutto. Suonò a un campanello a caso. Rispose una donna.

«Pubblicità» disse con voce sicura. Lo scatto del portone gli fece aumentare i battiti del cuore. Entrò nel palazzo e si avviò su per le scale, cercando di non fare rumore. Dietro una porta si sentiva il pianto di un bambino, e ogni tanto la frase secca di una donna.

Quando arrivò all'ultimo piano aveva il fiato grosso, e si passò una mano sulla fronte per asciugare il velo di sudore. Prima di cercare la coca doveva organizzarsi. Si guardò intorno. C'era solo una porta a vetri che doveva servire per andare sulle terrazze. Era aperta. Se la richiuse dietro e imboccò una scaletta di cemento. Dopo un'altra porta sbucò all'aria aperta. Una distesa di antenne e qua e là vasi con piante e fiori. Trovò il posto dove poteva appartarsi dopo aver trovato la coca, un angolo riparato formato da grandi comignoli di cemento.

Tornò giù. Appoggiò l'autoradio in terra e si mise a controllare il battiscopa, tirandolo con le dita. Finalmente trovò un pezzo che si muoveva. Era incastrato bene tra gli altri due, e dovette insistere. Appena si staccò dal muro vide che dietro c'era un pertugio profondo. C'infilò la punta delle dita. Toccò qualcosa di morbido e lo tirò via dal buco. Era un pacchetto chiuso nella pellicola trasparente. Se lo mise in tasca, tendendo l'orecchio. Frugò ancora, più in fondo, e sentì qualcosa di metallo. Era una chiave. Prese anche quella. Mentre rimetteva a posto il battiscopa una goccia di sudore gli cadde dalla fronte. Chissà cosa avrebbe detto Carmela, se lo avesse saputo. E il Cotenna? Doveva restare calmo, il Cotenna era in galera. Sarebbe andato tutto bene. Riprese l'autoradio e si alzò. Gli tremavano le gambe. Non tornò sul tetto. Scese le scale fino al quarto piano, stringendo in mano la chiave che aveva trovato. Provò a infilarla nella porta di Carmela, e sentì che girava. Entrò in casa e chiuse con i paletti. Un sudore appiccicoso gli velava il viso. Riprese fiato e s'incamminò in punta di piedi lungo il corridoio, senza accendere nessuna luce. Quel silenzio faceva paura. Appena si affacciò in cucina gli mancò il respiro. I cassetti e gli sportelli erano stati aperti e svuotati, e il contenuto era ammassato sul tavolo o gettato sul pavimento. Era come se nell'aria fosse rimasta la violenza di quei momenti. Sentiva quasi il rumore dei pacchi di sale che venivano spaccati e rovesciati, le posate tolte a mazzi dai cassetti, le mani che frugavano nei ripiani gettando via barattoli e bottigliette. Spinto da un'attrazione quasi morbosa proseguì avanti e si affacciò nelle camere. Materassi squarciati con le molle fuori, mobili scostati dalle pareti, vestiti e oggetti sparsi dappertutto. Anche in bagno era passato l'uragano, e il puzzo era lo stesso dei gabinetti della stazione. Qualcuno aveva usato la tazza e non aveva sentito il bisogno di tirare l'acqua. E se fossero tornati? Una trappola per topi, cazzo. Doveva calmarsi. Non sarebbe venuto nessuno, non avrebbe avuto senso. Avevano già rovistato ogni angolo della casa, senza trovare nulla. Quello che cercavano ce l'aveva in tasca lui, adesso, e se tutto filava liscio... Calma e sangue freddo. Tornò nell'ingresso e si accoccolò sulle ginocchia. Sfilò il cacciavite dalla tasca e svitò la parte posteriore dell'involucro dell'autoradio. Sei viti che non finivano più di girare. Tolse il coperchio, ci spinse dentro la coca e riavvitò le sei viti. La sua vecchia radio si stava rivelando molto utile.

Sudava come un porco, e dovette asciugarsi con un fazzolettino di carta che poi si ficcò in tasca. Il cuore batteva troppo svelto. Doveva andarsene subito. Guardò dallo spioncino. Si vedeva solo la porta di fronte, deformata dalla lente. Fece un bel respiro. Aveva paura. Da una parte la polizia, dall'altra Carmela e soprattutto il Cotenna... un bestione che poteva rompere il finestrino di una macchina con un cazzotto. Doveva solo arrivare a casa. Tolse i paletti, aprì la porta senza fare rumore e se la chiuse dietro. Scendendo le scale immaginava che da un momento all'altro sbucasse fuori un poliziotto in borghese. Il rumore sgraziato della porta del palazzo che si richiudeva lo bloccò a metà di una rampa.

Fruscio di passi, un uomo e una donna che parlottavano. Un suono metallico, e subito dopo il ronzio dell'ascensore che saliva. Lo sentì passare e fermarsi due piani sopra di lui. Altre voci, passi, una porta che si chiudeva.

Scese in fretta gli ultimi gradini e uscì fischiettando con l'autoradio sotto il braccio. Camminando verso la Golf sentiva gli spilli nella nuca, ma non si azzardava a voltarsi indietro. Sperava di non sentirsi prendere per una spalla... *Polizia, venga con noi*. Ma non successe niente. Appena montò in macchina infilò la radio nella plancia e partì. Guardava di continuo nello specchietto. A un tratto si rese conto di quello che aveva appena fatto, e si sentì gelare i piedi. Doveva essere ammattito. Nascondere la coca nell'autoradio, che grande idea. Se lo beccavano nel palazzo gli avrebbero frugato anche nel culo, altro che autoradio. Come cazzo gli era venuto in mente di rischiare la galera per... Ma ormai era quasi fatta, doveva solo arrivare a casa. Raggiunse il viale a Mare e s'immerse nel traffico. Era felice che le rotonde fossero ingorgate. In mezzo alla confusione si sentiva molto meglio. Accese la radio e cercò di non pensare a nulla.

Appena si chiuse alle spalle la porta di casa si accorse che aveva i muscoli irrigiditi. Bevve due bicchieri d'acqua fresca, per cercare di calmarsi. Si sedette al tavolo del soggiorno, dove cenava ogni sera. Smontò di nuovo il coperchio dell'autoradio. Aprì il fagotto e si morse le labbra dalla gioia. Un sacchettino intero e uno quasi finito. Più di un etto. Si preparò una striscia bella grossa, e la tirò con tale piacere che scoppiò a ridere. Subito pensò: dopo questa non ce n'è più. Con il ritmo abituale sarebbe bastata poco di più tre mesi. Doveva fare economia, e non avrebbe venduto nemmeno un grammo. Divise la coca in ventidue bustine da cinque grammi circa. Ormai ci aveva fatto l'occhio, non aveva bisogno della bilancia. Nascose due bustine nel barattolo del caffè. Le altre le chiuse ben strette nella pellicola, le rimise nell'autoradio e riavvitò il coperchio. Prima di uscire telefonò al lavoro. Inventò che aveva avuto un contrattempo, e che non sarebbe tornato. Nessun problema, gli dissero. Era pronto per la seconda parte del suo piano.

Passando per via della Foce arrivò fino a Massa, e prese la strada che portava a San Carlo. Dopo qualche chilometro voltò in un sentiero sterrato. Duecento metri di curve. Si fermò davanti a una vecchia casa abbandonata e pericolante, senza porte né finestre. Intorno c'erano solo boschi. Qualche anno prima andava spesso a camminare in quei sentieri, e raramente aveva incontrato qualcuno. Si avvicinò al rudere con l'autoradio sotto il braccio. Dette un'ultima occhiata intorno e s'infilò dentro. Svitò in fretta il coperchio per liberare la coca. Ogni tanto gli sembrava di sentire un rumore di passi, ma era solo la paura di sentirli veramente.

Cercò con gli occhi uno spazio tra le pietre di una parete, più in alto possibile. Trovò quello che voleva. Si alzò sulla punta dei piedi e ci spinse dentro il pacchetto. Si chinò per raccogliere un pezzo di mattone e lo incastrò nell'apertura, per nascondere la coca. Nessuno l'avrebbe mai trovata.

Rimontare il coperchio della radio non fu facile, perché gli tremavano le mani. Uscì dalla casa con la schiena piena di brividi. Si ricordò di avere ancora in tasca la chiave di casa di Carmela, e la gettò nel bosco. Rimontò in macchina e se ne andò senza fretta. Quando arrivò sulla strada asfaltata strinse un pugno e soffocò a stento un urlo di soddisfazione. Era stato un pazzo ma ce l'aveva fatta, ogni dubbio era svanito. Guidando con calma scese fino a Massa, riprese la via della Foce e dopo un quarto d'ora si chiuse di nuovo alle spalle la porta di casa. Ce l'aveva fatta, cazzo. Più di un etto. Gratis. A che sarebbe servito lasciare quel bendiddio a marcire dietro il battiscopa?

Quando la sera raccontò a Milena la sua impresa, lei scosse la testa senza dire nulla, come se fosse impossibile trovare le parole giuste.

Una settimana dopo, i dieci grammi che aveva tenuto in casa si erano già volatilizzati. Andò fino alla casa abbandonata e si portò via cinque grammi. Dopo quattro giorni ci tornò e ne prese dieci. Tirava molto più di prima. Milena era sempre più bella. Scopavano molto, ma non uscivano quasi mai. Carlo trovava sempre qualche scusa per rimandare.

Dopo altre due settimane ne aveva già consumata più della metà. Non voleva pensare a quando la coca sarebbe finita. Era sempre su di giri.

Cominciò a passare le serate a guardare fuori dalla finestra del soggiorno, nascosto dietro la tenda. Spiava il marciapiede. Ogni persona che vedeva gli sembrava un poliziotto, anche le donne con la spesa. Passava così anche i pomeriggi del sabato e della domenica. Milena cercava di calmarlo.

«Sono calmissimo.»

«Sembri un'anima in pena.»

«Lasciami in pace un attimo...» Si rendeva conto di essere esagerato, ma la voglia di spiare dalla finestra era più forte di lui. Stava in piedi dietro la tenda e osservava ogni movimento.

Anche di giorno, quando andava o tornava dal lavoro, non faceva che guardare nello specchietto. In certi momenti era sicuro che lo stessero seguendo. Si aspettava che da un momento all'altro... Ma no, cosa andava a pensare? Solo quando era seduto alla sua scrivania aveva la sensazione di placarsi, anche se a dire il vero nemmeno in quelle ore si sentiva del tutto al sicuro.

Tre settimane dopo andò per l'ultima volta alla casa abbandonata. Gli ultimi dieci grammi. Ancora qualche giorno e la coca sarebbe finita. E dopo? Era stato un imbecille. Avrebbe dovuto farsela durare.

Milena non ne poteva più di vederlo appiccicato alla finestra a spiare fuori, e spesso usciva con le sue amiche. A lui andava bene, perché così poteva controllare meglio cosa succedeva giù in strada.

Qualche sera dopo, verso le sette, mentre infilava la chiave nel portone...

«Carlo!»

Si voltò di scatto e vide un uomo avvicinarsi. Più basso di lui, con i capelli corti e neri, la barba di tre giorni. Aveva un cappotto scuro e teneva le mani in tasca con aria tranquilla, ma il suo sguardo era duro. Ecco, pensò, sono arrivati. L'uomo gli si fermò davanti.

«Sei tu Carlo?»

«Sì... perché?»

«Andiamo in casa.» Spinse il portone ma era chiuso. Carlo aveva le gambe gelate.

«Sei della polizia?»

«Non dire cazzate.» Era quasi offeso. Carlo si sentì riavere.

«Allora chi sei?»

«Il Cotenna.» Lo disse senza muovere le labbra. Carlo si agitò di nuovo.

«Sei uscito?»

«Andiamo su, ti devo dire un paio di cose.»

«No... C'è la mia ragazza, lei non sa niente.» Non era vero, ma non voleva che il Cotenna entrasse in casa sua.

«Allora muoviamoci da qui.»

«Ho la macchina qua dietro.»

«Non fare coglionate. Ho una pistola.» Accennò alla sua mano destra, affondata nella tasca.

«Tranquillo» mormorò Carlo, amichevole. Aveva sempre

pensato che il Cotenna fosse un bestione alto e grosso. Solo lo sguardo era più duro di quanto si era immaginato.

Salirono in macchina e partirono. Il Cotenna teneva sempre la mano destra in tasca, senza dire una parola. Carlo era convinto che non ci fosse nessuna pistola... era solo un bluff. Ma questo non bastava a farlo sentire tranquillo. Su indicazioni del Cotenna imboccò la via della Foce. Era teso, e nella sua testa passavano pensieri velocissimi. Che stava succedendo? Lui non c'entrava nulla con quel mondo di spacciatori e di drogati... Lavorava per una società di informatica, stava con una bella ragazza e non...

«Fermati qua.» Il Cotenna indicò uno spiazzo sul bordo della strada, e Carlo obbedì. Non immaginava che la prima domanda sarebbe stata proprio quella.

«Dov'è la coca?»

«Chi ti ha detto che...»

«Roberto.»

«Ah...»

«Dov'è la coca?»

«Finita.» Era inutile fingere.

«Puttanate, hai le pupille più grosse della testa.»

«Ho fatto l'ultimo tiro mezz'ora fa.»

«Era più di un etto, cazzo.»

«Stai calmo...»

«Calmo una sega... Chi ti ha detto di prenderla?» Si stava innervosendo.

«L'ho fatto anche per voi, che ti credi?»

«Ah, per noi...»

«Certo... Se la polizia ispezionava il palazzo e trovava la coca? Eh?»

«Cazzi miei.»

«Mi dovresti ringraziare» disse Carlo.

«E di Carmela che mi dici?» Il Cotenna aveva gli occhi tondi.

«In che senso?»

«Mi hanno detto che te la sei scopata.»

«Scommetto che è stato Roberto a dirti questa cazzata...»

«E se fosse?»

«Come fai a credere a quel coglione?»

«Te la sei scopata o no?»

«Giuro di no, non ci ho nemmeno pensato.» Gli era uscito un tono molto convincente, perché era la verità.

«Pensaci quanto ti pare, ma se l'hai toccata...»

«Ti dico di no. Sai che mi ha fatto vedere i tuoi quadri? Belli. Mi sono piaciuti.» Sperava di ammorbidirlo.

«Voglio i miei soldi» disse il Cotenna, ignorando i complimenti.

«Mi sembra giusto...» Dentro di sé bestemmiava.

«Ventimila euro.»

«Cosa? Guarda che la pagavo centoventi.»

«È aumentata.»

«E da quando?»

«Da adesso.»

«Senti, non ho tutti quei soldi... al massimo posso dartene cinquemila...» Gli mancava il fiato.

«Ventimila. Entro domani.»

«Posso dartene seimila... Ma non tutti insieme.»

«Se entro domani non mi porti ventimila euro sono cazzi.» Non aveva l'aria di scherzare. Carlo sudava freddo, ma si sforzava di apparire tranquillo.

«Devi darmi un po' di tempo...»

«Mi servono adesso. Devo pagare l'avvocato per Carmela... e poi c'è mio figlio.»

«Non ho tutti quei soldi, come te lo devo dire?»

«Fatteli prestare.»

«Non saprei da chi.»

Il Cotenna si mise a guardare la strada, soffiando dal naso come un toro. Quando passava una macchina Carlo sentiva un po' di sollievo, anche se in realtà non ce n'era alcun motivo.

«Ti offro un'altra possibilità» disse il Cotenna.

«Cioè?»

«Mi dai una mano a fare un lavoretto e siamo pari.»
«Che lavoretto?»
«Te lo dico domani quando ci vediamo.»
«Non è meglio se me lo dici adesso?»
«Se non vieni giuro su Dio che finisce male.»

«Non vorrai andarci sul serio...» Milena era molto preoccupata.

«Non ho scelta.»

«Lo sapevo che prima o poi ti saresti messo nei guai.» Erano sul divano abbracciati, davanti al televisore acceso con il volume abbassato. Per non fare insospettire il Cotenna Carlo aveva tirato pochissimo, e non era caduto nell'ossessione della finestra. Ma si sentiva depresso.

«Se è una cosa rischiosa gli dico che non ci sto. Vorrà dire che un po' per volta gli renderò quei cazzo di soldi.»

«Non mi piace questa storia.»

«Starò molto attento.»

«Non andare... Sento che va a finire male...»

«Se fai così porti sfortuna, cazzo.»

«Per favore, lascia perdere questa storia.»

«Andrà tutto bene, e dopo non dovrò più pagare la coca.»

L'appuntamento era per mezzanotte. Mancavano ventisei minuti. Rimasero in silenzio a guardare le immagini che si muovevano mute sullo schermo. Carlo si masticava le labbra. Come aveva fatto a ficcarsi in una situazione così assurda? Anche lui aveva un brutto presentimento, ma se voleva risparmiare ventimila euro...

Milena gli infilò una mano nei pantaloni, e lui la fermò.

«Mi sa che è ora di andare.»

«Se rimani ti faccio...» glielo bisbigliò in un orecchio. Carlo sorrise. Si baciarono. Fu l'ultimo momento bello di quella notte.

«Ti chiedo solo di aspettarmi.» Gli uscì la voce che avrebbe usato per un addio.

«Giurami che se è una cosa pericolosa...»

«Non ti preoccupare.»

«Fammi uno squillo ogni mezz'ora, solo per farmi capire che va tutto bene.»

«Meglio di no. Se poi per qualche motivo non posso chiamare ti agiti.» Sentì che il cuore gli batteva più svelto. Un altro bacio, più breve, e si alzò. Milena non se la sentiva di accompagnarlo alla porta, e si rannicchiò sul divano con un brivido. Carlo passò velocemente dalla camera da letto, aprì un cassetto e prese un piccolo coltello a serramanico. Ce l'aveva da quando era ragazzino, glielo aveva regalato suo padre. In effetti non era poi così piccolo. Se lo mise nella tasca dei pantaloni e si avviò alla porta.

«Ciao» disse a voce alta.

«Stai attento!»

«Tranquilla, appena ho fatto ti chiamo.»

A mezzanotte meno due minuti parcheggiò all'angolo tra via Cavour e via Carriona, e spense i fari. Era lì che aveva fissato con il Cotenna. Sulla strada scorreva il traffico rilassato della notte. Sul marciapiede passò un uomo anziano con un vecchio cane da caccia, e Carlo invidiò la sua tranquillità. Cosa voleva da lui, il Cotenna? Vide passare un'Alfa 33 dei carabinieri e sentì una vampata sulla faccia. Aspettò di vederla sparire dietro la curva, tirò giù il finestrino e accese una sigaretta. Doveva stare calmo. Aveva una gran voglia di un tiro di coca, ma ci voleva pazienza. Doveva far credere al Cotenna che fosse finita. Altri quattro grammi... e dopo? Fingeva con se stesso di non essere preoccupato, ma l'angoscia aumentava. Quanto potevano durare quattro grammi, anche facendo economia? Una settimana? Dieci giorni?

Sentì aprire la portiera del passeggero e sobbalzò. Il Cotenna si sedette accanto a lui. Aveva un taglietto sulla faccia, che sanguinava un po'.

«Vai su di là.» Indicò la via Carriona dalla parte dei monti. Carlo mise in moto e partì. Salirono su per la statale di Fosdinovo. Sulla collina di fianco appariva nel buio il rettangolo di qualche finestra illuminata. Passarono in mezzo a un gruppo di case e continuarono a salire.

«Perché vai così piano?» disse il Cotenna.

«Non ci tengo a essere fermato dalla polizia.» La verità era che voleva arrivare il più tardi possibile... Ma dove? A fare cosa?

«Vai sempre dritto.»

Carlo spiava il Cotenna con la coda dell'occhio, attento a ogni suo minimo gesto. Sentiva il coltello a serramanico premergli contro la coscia nella tasca. Se fosse stato necessario, avrebbe avuto il coraggio di usarlo? Ce l'avrebbe fatta a piantarlo con forza nella pancia di qualcuno? Magari in quella del Cotenna? Immaginò la scena, e sperò di non doversi mettere alla prova.

«Che ti è successo alla faccia?»

«Mi sono tagliato a farmi la barba.»

«Dove stiamo andando?»

«Ora lo vedi... gira di là...»

«Manca molto?» Nessuna risposta. Qualche chilometro dopo Fosdinovo il Cotenna gli indicò una strada stretta e buia che saliva sulla sinistra. Carlo non ricordava di esserci mai passato. Si lasciarono dietro un paio di case con le finestre illuminate e proseguirono in mezzo a boschi di castagni. Carlo si sentiva sempre peggio. Perché non lasciava perdere tutto? Quello che stava andando a fare valeva davvero ventimila euro? *Sento che va a finire male*, aveva detto Milena. La immaginò distesa sul divano, sorridente. Vide le sue gambe nude, i piedini con le unghie laccate di rosso. Poteva essere a fare l'amore con lei, e invece...

«Dimmi cosa andiamo a fare, così mi preparo.» Gli era tremata un po' la voce.

«Hai paura?»

«No.» Certo che aveva paura. Il volante era umido di sudore.

«Stai calmo, siamo quasi arrivati.»

«Non è che ci mettiamo nei casini?»

«Va tutto bene.»

«Stiamo andando da qualcuno?» Il Cotenna non rispose. Andarono ancora avanti, senza parlare. Ai piedi degli alberi stagnava una nebbiolina rada, e le curve diventarono più strette. Appena oltrepassato un piccolo ponte il Cotenna gli disse di voltare in un sentiero ricoperto di foglie marce. La macchina cominciò a ballare. Dove cazzo stavano andando? Mezzo chilometro di curve e di buche, alberi e nebbia.

«Fermati qua.» Il Cotenna indicò uno slargo a lato del viottolo. Scesero dalla macchina. La luce della luna dava alla notte un colore azzurrognolo. Il Cotenna accese una piccola torcia e gli fece cenno di seguirlo. In lontananza si sentiva un cane che abbaiava. S'incamminarono lungo la strada sterrata. Intorno adesso c'erano solo boschi. Passarono sopra un ponticello di pietra, e in basso si sentiva il rumore di un ruscello. Quel maledetto cane continuava ad abbaiare. Carlo sentiva il coltello nella tasca, e sudava. Non ce la faceva più a sopportare la tensione... e a un tratto si fermò. Il Cotenna se ne accorse e gli puntò la torcia in faccia.

«Che cazzo fai?» bisbigliò.

«Se non mi dici dove andiamo torno indietro.»

«Non dire cazzate.»

«Ti giuro che me ne vado.» Forse lo avrebbe fatto davvero. Il Cotenna lo capì e sospirò d'impazienza.

«Stiamo andando a prendere una cosa.»

«Dimmi *cosa* o me ne vado.» Nel buio vedeva luccicare gli occhi del Cotenna.

«Roba.»

«Che roba?»

«Eroina.»

«Cosa?»

«È quassù che l'hanno nascosta.»

«Di chi parli?»

«Siciliani» bisbigliò il Cotenna, soffiandogli sulla faccia un fiato non proprio fresco. Carlo rabbrividì.

«Vuoi dire... mafia?»

«Esatto.»

«Tu sei pazzo.» Sentì che gli tremavano le gambe.

«Te la fai addosso?»
«Come fai a sapere dove la nascondono?»
«Hai mai sentito parlare di radiocarcere?»
«Ti sei bevuto il cervello.»
«Forse sì, ma non mi caco nelle mutande come te.»
«Ci ammazzeranno...»
«Non sapranno mai chi è stato.»
«Perché non ci sei venuto da solo?»
«Bisogna essere in due.»
«Perché?»
«C'è da spostare un pietrone.»
«Andiamo via, cazzo.»

«Se non vieni ti ammazzo io.» S'incamminò con aria decisa e per non rimanere da solo Carlo gli andò dietro, biascicando bestemmie. Dopo un centinaio di metri il Cotenna illuminò un tabernacolo con una Madonna dipinta, sul bordo della stradina.

«È qua vicino» sussurrò. S'infilarono nel bosco, e poco dopo nel cono della torcia apparve un grosso pietrone giallastro. Si avvicinarono. Il Cotenna spense la torcia e se la mise in tasca.

«Dammi una mano.»
«Ci metteranno in un pilone di cemento...»
«Diamoci da fare.» Cominciarono a spingere la pietra, e con molta fatica riuscirono a farla rotolare un po' di lato. Aveva ragione il Cotenna, un uomo solo non ce l'avrebbe mai fatta. Carlo ansimava e si guardava intorno terrorizzato, massaggiandosi le braccia doloranti. Non faceva più caso al cane che abbaiava lontano. Il Cotenna scavò la terra con le mani, e quasi subito trovò una grossa borsa di pelle. La tirò su e l'aprì. Per guardarci dentro si fece luce con l'accendino. Era piena fino all'orlo di sacchettini bianchi. Richiuse la borsa.

«Rimettiamo a posto la pietra.» La spinsero, gemendo di fatica. Sembrava più pesante di prima, ma alla fine riuscirono a rimetterla dov'era. Tornarono verso la macchina senza dire una parola. Si sentiva solo il rumore ovattato dei loro passi sul tappeto di foglie umide.

Montarono sulla Golf e il Cotenna si mise la borsa tra i piedi. Carlo fece manovra più in fretta possibile, rischiando di impantanarsi, e si buttò giù per la discesa.

«Porcaputtana... vaffanculo... cazzo...» Si vedeva già legato a una sedia in uno scantinato buio. Dopo averlo torturato, lo avrebbero dato in pasto ai maiali o sciolto nell'acido?

«Vai piano, così ci ammazziamo.» Il Cotenna non sembrava per niente preoccupato.

«Meglio morire così che incaprettato... Porcatroia... Accidenti a te...» Guidava come un pazzo in quel sentiero largo più o meno come la macchina, e nelle curve sbandava.

«Stai calmo...»

«Calmo un cazzo! Se ci beccano ci tagliano le palle e ce le fanno mangiare.»

«Non ci becca nessuno.»

«Vaffanculo.»

«Non sei contento? Hai appena risparmiato ventimila euro» disse il Cotenna, reggendosi alla maniglia della portiera. Sembrava rilassato, quel maledetto pazzo.

«Credevo che la mia vita valesse più di ventimila euro...»

«Se guidi così anche sulla statale ci arrestano.»

«Cazzo... cazzo...» Ci mancava anche quella. Carlo non ci aveva più pensato, alla polizia. La sua preoccupazione era un'altra: aveva fatto uno sgarro alla mafia. Quanta eroina c'era nella valigia? Trenta chili? Quaranta? In quel momento pensare a vent'anni di galera era quasi un sollievo. Sarebbe uscito a cinquantadue anni... sempre che non gli avessero tagliato la gola mentre dormiva. Arrivarono sulla stradina asfaltata e Carlo ne approfittò per andare più forte.

«Ci trasformeranno in salsicce...»

«Adesso vai piano, sennò ci beccano sul serio.»

«Tu sei pazzo, e io sono un coglione.» Imboccò la statale, e per non superare i cinquanta dovette stringere i denti. Spiava dentro le rare macchine che venivano in senso opposto cercando di vedere le facce dei passeggeri, per capire se potevano essere *loro*. Era rigido come un pezzo di legno. Sentì una goccia di sudore scendergli fino al mento, e prima che potesse asciugarla gli cadde sul petto. Sbirciava di continuo nello specchietto, e a un tratto vide due fari avvicinarsi a grande velocità. Una grossa macchina s'incollò rombando al culo della Golf.

«Ce li abbiamo dietro, cazzo!»

«Ma chi?» Il Cotenna si girò indietro per guardare.

«Lo sai benissimo chi... Non ti voltare!»

«Metti la freccia a destra e fallo passare.»

«Dici?» Carlo rallentò, e la macchina passò oltre accelerando come una formula uno. Era una Porsche nera, e fecero appena in tempo a vedere una testa bionda accanto al guidatore.

«Hanno solo fretta di andare a scopare» disse il Cotenna, ridendo. Come cazzo faceva a essere così tranquillo? Carlo era così teso che a forza di serrare la mascella gli facevano male i denti.

«Dimmi dove ti lascio e dimenticati di avermi conosciuto...»

«Non abbiamo ancora finito, devi portarmi a nascondere la roba.»

«Che? Te lo scordi.»

«Mi hai rotto il cazzo con le tue lagne...» Nel buio apparve una pistola, piccola e scura. Allora ce l'aveva davvero, lo stronzo.

«Metti via quel coso» balbettò Carlo.

«Si fa come dico io.»

«Certo, stai calmo... Dove andiamo?»

Milena gli saltò al collo sulla soglia, stringendolo fino a fargli male. Sembrava che avesse visto un morto resuscitato. Erano le quattro. Carlo aveva gli occhi vuoti e la pelle giallastra. Si sentiva un uomo che non fa più ombra. Andò in bagno seguito da Milena, e si sciacquò il viso con l'acqua fredda. Avrebbe dato una mano per non essere mai uscito, quella sera.

«Com'è andata? Dove sei stato?» Milena aveva gli occhi pesti quasi come lui.

«Se te lo dico non ci credi.»

«Che è successo?»

«Dammi solo un minuto.» Andarono in soggiorno. Carlo si fece un tiro, non troppo grosso, poi si lasciò andare sul divano e chiuse gli occhi. Milena era rimasta in piedi, e si dondolava da un piede all'altro.

«Allora?» Era ansiosa di sapere.

«Abbiamo dissotterrato una borsa piena di eroina, sopra Fosdinovo...»

«Cosa?»

«... e siamo andati a nasconderla in un canneto lungo il Frigido.»

«Stai scherzando, vero?» Accennò un sorriso.

«Ma questo è nulla. Lo sai di chi è quella roba?» Aprì gli occhi e fissò Milena.

«Di chi?»

«Mafia siciliana.»

«Sei pazzo? Perché non sei tornato indietro?» Era terrorizzata.

«Perché...» Non sapeva cosa rispondere. Ormai non aveva più nessun senso cercare un motivo per quella immensa coglionata. Aveva risparmiato ventimila euro. Valeva davvero così poco la sua vita?

«Guarda cosa mi ha dato quel deficiente.» Sfilò dalla tasca una busta trasparente piena di eroina. Doveva essere un etto preciso.

«Buttala via» disse Milena, cercando di strappargliela di mano.

«No, aspetta.» Pensava già a quando la coca sarebbe finita. Era comunque una polvere, si poteva tirare su per il naso.

«Non vorrai mica farti quella roba?» Milena era pallida.

«Ma no...» Rimise l'eroina in tasca.

«Se lo fai ti lascio.»

«Calmati, vieni qua...» Prese Milena per la mano e la fece sedere sul divano. Si abbracciarono, e lei scoppiò a piangere. Biascicava qualcosa, ma non si capiva nulla. Carlo le accarezzava la testa. Quei lamenti gli gelavano il sangue. Doveva distrarsi, allontanare l'incubo dei siciliani. Senza convinzione provò a infilare una mano sotto la maglia di Milena, ma lei si contrasse.

Si addormentarono vestiti sul divano.

La mattina dopo si svegliarono meno angosciati di quanto avrebbero immaginato. Non dissero una parola sulla notte prima. Non parlarono quasi. Carlo mise l'eroina nell'armadio di camera, sotto una pila di maglioni. S'infilarono insieme sotto la doccia e ci rimasero a lungo, evitando di guardarsi negli occhi. Prima di uscire Carlo si fece un tiro di coca. Aveva deciso di non portarsela dietro. Scesero insieme, si salutarono con un bacio sulle labbra e si separarono per andare a lavorare.

Passavano i giorni, e non succedeva niente. Il Cotenna non si era più fatto vivo, del resto non ce n'era motivo. Forse non si sarebbero mai più incontrati. Vivevano in mondi così distanti... Sembrava impossibile che a dividere le loro case ci fosse solo qualche chilometro di asfalto.

Poco a poco Carlo si calmò. Milena ricominciò anche a sorridere. C'era ancora un po' di coca. La sera tiravano un paio di strisce e uscivano. Non ce la facevano più a stare chiusi in casa, avevano voglia di dimenticare. Andavano a cena fuori, al cinema, o anche solo a bere qualcosa in Versilia con qualche amico. La vita stava tornando lentamente alla normalità. Una notte andarono addirittura sulla spiaggia della Partaccia durante una mareggiata, e davanti agli spruzzi d'acqua si baciarono come due ragazzini.

Tre settimane dopo, aprendo il giornale, Carlo si trovò di fronte una foto segnaletica... e riconobbe il Cotenna. La notizia prendeva mezza pagina. Il cadavere completamente nudo di Elio Maggesa, pregiudicato di anni cinquantasei, era stato trovato lungo l'Aurelia in un deposito di marmo.

«Lo sapevo... cazzo... lo sapevo...» Cominciò a tremare così forte che per non battere i denti doveva tenerli serrati.

Erano le nove meno cinque, e stava attraversando piazza Aranci per andare al lavoro. Non riusciva a staccare gli occhi da quella foto. Avrebbe voluto appallottolare il giornale e gettarlo via, ma non ci riusciva. Doveva farsi coraggio e leggere l'articolo...

Il cadavere del Maggesa aveva segni evidenti di torture su tutto il corpo, e la gola tagliata. Tra i denti gli avevano infilato una pietra grossa come una mela, spaccandogli la mascella. Un regolamento di conti della malavita, diceva la magistratura. Non sapevano nulla. Nemmeno che il Maggesa si faceva chiamare Cotenna.

Chiuse il giornale. Ancora qualche giorno e la notizia sarebbe scomparsa dai quotidiani e dai telegiornali, ne era sicuro. Forse quando avrebbero ammazzato lui se ne sarebbe parlato più a lungo. Un ragazzo di buona famiglia che lavorava in una società informatica era un morto più interessante di uno come il Cotenna.

«Lo hanno torturato... e lui ha parlato...» Un uomo solo non poteva spostare quella grossa pietra, e i siciliani avevano cercato di sapere chi lo aveva aiutato. Ci avrebbe scommesso le palle che il Cotenna... E se invece non aveva parlato? Immaginò la scena, e cercò di convincersi che il Cotenna aveva la stoffa dell'eroe. Non dicevano tutti che era un duro? Magari aveva resistito alle sevizie e...

«Ha da accendere?» Un uomo gli si era parato davanti con una sigaretta in bocca, e Carlo corse via come se avesse visto il diavolo. Arrivò al lavoro con la gola chiusa. Salutò i colleghi cercando di essere uguale a sempre, e si chiuse nella sua stanza. Che doveva fare? Andare alla polizia? Ma a dire cosa?

Nella pausa pranzo non uscì. Disse che aveva un problema con un software e chiese a un collega di portargli un panino. Rimpiangeva i tempi in cui guardava nello specchietto con la paura di essere seguito dalla polizia. Come lo avrebbero ammazzato? E Milena? Almeno lei l'avrebbero lasciata in pace? Dovevano partire, andare lontano. Ma dove? Li avrebbero trovati comunque... O forse si stava preoccupando per niente. Non era detto che il Cotenna avesse parlato. Magari aveva solo confessato dove aveva nascosto la borsa... In fondo cosa gliene fregava alla mafia di perdere tempo ad ammazzare qualcuno, quando aveva già recuperato l'eroina? Doveva calmarsi. Aveva una gran voglia di farsi una pista, ma doveva avere pazienza. Quanta gliene era rimasta? Forse nemmeno un grammo. La sera stessa sarebbe finita... proprio adesso che ne aveva davvero bisogno.

Quando uscì dal lavoro corse a casa e si fece subito un tiro bello grosso. Per ultimo si era lasciato un cristallo intero. Mangiò solo un po' di frutta, poi si sedette sul divano e accese la tv. Al telegiornale parlarono del cadavere trovato tra i blocchi di marmo. Non era stato scoperto nulla di nuovo. Cambiò canale e mise un quiz. Era così confuso che gli passavano per la mente i pensieri più inutili. Non doveva perdere la calma.

Alle nove e mezzo arrivò Milena. Era tranquilla. Lei non conosceva il Cotenna, non aveva nemmeno idea di che faccia avesse. Non poteva sapere che il morto ammazzato era proprio l'uomo di Carmela. Meglio così. Se avesse saputo la verità si sarebbe spaventata, e avrebbe trascinato anche lui nella disperazione.

«Stasera sei bellissima.»

«Le altre sere no?» Aveva dei jeans così bassi che le si vedevano le mutande. Carlo accese la lampada accanto al televisore e spense la luce grande.

«Vieni qui...» La spinse sul divano e le salì addosso, cercando di pensare solo a quello. Lei sorrideva, contenta di suscitare quel desiderio.

«Sei il solito porco.»

«Mi leggi nel pensiero...» Le passò la lingua sulle labbra. Aveva bisogno della serenità di Milena, era la sola cosa che potesse calmarlo...

Dopo una lunga scopata tirarono l'ultima coca rimasta, senza vestirsi. Era un momento da gustare senza pensare a nulla. Carlo alzò il volume del televisore. C'era un film di vampiri, e Milena si rannicchiò contro di lui. Nell'aria aleggiava un buon odore di sesso.

Poco a poco Carlo sprofondò nei suoi pensieri. I siciliani, la borsa piena di eroina... il cadavere del Cotenna con la pietra in bocca. Povera Carmela. Adesso era sola, con un figlio di dieci anni. Chiusa in una cella. Cercava di pensare a lei per non pensare a se stesso. Quando lo avrebbero ammazzato? In che modo? Pensò ancora una volta di andare alla polizia a raccontare tutto, ma subito dopo gli sembrò un'idea assurda. Cosa sperava? Che lo mettessero sotto scorta? Gli avrebbero fatto un culo come una...

Il trillo acuto del campanello lo fece sobbalzare, e abbassò il volume del televisore. Le undici e quaranta. Milena lo guardava, un po' stupita.

«Chi può essere a quest'ora?» disse.

«Non saprei...» Carlo non si muoveva.

«Che ti prende?»

«Nulla.» Cercò di sorridere.

«Non vai a vedere chi è?»

«Certo...» Andò fino alla finestra, l'aprì con delicatezza. Era nudo e sentì un brivido di freddo. Si sporse appena per spiare il marciapiede. Davanti al portone non c'era nessuno. Gli mancò il respiro... Stavano già salendo. Forse erano già davanti alla porta. Guardò Milena con gli occhi disperati, e lei si tirò su.

«Carlo...»

«Ssst!»

«Che succede?» Era impaurita.

«Nulla... non ti muovere da qui.» Lo aveva detto così piano che forse lei non aveva nemmeno capito. Uscì in fretta dalla stanza, silenzioso. Si avvicinò alla porta d'ingresso, e dopo un secondo si ritrovò Milena aggrappata al braccio.

«Mi vuoi dire cosa...» Era meno di un bisbiglio, ma d'istinto Carlo le mise una mano sulla bocca, con gli occhi sgranati. Milena era terrorizzata. Le tremava leggermente la testa. Carlo si staccò da lei e senza il minimo rumore appoggiò l'orecchio alla porta. Gli sembrava di sentire dei fruscii...

Qualcuno che parlava a bassa voce? O erano dei passi? Rimase ad ascoltare per un tempo infinito, ma non sentì più nulla. Si era sbagliato. Non c'era nessuno. Fece scorrere piano piano il grosso paletto che non chiudeva mai. Quando si voltò, Milena non c'era più. La trovò in soggiorno con addosso la maglia e le mutandine. Si sforzò di apparire tranquillo.

«Sarà stato uno scherzo» sussurrò.

«Mi vuoi dire che succede?» Anche lei continuava a parlare a bassa voce.

«Nulla...»

«Ma se sei bianco come un morto.» Era anche ricoperto da un velo viscido di sudore.

«Non capivo chi poteva essere, a quest'ora.» S'infilò la camicia. Andò di nuovo a guardare dalla finestra, solo un secondo, poi la richiuse. Si sedette accanto a Milena e l'abbracciò. Voleva sembrare l'immagine della calma. A un tratto lei si tirò su, con gli occhi tondi.

«Ho capito!»

«Cosa?»

«Hai paura dei siciliani.»

«Macché siciliani!» Ma lei ormai aveva pronunciato quella frase, e l'incantesimo si era spezzato. La sua mente si popolò di mostri. Milena lo prese per il mento e lo costrinse a voltarsi verso di lei.

«Dimmi la verità.»

«Te l'ho detta... Ci facciamo un tiro?» Si ricordò che la coca era finita, e si sentì perduto.

«Non ti avevo mai visto così spaventato.»

«Non so... era solo che...» La coca era finita, ma nell'armadio c'era il regalo del Cotenna... la busta di eroina. Si alzò e andò a prenderla. Si sedette al tavolo. Milena si accigliò.

«Che vuoi fare?»

«Proviamo questa... Ti va?»

«Sei matto?» Lo disse senza troppa convinzione.

«Dai, solo un tiro...» Carlo fingeva di essere solo curioso. Aveva l'aria di chi sta per assaggiare un vino che non conosce. Ma la verità era che aveva bisogno di stendere una striscia di polvere sullo specchietto. Milena ci pensò solo per un attimo. Alzò le spalle e andò a sedersi di fronte a lui. Dopo lo spavento di poco prima aveva voglia di rilassarsi.

Carlo aprì la busta e d'istinto annusò l'eroina. Un odore strano, amaro e dolciastro insieme. Non l'aveva mai provata, e aveva solo una vaga idea dei suoi effetti. Preparò due strisce sullo specchietto, piccole piccole. I cinquanta euro arrotolati erano ancora lì. Li passò a Milena, ma lei scosse il capo.

«Prima tu.»

«Come vuoi.» Sorrise e tirò la sua striscia.

«Cosa senti?»

«Nulla...» Il solo fatto di tirare polvere su per il naso gli aveva dato un grande piacere. Milena aspettò ancora qualche secondo, poi prese i cinquanta euro e fece sparire la seconda pista.

«Vieni...» Andarono a sedersi sul divano, e Carlo alzò il volume del televisore. C'era ancora il film di prima.

«Hai paura?» sussurrò Carlo.

«Sì... però lascialo.»

«Stringiti a me.» Dopo un po' si rese conto di essere in pace con il mondo. Sentiva un benessere tiepido in tutto il corpo, e aveva la sensazione che nulla potesse andare storto. Anzi, tutto sarebbe andato bene. A un tratto sentì uno strano pizzicore sulla punta del naso, e si grattò con forza. Milena si voltò lentamente verso di lui. Si dettero un bacio sulle labbra. Stentavano a tenere gli occhi aperti.

«Come va?» Milena aveva la voce rauca.

«Bene, e tu?» Che buffo, anche lui aveva la voce rauca.

«Benissimo...» Guardarono la busta di polvere bianca appoggiata sul tavolo, e a tutti e due venne naturale di sorridere. Chissà quanto costava un etto di quella roba. Centomila euro? Duecentomila? Non ne avevano idea. Di sicuro sarebbe durata un sacco di tempo... E dopo?

Note biografiche

Tullio Avoledo è nato nel 1957 a Valvasone, in Friuli. Il suo romanzo d'esordio è stato *L'elenco telefonico di Atlantide* (Sironi, 2003 – Premio Forte Village-Montblanc Scrittore emergente dell'anno), cui hanno fatto seguito *Mare di Bering*, *Lo stato dell'unione*, *Tre sono le cose misteriose* (25° Premio Grinzane Cavour per la narrativa italiana) e *Breve storia di lunghi tradimenti* (Einaudi, 2007).

Andrea Fazioli, nato nel 1978, vive a Bellinzona nella Svizzera italiana. Nel 1998 ha vinto il Premio internazionale Chiara giovani. Nel 2001 si è laureato in Lingua e letteratura italiana e francese all'Università di Zurigo, con una tesi su Mario Luzi. Nel 2005 ha pubblicato il romanzo *Chi muore si rivede* per l'editore Armando Dadò di Locarno. È stato cronista per un quotidiano ticinese, il «Giornale del Popolo». Ora lavora alla RTSI (Radiotelevisione svizzera di lingua italiana).

Emiliano Gucci è nato nel 1975 a Firenze. Presso Fazi sono usciti i romanzi *Donne e topi* e *Sto da cani*. Ha pubblicato numerosi racconti in riviste e antologie, tra cui ricordiamo *Città in nero* (Guanda). Con Marco Vichi è autore di *Firenze nera* (Aliberti). Scrive per il cinema.

Marino Magliani è nato nel 1960 a Dolcedo (Imperia). Ha vissuto a lungo in Spagna e Argentina. Tra i suoi romanzi:

L'estate dopo Marengo (Philobiblon), *Quattro giorni per non morire* (Sironi) e *Il collezionista di tempo* (Sironi). Suoi racconti sono apparsi su «Nuovi argomenti», «Maltese narrazioni» e «Nazione Indiana». Collabora con la rivista di viaggi «Alibi per essere altrove». È inoltre redattore di «La poesia e lo spirito». Attualmente vive e lavora sulla costa olandese.

Gianluca Morozzi è nato nel 1971 a Bologna, dove vive. Ha pubblicato i romanzi *Despero, Dieci cose che ho fatto ma che non posso credere di aver fatto, però le ho fatte, Accecati dalla luce* e la raccolta di racconti *Luglio, agosto, settembre nero*, tutti usciti da Fernandel. Presso Guanda ha pubblicato *Blackout, L'era del porco* e *L'Emilia o la dura legge della musica*.

Divier Nelli è nato nel 1974 a Viareggio, dove vive e lavora. Collabora con quotidiani ed emittenti televisive private. Suoi racconti sono apparsi su numerose riviste e antologie, tra cui *Fez struzzi e manganelli* (Sonzogno, 2005). Ha pubblicato presso Passigli i romanzi *La contessa* (2002) e *Falso binario* (2004).

Domenico Seminerio è nato a Caltagirone, in provincia di Catania. Docente di Italiano e Latino presso il Liceo classico della sua città, è autore di diversi studi storico-archeologici, di due poemetti, *Parole come chewing gum* (1982) e *Ghirigori e parabole* (1985). Ha collaborato con i quotidiani «Il giornale di Sicilia» e «La Sicilia» e con diversi periodici locali. I suoi romanzi *Senza re né regno* (2004) e *Il cammello e la corda* sono pubblicati da Sellerio.

Valerio Varesi è nato a Torino da genitori parmensi. A tre anni è tornato nella città emiliana dov'è cresciuto e ha studiato. Lavora alla redazione bolognese di *La Repubblica*. Con Frassinelli ha pubblicato *Il fiume delle nebbie*, *L'affittacamere*, *Le ombre di Montelupo*, *A mani vuote* e il recentissimo *Le imperfezioni*. Il commissario Soneri, protagonista dei suoi romanzi, con il volto di Luca Barbareschi è approdato in tv nella serie *Nebbie e Delitti*.

Marco Vichi è nato nel 1957 a Firenze. Nel 1999 è uscito presso Guanda il suo romanzo d'esordio, *L'inquilino*. Sono seguiti, sempre presso Guanda: *Donne donne* (2000), *Il commissario Bordelli* (2002), *Una brutta faccenda* (2003), *Il nuovo venuto* (2004), la raccolta di racconti *Perché dollari?* (2005), *Il brigante* (2006) e l'antologia *Città in nero* (2006). Nel 2003 ha curato un libretto di «omaggi» a John Fante per l'editore Fazi, allegato a un documentario di Giovanna Di Lello, e nel 2006 ha pubblicato presso Aliberti *Firenze nera*, un libro con due racconti, uno dei quali di Emiliano Gucci. Con l'associazione Nausika, lavora anche al progetto che nel 2005 è approdato alla fondazione della Scuola di Narrazioni Arturo Bandini (www.narrazioni.it). Dal 2003 tiene laboratori di scrittura in varie città italiane e presso il corso di laurea in Media e Giornalismo dell'Università di Firenze. I suoi libri sono stati tradotti in Germania, Grecia, Portogallo e Spagna.

INDICE

TULLIO AVOLEDO
La traccia del serpente sulla roccia — 9

ANDREA FAZIOLI
Swisstango — 53

EMILIANO GUCCI
Ballere e pasticche — 89

MARINO MAGLIANI
L'ossario — 125

GIANLUCA MOROZZI
Il ghiaccio sottile — 153

DIVIER NELLI
Quando scende la notte — 183

DOMENICO SEMINERIO
Il nero dell'Etna — 213

VALERIO VARESI
Ho visto mio padre piangere — 249

MARCO VICHI
Una vita normale — 271

www.tealibri.it

Visitando il sito internet della TEA potrai:
- **Scoprire subito le novità dei tuoi autori e dei tuoi generi preferiti**
- **Esplorare il catalogo on-line trovando descrizioni complete per ogni titolo**
- **Fare ricerche nel catalogo per argomento, genere, ambientazione, personaggi... e trovare il libro che fa per te**
- **Conoscere i tuoi prossimi autori preferiti**
- **Votare i libri che ti sono piaciuti di più**
- **Segnalare agli amici i libri che ti hanno colpito**
- **E molto altro ancora...**

Finito di stampare nel mese di giugno 2009
per conto della TEA S.p.A.
dalle Nuove Grafiche Artabano
Gravellona Toce (VB)
Printed in Italy

TEADUE
Periodico settimanale del 11.6.2009
Direttore responsabile: Stefano Mauri
Registrazione del Tribunale di Milano
n. 565 del 10.7.1989